Dr Marie-Andrée Champagne, m.d.

L'HORMONE DU DÉSIR

Une hormone pour le désir et d'autres pour le plaisir

UNE ÉDITION DU CLUB QUÉBEC LOISIRS INC.

Dépôt légal — Bibliothèque nationale du Québec, 2000
ISBN 2-89430-424-2
(publié précédemment sous ISBN 2-89111-859-6)

Imprimé au Canada

TABLE DES MATIÈRES

Remerciements

Je remercie d'abord Émilien, mon conjoint, pour toutes les recherches que je lui ai demandé de faire sur l'Internet et qui m'ont été très utiles. Je le remercie aussi pour sa patience à lire et à relire mes corrections ainsi que pour son soutien moral de tous les instants.

Je tiens également à remercier le docteur Roland R. Tremblay, endocrinologue, andrologue et chercheur au CHUL, pour avoir accepté de lire quelques chapitres de mon manuscrit. Je le remercie pour ses commentaires et ses corrections, surtout en ce qui a trait à l'endocrinologie et aux androgènes. Je le remercie plus particulièrement pour son appui et ses encouragements à publier ce livre.

Je remercie le docteur Jacques E. Rioux, gynécologue-obstétricien et chargé d'enseignement au CHUL, à qui j'avais demandé ses impressions sur la deuxième partie de cet ouvrage et qui a voulu le lire au complet. Ses commentaires et critiques m'ont permis de simplifier plusieurs notions, rendant ainsi ce livre plus facilement accessible à tous.

Je remercie également ma sœur Carmen, ma secrétaire Johanne, mon confrère Pierre et son épouse Francine, qui furent mes premiers lecteurs. Grâce à leurs commentaires, j'ai pu prendre un peu de recul pour effectuer une meilleure vulgarisation du contenu de mon manuscrit.

Je remercie Arcaf Inc. pour son aide et son assistance dans la réalisation des illustrations de ce livre.

Je remercie mes patientes, qui sont et resteront toujours pour moi une grande source d'inspiration dans ma constante recherche de connaissances.

Je remercie enfin mon éditrice, Mme Carole Levert, avec qui j'ai toujours beaucoup de plaisir à travailler. Grâce à ses commentaires et suggestions, j'ai pu, une fois de plus, réaliser mon rêve : transmettre mes connaissances et en faire bénéficier le plus de gens possible.

Introduction

L'intuition et la recherche du bien-être nous amènent parfois à suivre des voies qui nous permettent de découvrir des choses insoupçonnées. J'ai ainsi découvert la clé de bien des énigmes, dont celle de l'équilibre hormonal, source de bonheur!

Comprendre soudain qu'il y a une hormone du **désir** et des hormones du **plaisir**, quelle découverte et quel beau message à transmettre! Car, en somme, que cherche l'être humain durant toute sa vie? Le bonheur!

Et le bonheur peut prendre différents visages. Il y a les petits bonheurs, ceux de tous les jours : un beau matin ensoleillé, le sourire d'un enfant, une pièce de musique agréable entendue à la radio en sirotant son café, la découverte d'un nouveau bourgeon sur une plante que l'on chérit alors davantage!

Il y a aussi les plus grands bonheurs, qui arrivent moins souvent : la naissance d'un premier petit-fils, la réussite d'un examen important pour son avenir, l'obtention d'un emploi à son goût, gagner un voyage à Varsovie en participant à un tirage pour assister au Festival Chopin de l'an 2000, et, l'ultime bonheur, tomber amoureux!

Mais la base du bonheur, on l'oublie trop souvent, n'est-elle pas la santé? Sans elle, pas de travail, moins d'autonomie, impossible de réaliser certains rêves ! Sans la santé, nous connaissons la souffrance, une baisse d'énergie et de vitalité, et il y a donc une faille dans le bonheur !

Pour que la santé soit présente, il faut cependant un équilibre entre les différents systèmes de notre corps : le système endocrinien (glandes et hormones), le système nerveux (qui commande et régit nos actes, nos réactions, nos émotions) et le système immunitaire (qui nous permet de nous défendre contre les agressions microbiennes virales ou à corps étrangers).

C'est le premier système qui retiendra notre attention dans ce livre. Nous verrons à quel point les hormones peuvent gérer notre vie (et donc les autres systèmes). Les hormones sont en quelque sorte les agents de notre santé dans ce réseau où elles sont en constante interaction. Ainsi, s'il y a déséquilibre, surviendront alors des malaises qui, sans toujours être graves, porteront atteinte à notre qualité de vie et donc à notre bonheur.

Par exemple, si j'ai la peau sèche et une démangeaison constante, cet inconfort gâche ma vie. Si je suis sans cesse fatiguée et n'ai plus d'énergie pour entreprendre quelque chose, ou encore si j'ai des vertiges, des maux de tête fréquents, des douleurs aux seins, si je dors mal, si j'ai une bursite, tout cela mine mon énergie, détruit ma qualité de vie, mon **plaisir** de vivre et même, dans certains cas, mon **désir** de vivre !

Le bonheur n'est-il pas l'expression du désir et du plaisir ?

Qui dit désir pense recherche de…

Le désir peut évidemment être sexuel, mais il peut aussi être désir de vivre, d'agir, de créer, de se réaliser, de rencontrer un être cher, d'aimer !

Et qui dit plaisir pense… bonheur !

Car si l'on éprouve du plaisir à faire son métier, à rencontrer des gens, à communiquer, à aider, on est heureux.

Mais le plaisir peut aussi être physique, comme sentir la chaleur des premiers rayons du soleil au printemps ou la caresse d'un doux vent d'été, contempler un beau paysage d'automne, respirer l'odeur de la pluie, descendre une belle pente enneigée.

La recherche du plaisir pourra aussi nous conduire vers son ultime aboutissement, se concluant alors, dans l'intimité, par le plaisir le plus intense, l'orgasme.

Pour parvenir à ces grands et petits plaisirs, pour avoir la capacité de désirer et d'assouvir son désir, il nous faut un réseau hormonal en bonne santé. Il faut que la relation entre ses membres soit harmonieuse.

Les hormones qui participent à notre désir et à notre plaisir sont évidemment les hormones sexuelles. Nous verrons comment chacune d'elles a son rôle à jouer pour nous permettre de jouir d'une meilleure qualité de vie, créant ainsi une meilleure condition pour les jeux et bienfaits de l'amour.

Vous ferez d'abord connaissance avec les hormones du **plaisir**, celles qui nous permettent d'avoir des tissus et des os en santé, mais aussi les idées claires, de la mémoire, un sommeil satisfaisant. Vous découvrirez celles qui assurent un bon équilibre des muscles et tissus de notre plancher pelvien, alcôve de nos plaisirs et de nos amours.

Dans le premier chapitre, vous rencontrerez cet agent secret qu'est la SHBG, dont nous parlerons souvent dans ce livre. Car les hormones ont aussi leurs agents de liaison pour véhiculer leur message de plaisir et de bonheur. La SHBG en est un qui sait se déguiser et revêtir de drôles d'aspects. Elle est d'ailleurs souvent la clé de bien des énigmes hormonales. Aussi, gardez-la bien en vue !

En cheminant dans ce livre, vous comprendrez comment, par une hormone en particulier, l'hormone du **désir**, les deux sexes se rejoignent et se réalisent. Car l'hormone du désir n'a pas de sexe : elle procure à l'homme comme à la femme la capacité de désir. Elle ne permet pas uniquement le désir sexuel, mais également le désir de vivre et de jouir de la vie... Nous aurions pu l'appeler aussi tout simplement l'hormone du **bonheur**.

En prenant de l'âge, il est toutefois un peu normal que notre réseau hormonal connaisse des faiblesses et des manques. Le temps mine les forêts, les sources et même les montagnes.

Aussi, si l'on veut vieillir en santé, il est bon de connaître des moyens de relever ce défi. C'est aussi par la connaissance que nous pourrons faire un choix éclairé, celui du bien-vivre et du bien-vieillir.

Car vieillir n'est-il pas, somme toute, une victoire de plus sur le temps ?

Laissez-moi d'abord vous raconter comment ce livre a germé en moi, dans ma recherche du bonheur, et comment s'est imposée à moi l'urgence de dire comment **désir et plaisir** peuvent être trouvés et conservés comme deux précieux secrets pour atteindre le bonheur.

* * *

L'année 1996 s'achevait. J'étais à Séville, à bord de notre voilier, pour les vacances d'hiver.

À mon retour de notre traversée de l'Atlantique, effectuée en mai-juin 1995, j'avais appris que mon premier livre sur la ménopause[1], publié juste avant mon départ, avait été beaucoup lu. Et, à ma grande joie, il avait été très apprécié par celles pour qui il avait été écrit, soit les femmes de mon âge. Je devais dès lors vivre avec la conséquence de mon geste : m'occuper de toutes celles qui avaient besoin qu'on les écoute, qu'on les comprenne, qu'on trouve des solutions à leurs problèmes et qu'on les traite adéquatement ! Ainsi, toutes ces femmes que j'avais reçues en consultation depuis trois ans m'avaient non seulement apporté du matériel pour un nouveau livre, mais également stimulée à continuer la recherche dans ce nouveau domaine si peu exploré qu'est le remplacement hormonal.

De plus, depuis le retour de mon séjour au Portugal et en Espagne (à l'été 1996), j'étais en proie à des démangeaisons qui très souvent m'empêchaient de fermer l'œil le soir, malgré la fatigue de la journée, ou me réveillaient souvent la nuit. Ayant déjà souffert de telles démangeaisons depuis les trois dernières années, mais à un degré moindre, j'appelais cela mon prurit de « débronzage ». J'avais considéré des explications scientifiques : le fait d'être tout l'été dans un milieu marin, donc à forte teneur en iode, devait faire en sorte qu'à terre, au sec, loin des flots bleus, je souffrais sans doute d'une hypothyroïdie très subclinique, impossible à démontrer par des tests de laboratoire. J'avais même essayé de traiter cette carence en mangeant des huîtres et, ces soirs-là, j'avais dormi sans démangeaisons... Mais ce devait être un hasard... ou un quelconque effet placebo !

Puis je pensai qu'il y avait peut-être un problème au niveau de l'ajustement de mon hormonothérapie de remplacement (HTR). Vous aurez compris que je fais partie de ce groupe de femmes que la ménopause a atteintes. Peut-être qu'à bord, durant l'été, je n'avais aucun problème parce que j'étais en vacances, et qu'en débarquant, à cause de la surcharge de travail au bureau, je «brûlais» trop vite ma dose d'hormones. À preuve, j'avais des maux de tête, très souvent soulagés par une demi-dose supplémentaire d'œstrogènes.

Une nuit où je n'en pouvais plus de souffrir ces démangeaisons, je me levai et collai à ma peau un deuxième timbre d'œstrogènes, augmentant ainsi un peu ma dose d'hormones. Cette nuit-là, je dormis mieux, et sans prurit. J'arrivai au bureau le lendemain en annonçant à mes secrétaires que j'étais sans doute en train de faire une «grande découverte scientifique».

Mais les démangeaisons reprirent. Une nuit où j'avais doublé ma dose d'œstrogènes, je me réveillai le visage tout bouffi, en proie aux mêmes démangeaisons. En vraie scientifique, j'éloignai, non sans tristesse, cette idée géniale que j'avais eue d'associer le prurit à une carence en œstrogènes...

Vint la période du mois où je devais prendre ma progestérone (pour protéger mon utérus, tel qu'expliqué dans mon premier livre sur la ménopause, au chapitre 3). J'avais entre-temps, sous les conseils d'une amie dermatologue, remplacé mon savon à lessive et mon assouplisseur par des produits sans parfum et je m'enduisais généreusement, matin et soir (ou dès que les démangeaisons reprenaient), de crèmes hydratantes dont une en particulier me procurait un apaisement assez rapide. La dermatologue m'avait aussi recommandé de prendre plutôt des douches que des bains, les longues stations dans l'eau étant... déshydratantes... Allez comprendre quelque chose à cela!

Plus j'avançais dans ma quinzaine sous progestérone, moins j'avais de prurit. Était-ce le fait que j'avais changé de savon de corps, de savon à lessive, de crème hydratante... ou que j'avais ajouté de la progestérone à mes œstrogènes? J'essayai de comprendre. Intuitivement, il me semblait que le problème ne pouvait être qu'hormonal. Il me semblait logique que la progestérone, qui est une hormone un peu androgénisante[2], puisse stimuler le travail de mes glandes sébacées, me permettant d'avoir une peau moins sèche et mieux hydratée. Et, déjà emballée par cette idée, je déplorais le sort de toutes ces pauvres femmes qui, sans utérus, ne reçoivent que des œstrogènes...

Entre-temps, j'allai assister à un colloque scientifique qui avait lieu à l'Hôpital juif de Montréal et qui portait sur une «mise à jour dans les thérapies de la ménopause». Il y avait là plusieurs chercheurs importants, dont un invité spécial, le docteur Leon Speroff, des États-Unis, connu pour ses recherches cliniques en gynécologie et en contraception. Les présentations scientifiques ne pouvaient être que passionnantes et enrichissantes pour moi qui travaille dans le domaine. La journée s'achevait sans que j'aie rien appris de vraiment nouveau. J'étais même un peu frustrée des commentaires d'un des conférenciers sur les troubles du comportement de la ménopause, qui, selon lui, ne pouvaient être liés à la carence hormonale. À cette affirmation, il y avait d'ailleurs eu un murmure de désapprobation dans l'assistance.

Ainsi, bien que j'eusse revu là quelques consœurs avec qui je m'étais liée d'amitié quelques mois plus tôt à Toronto lors de jours de «formation sur la ménopause», j'avais l'impression d'avoir un peu perdu ma journée.

Le docteur Morrie Gelfand vint ensuite faire sa présentation. Ce médecin travaille depuis plus de trente-cinq ans en recherche sur la ménopause et le remplacement hormonal de la testostérone chez la femme.

Pour lui, qu'une femme se plaigne de ne plus avoir de libido a toujours été inacceptable.

Il mentionna donc, lors de son exposé, le titre d'un livre[3] qui venait de paraître aux États-Unis et qui promettait beaucoup au sujet du remplacement des androgènes chez la femme. La journée se termina par l'énoncé de quelques statistiques sur les recherches en cours.

Mon intuition féminine me poussa à lire ce nouveau livre dont le docteur Gelfand avait parlé. Le lendemain, je courus donc à la librairie et demandai qu'on me le commande. Deux semaines plus tard, j'allai le chercher et, le soir même, me mettant au lit, je m'y plongeai ! C'est là que je compris que j'avais un deuxième livre à écrire sur la ménopause. Je venais en effet de pénétrer dans le monde secret des androgènes, sujet tabou de la vie hormonale féminine.

Dans ce nouveau livre que je rêvais d'écrire, je mettrais les femmes au courant de mes nouvelles découvertes sur la ménopause pour qu'elles acquièrent une meilleure qualité de vie. Et comme je venais également de trouver la réponse à la question qui hantait alors ma vie : « Qu'est-ce qui cause mes démangeaisons ? », je me devais, de plus, de lever le voile sur ce sujet trop souvent évité, la prescription d'androgènes à la femme. Je ne savais pas, à ce moment-là, dans quel joli bateau je venais de m'embarquer !

Car, au gré de toutes les recherches scientifiques et cliniques qu'a exigées l'écriture de ce livre, j'ai finalement découvert que **notre vie est très fortement influencée, sinon tout simplement gérée par les hormones** !

Qui plus est, notre équilibre et notre qualité de vie sont finalement dus à une **hormone du désir et à des hormones du plaisir** !

C'est ce que je vous invite à découvrir à votre tour dans ce livre.

Celui-ci est divisé en trois parties. Dans la première, j'approfondis un peu des points qui sont restés vagues dans mon premier livre sur la ménopause et que mes consultations ultérieures m'ont prouvé qu'il fallait détailler davantage, surtout en ce qui a trait aux œstrogènes et à leurs bienfaits. Au cours de ces trois années, j'ai également pris connaissance de nouvelles découvertes et de nouveaux médicaments pour la ménopause, et je veux vous en faire part.

Certains points, comme quelques symptômes méconnus de la ménopause tels les étourdissements et les douleurs articulaires, méritent de recevoir plus de lumière et je m'y attarderai un peu. Je vous renseignerai également sur d'autres problèmes, comme le syndrome prémenstruel (SPM), les migraines, qui hantent la vie de tant de femmes, les pseudo-multi-infections urinaires et leur cause réelle, les descentes d'organes, qu'on croit toujours liées aux multiples grossesses mais qu'on rencontre souvent même chez les femmes qui n'ont jamais eu d'enfant.

Dans la deuxième partie, je vous ferai connaître l'extraordinaire hormone qu'est la progestérone, trop souvent oubliée, négligée et même dénigrée, et à laquelle tant de femmes préféraient naguère l'hystérectomie. Cette hormone et ses bienfaits, je les ai découverts, si je puis dire, durant mes récentes vacances et aussi grâce à l'une de mes patientes. Je vous présenterai le docteur John Lee, qui est à la source de mon initiation aux avantages de la progestérone.

Dans la troisième partie, nous nous pencherons sur les androgènes, ces hormones qui passent trop souvent exclusivement pour des hormones mâles mais qui sont également fabriquées chez la femme et dont une déficience cause plus de problèmes qu'on ne le croit.

Oui, mesdames, votre manque d'énergie, votre agressivité, votre fatigue, votre peau sèche ne sont pas seulement liés au manque d'œstrogènes dans votre corps. La carence en testostérone peut également être responsable de tout cela et parfois même quand votre menstruation est encore très régulière, en pré-préménopause. Ce nouveau champ de recherche et de découverte vous passionnera, j'en suis sûre, autant que moi. L'andropause sera le dernier sujet de cette troisième partie. Car il est maintenant reconnu que l'andropause existe vraiment !

Partons donc naviguer ensemble sur ces eaux mystérieuses du monde hormonal grâce auxquelles nous pourrons découvrir, je l'espère, comme nouveau continent, un troisième âge où **désir** et **plaisir** seront garantis, pour un épanouissement harmonieux et serein de l'homme autant que de la femme.

Un dernier avertissement au lecteur : je ne suis pas endocrinologue, c'est-à-dire spécialiste des hormones. Je ne suis en somme qu'une « hormonopassionnée » en quête de vérité !

PREMIÈRE PARTIE

Notre vie serait-elle gérée par les hormones?

QUELQUES ASPECTS TROP SOUVENT IGNORÉS DES BIENFAITS DU REMPLACEMENT HORMONAL, EN PARTICULIER DES ŒSTROGÈNES

1

Les hormones en général... et quelques-unes en particulier : les œstrogènes, la progestérone et la testostérone

Dans notre recherche de ce à quoi nous devons le **désir** et le **plaisir**, nous ne pouvons nous aventurer dans le monde des hormones sans en connaître au préalable les éléments de base. À ceux et celles pour qui les hormones n'ont plus de secret, ces quelques pages permettront de se rafraîchir la mémoire.

J'aurais cependant voulu, je l'avoue, que ce rappel soit plus bref, mais il y a tant de choses à dire sur le sujet. Le système endocrinien (avec ses glandes et leurs hormones) est très impliqué dans l'équilibre de notre santé et il est donc responsable de notre bonheur, comme vous allez le constater tout au long de ce livre.

Vous rencontrerez dans ce chapitre des paragraphes en plus petits caractères, destinés aux lecteurs et lectrices plus curieux. On peut les lire sans trop s'y arrêter. Les ignorer ne nuirait pas à la compréhension de l'ensemble.

D'abord, démystifions ce mot : **hormone**.

Quand je demande à mes patientes ce que ce mot évoque pour elles, je les entends parfois me répondre : «Poulet aux hormones» ou «Stéroïdes et sports», ou, encore pire, «Ça fait engraisser, ça donne des poils et je n'en prendrai jamais».

Ce que ces personnes ignorent sans doute, c'est que, durant toute notre vie, notre métabolisme est réglé par des hormones et que notre cœur, nos artères, notre cerveau et tous nos autres organes ont besoin d'elles pour bien fonctionner et nous assurer une bonne santé. J'irai même jusqu'à dire que **notre comportement et nos humeurs sont d'ordre hormonal**.

Essayons donc de nous situer un peu dans ce monde des hormones.

Sachez d'abord qu'il y a un grand nombre d'hormones mais nous nous attarderons dans ce livre sur les hormones stéroïdiennes sexuelles, qui comprennent les **œstrogènes**, la **progestérone** et les **androgènes**.

Commençons par les situer dans l'ensemble.

Le réseau hormonal

L'hypothalamus, qui se trouve dans le cerveau, est le grand contrôleur neuroendocrinien. Il transmet des ordres à l'hypophyse, glande située à sa proximité et qui est un peu le sous-chef des glandes.

À son tour, l'hypophyse commandera à différentes glandes de notre corps la fabrication de telle ou telle hormone (voir illustration 1).

Il est important de bien saisir que les hormones sécrétées par l'hypophyse intimeront à des glandes l'ordre de sécréter à leur tour d'autres hormones. Il existe donc une hiérarchie des hormones. Et l'interrelation des différentes hormones pour assurer notre

Système
endocrinien

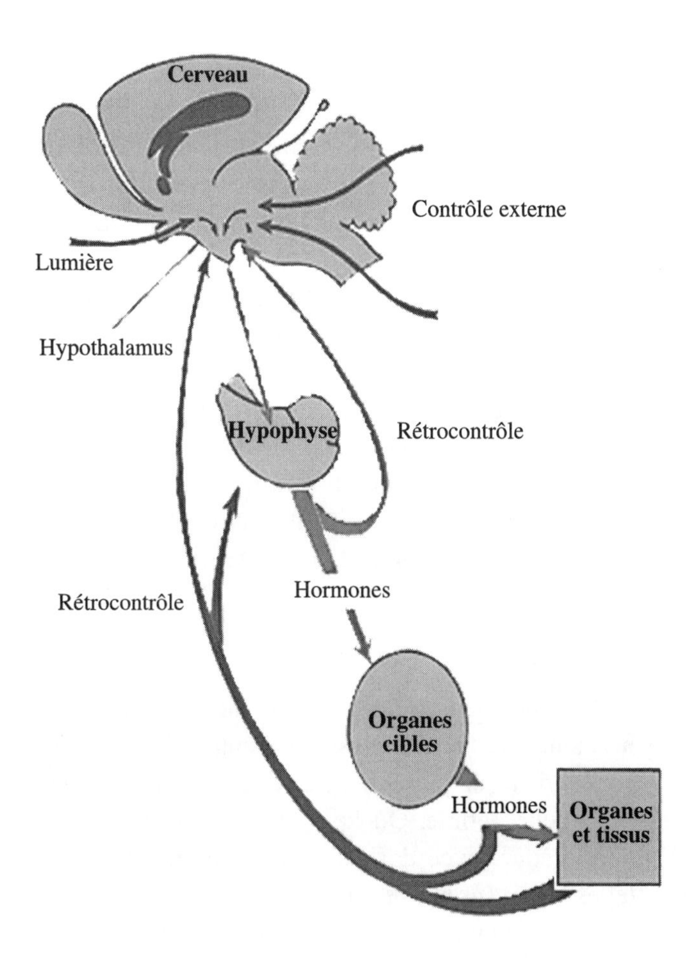

Source : *Reproductive Endocrinology*, Dr S. Yen et Dr R. Jaffe, p. 3.

Illustration 1

santé illustre bien qu'elles sont organisées, pourrait-on dire, en un réseau.

Quelles sont ces glandes qui recevront le message de sécréter des hormones? Je les énumérerai ici et nous en définirons les rôles à mesure que je vous présenterai les hormones qu'elles fabriquent.

Il y a les glandes sexuelles : les ovaires, les testicules et les seins. Il y a aussi les autres glandes : la thyroïde, le pancréas, qui est responsable de l'équilibre des sucres, et les surrénales, qui, comme leur nom l'indique, sont situées au-dessus de chaque rein et dont nous définirons plus loin le rôle.

Mises en circulation, les hormones de ces différentes glandes enverront à leur tour un message à l'hypothalamus pour lui dire qu'il peut arrêter ses commandes à l'hypophyse. Celle-ci cessera alors la fabrication des hormones qui commandent aux différentes glandes la fabrication de leurs propres hormones. C'est ce qu'on appelle le **rétrocontrôle** (voir illustration 1).

Jusqu'ici, ça va? Alors, je continue de vous présenter les membres de cette grande famille que sont les hormones.

> Afin de bien comprendre le rôle de certaines hormones, sachez que plusieurs d'entre elles sont sécrétées de façon pulsatile[1]. De plus, certaines ont une périodicité définie. Quelques-unes ont une activité quotidienne, avec des pointes à certaines heures, telles la GH (*growth hormone*) et la prolactine. Pour d'autres, comme la FSH[2] et la LH[3], qui commandent la fabrication des hormones sexuelles aux ovaires et aux testicules, les rythmes sont plus longs encore (quelques jours) [1].

Mais toute cette belle mécanique hautement spécialisée du réseau hormonal peut être perturbée par une maladie, un choc émotif (perte d'un être cher, congédiement, divorce), un très grand stress (chirurgie, accident), car le centre de contrôle de nos émotions est tout près de l'hypothalamus et peut l'influencer. C'est ainsi que certaines femmes verront leur menstruation anticipée ou retardée après un stress aussi minime que des injections pour les varices. Je connais une femme qui a eu une ménopause précoce, à 33 ans, à la suite d'une chirurgie pour la vésicule biliaire, pourtant sans aucun problème opératoire.

Certaines maladies pourront être causées par un trop grand ou un trop faible fonctionnement, à l'un ou l'autre niveau de cette hiérarchie hormonale. Ainsi, certains problèmes pourront provenir de l'hypothalamus, d'autres, de l'hypophyse, et d'autres encore, de l'une ou l'autre glande en périphérie, comme la thyroïde ou les ovaires.

L'hypophyse est donc responsable des ordres donnés aux organes, par le biais de certaines hormones qu'elle fabrique. Ainsi, ses FSH et LH commanderont aux ovaires et aux testicules la fabrication des hormones sexuelles mentionnées plus haut, de même que l'ovulation et la fabrication des spermatozoïdes. L'ACTH[4], pour sa part, commandera aux surrénales la sécrétion d'hormones en réponse au stress, i.e. les corticoïdes (cortisone), de même que l'aldostérone, qui règle l'équilibre des électrolytes (sodium, potassium) dans notre organisme.

Poursuivons notre exploration pour trouver **la clé hormonale du désir et du plaisir** !

L'hypophyse et
ses hormones

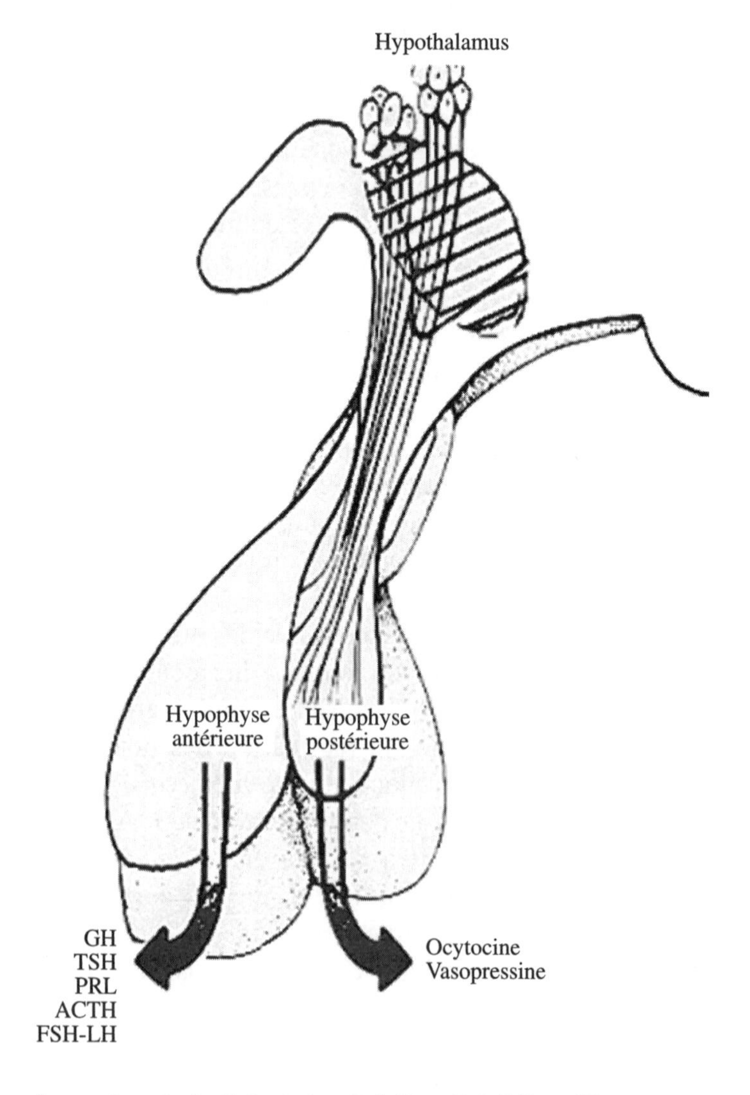

Source : *Reproductive Endocrinology*, Dr S. Yen et Dr R. Jaffe, p. 635.

Illustration 2

L'hypophyse et ses hormones

L'hypophyse se divise en un lobe antérieur et un lobe postérieur (voir illustration 2).

L'**hypophyse antérieure** sécrète la TSH[5], la GH[6], l'ACTH, la FSH, la LH et la prolactine (illustration 2). Ces hormones commandent à leur tour la sécrétion de l'hormone spécifique à chaque glande intéressée. Ainsi, la TSH commande la sécrétion des hormones de la thyroïde, la prolactine (PRL) commande la fabrication du lait par la glande mammaire, et la GH commande notre croissance, par différents systèmes et organes.

Le rôle de la prolactine ne se limite pas à la simple stimulation de la fabrication du lait. Elle serait même impliquée dans le métabolisme en général, puisque nous en trouvons des sites récepteurs[7] également dans le foie, les surrénales, la prostate et les testicules. Dans ces derniers, la prolactine a même un rôle modulateur sur l'action de la testostérone. Elle est impliquée dans la production du sperme et le maintien du tissu génital (2). Elle augmente également durant le coït et l'orgasme. Chez la femme, elle augmente au milieu du cycle et reste élevée jusqu'à la menstruation (3). On pourra trouver un taux élevé de prolactine chez un homme qui souffre d'hypogonadisme secondaire[8] avec réduction des niveaux de testostérone (4). Si la prolactine est très élevée, elle diminue l'appétit sexuel, comme c'est d'ailleurs le cas chez la femme qui allaite. Chez l'homme, un niveau élevé de cette hormone peut causer l'impuissance (5). Comme vous pouvez le constater, notre vie sexuelle est fortement influencée par l'action des hormones.

L'**hypophyse postérieure**, pour sa part, sécrète une hormone antidiurétique (ADH) ou **vasopressine**, et l'**ocytocine** (illustration 2).

Ainsi, que survient-il, par exemple, si l'ADH tombe en panne ? Un diabète insipide s'installe et, dans ce cas, cette personne se déshydrate parce qu'il y a chez elle un problème de conservation ou de réabsorption de l'eau et des électrolytes, et elle a toujours soif.

La vasopressine

Quel est **le rôle de la vasopressine** ? Comme son nom l'indique, elle agit sur la pression des vaisseaux sanguins. C'est un puissant agent vasoconstricteur et, comme hormone antidiurétique, elle agit sur le rein pour augmenter la rétention de l'eau, en stimulant la soif et en inhibant l'excrétion d'urine (6).

> On sait, d'autre part, que la vasopressine est impliquée dans l'apprentissage et les comportements. Au niveau de la mémoire, elle consolide les informations et en facilite le souvenir. Des études faites chez l'homme ont confirmé ces données ; avec l'utilisation d'analogues de la vasopressine, une amélioration de la mémoire et de l'apprentissage a été observée chez certains individus (7).

Sur un autre plan, durant la relation sexuelle, la sécrétion de vasopressine augmente chez l'homme, suivie d'une baisse de cette hormone à l'éjaculation (8).

Cette hormone est générée par une région de l'hypothalamus[9] qui est **le centre sexuel du cerveau** (9). Elle est active durant le sommeil paradoxal[10] et contrôle, avec la mélatonine, l'hibernation chez les animaux. J'en dirai davantage sur la mélatonine un peu plus loin.

Sur le plan sexuel, l'action de la vasopressine est liée à la testostérone, possiblement en agissant sur le comportement social sexuel de l'homme. Elle aurait également un rôle à jouer au niveau de la communication par les phéromones[11].

> En fait, la vasopressine facilite l'attention sur tout ce qui a trait à la sexualité. Par son action sur le système limbique[12] (jouant un rôle sur les émotions), elle facilite l'activité cognitive essentielle aux interactions sexuelles, ou, en d'autres termes, favorise la connaissance et la reconnaissance. Elle serait en quelque sorte la clé du régulateur de température des zones du cerveau impliquées dans l'activité sexuelle, les empêchant de se «surchauffer» (10). Elle prévient ainsi les exagérations sexuelles ou émotionnelles (11).

Certains produits peuvent en augmenter la sécrétion, tels la cigarette, la testostérone, les œstrogènes. Cependant, l'alcool et certains tranquillisants[13] peuvent la faire diminuer (12).

L'ocytocine

À quoi sert, pour sa part, l'**ocytocine**? On sait qu'elle joue un rôle important au niveau du sein et de l'utérus. C'est la succion du sein qui stimule la sécrétion d'ocytocine, qui, à son tour, favorisera la libération du lait par des mécanismes spécifiques à chaque tissu du sein. Quant à son rôle sur l'utérus, l'ocytocine stimule la contraction de ses muscles lisses, et la sensibilité de cet organe augmente au cours de la grossesse.

> On a, par ailleurs, injecté de l'ocytocine dans le cerveau de rates vierges, stimulées au préalable avec des œstrogènes et qu'on avait ensuite hystérectomisées. On a constaté chez elles un rapide début de comportement maternel en présence de bébés qu'on leur avait présentés : en moins de cinq heures, elles les léchaient, les maternaient et tentaient de leur fabriquer un nid pour les protéger (13). Il était cependant essentiel de les exposer aux œstrogènes antérieurement pour que cet effet de l'ocytocine se manifeste. Ainsi, l'ocytocine serait également impliquée dans le développement du comportement maternel (14).

L'ocytocine facilite **l'attraction et augmente la réceptivité sexuelle.** Elle sensibilise la peau au toucher et le favorise (15). Cette sensation du toucher aurait également un rôle à jouer dans l'orgasme. La stimulation tactile de la région génitale provoque la sécrétion de cette hormone, laquelle stimule à son tour les muscles lisses de l'appareil génital au moment de l'orgasme (16). Chez l'homme, elle augmente la sensibilité du pénis (17). Il y a une augmentation de cette hormone au moment de l'éjaculation (18), qu'elle précipite (19).

Ainsi, sa sécrétion sera augmentée par le toucher, les œstrogènes, l'excitation de la région génitale et l'étirement vaginal lors de la pénétration. L'alcool, la carence en œstrogènes et une privation de caresses l'abaisseront. L'ocytocine orchestre la réponse du corps aux phéromones (20). Nous parlerons plus en détail des phéromones dans un chapitre ultérieur. Retenez seulement qu'elles sont impliquées dans l'attrait sexuel et existent chez toute espèce vivante.

Des désordres obsessifs-compulsifs pourraient être liés à une hypersécrétion d'ocytocine. Des tests de mémoire faits auprès d'humains après administration intranasale de fortes doses de cette hormone ont démontré, d'autre part, que, même si l'apprentissage ne semble pas être affecté par cette hormone, la capacité de se souvenir a été améliorée chez ces personnes (21).

Ainsi, on peut constater que chacune de ces nombreuses hormones ont un ou plusieurs rôles à jouer pour nous maintenir en bonne santé, nous permettre de bien vivre et faciliter des réponses favorables au stress auquel nous sommes soumis chaque jour, le premier grand stress étant de naître et le second... de vivre chaque jour de notre vie ! Et, en matière de **plaisir et de qualité de réponse à la stimulation**, on réalise jusqu'à quel point les hormones sont impliquées.

Vous trouverez en annexe de ce chapitre d'autres exemples démontrant que d'autres hormones peuvent également être responsables de notre qualité de vie et donc de **notre bonheur**.

Les hormones sexuelles

Avant d'aller plus loin, je crois qu'il serait maintenant utile de définir les hormones sexuelles.

Ces hormones comprennent donc **les œstrogènes, la progestérone** et **les androgènes**. Les deux premières sont définies comme des hormones femelles, leur taux étant nettement plus élevé chez la femme que chez l'homme.

Les androgènes, hormones mâles, ont à leur tour un taux beaucoup plus élevé chez l'homme, même s'ils sont également présents chez la femme.

Les œstrogènes

Quand on parle des œstrogènes, on désigne en réalité **l'œstrone** (E1), **l'œstradiol** (E2) et **l'œstriol** (E3).

Retenez que l'**œstradiol** est la plus importante de ces hormones, la plus active et celle dont nous parlerons le plus dans ce livre. Elle est sécrétée par l'ovaire mais peut également provenir de la transformation de l'œstrone ou de la testostérone. À la ménopause, chez une femme qui ne prend pas d'hormones, l'œstrone sera l'œstrogène prédominant (voir illustration 3).

> L'œstrone et l'œstriol sont moins importants. La première est principalement sécrétée par l'ovaire, mais provient également de la transformation de l'androstènedione, précurseur de la testostérone (tous deux des androgènes). Cette transformation se fait par un processus de transformation[14] dans les tissus périphériques, graisse, muscles et certains organes.
>
> L'œstriol, pour sa part, est un métabolite[15] des deux autres œstrogènes que nous venons de définir. On le trouvera en plus grande concentration dans les urines et de façon plus importante chez les femmes présentant de l'obésité et de l'hypothyroïdie (22).
>
> Il semble que l'œstriol sanguin soit abaissé chez les femmes présentant un cancer du sein. Il faudrait peut-être en faire le dosage chez les sujets à risque de ce cancer, pour pouvoir le déceler plus tôt... C'est sans doute là un champ de recherches intéressant.

La progestérone

La **progestérone** est en grande partie sécrétée par le corps jaune[16], dans la deuxième partie du cycle menstruel. Mais, comme nous le verrons en détail dans la

Les hormones sexuelles

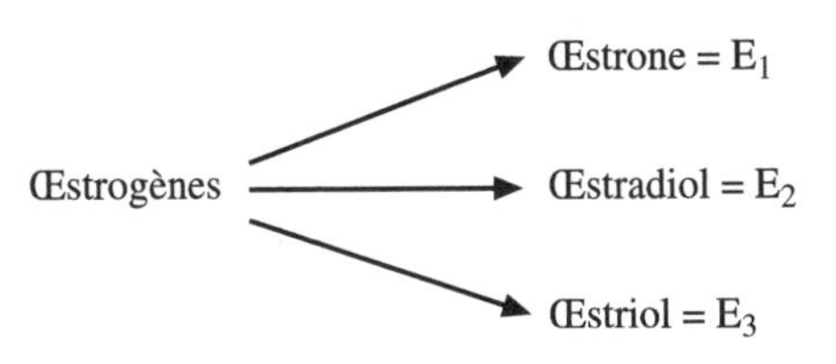

Progestérone

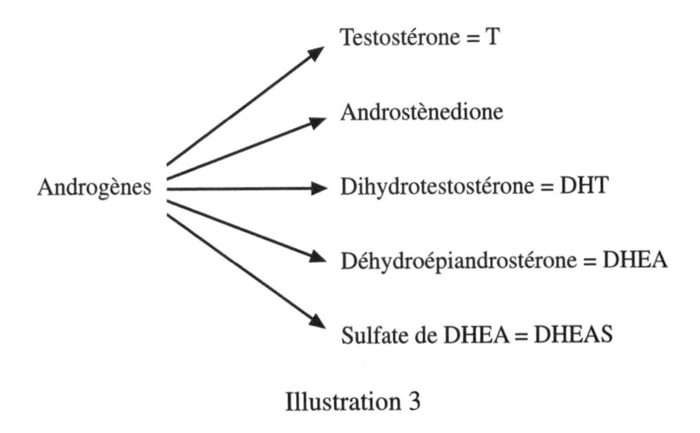

Illustration 3

deuxième partie de ce livre, elle est également sécrétée par les surrénales. Ses rôles seront également longuement définis dans la même partie.

Les androgènes

Les **androgènes**, définis comme hormones mâles, comprennent la testostérone, l'androstènedione, la dihydrotestostérone (DHT), le déhydroépiandrostérone (DHEA) et son sulfate, le DHEAS (voir illustration 3).

Les trois premières de ces hormones sont produites par les testicules et la prostate, chez l'homme, tandis que les deux dernières sont sécrétées par les surrénales. Chez la femme, testostérone et androstènedione sont sécrétées par les ovaires tandis que les surrénales fournissent le DHEA et son sulfate. On a vu plus haut que la testostérone (hormone mâle) peut être transformée en œstradiol (hormone femelle) et que l'androstènedione peut être convertie en œstrone ou en testostérone.

Toutes ces explications vous semblent peut-être arides, mais elles permettront une meilleure compréhension des pages qui vont suivre.

C'est un peu comme si je vous présentais en même temps tous les membres d'une grande famille. Il est normal que vous ne reteniez pas tous les noms. Ce n'est pas grave. Les plus importants reviendront souvent et vous finirez par vous familiariser avec eux.

Parlons enfin de cette hormone dont j'ai fait mention plus haut et dont plusieurs d'entre vous, j'en suis sûre, connaissent le nom puisqu'on l'entend de plus en plus souvent : **la mélatonine**. Ce n'est pas une hormone sexuelle mais elle semble drôlement impliquée dans notre équilibre du bien-vivre.

La mélatonine (ou «l'hormone de l'antivieillissement»)

Cette hormone est de plus en plus populaire. Selon des chercheurs, elle serait responsable de l'équilibre du corps et un peu de celui des autres hormones. La mélatonine est en train d'acquérir le nom suave d'«hormone de l'antivieillissement». Étant sécrétée surtout la nuit (car la lumière en bloque la production) [23], elle suit un cycle quotidien, augmentant la nuit et diminuant le jour (24). En fait, il y en a dix fois plus dans notre sang durant la nuit que durant le jour.

Sous l'effet de l'obscurité, la glande pinéale, qui est située au centre de la tête, à la hauteur des yeux, sécrète de la mélatonine. C'est sous son influence que notre corps subit des variations métaboliques telles qu'une diminution de la température corporelle et un ralentissement du rythme cardiaque. Cette hormone connaît sa plus forte sécrétion entre une heure et cinq heures du matin.

Alors que l'obscurité avait déclenché le processus de libération de cette hormone, la lumière qui pénètre dans notre cerveau envoie à la glande pinéale le message de ralentir la production de mélatonine. La lumière, passant d'abord par la rétine et se rendant à la glande pinéale par le noyau suprachiasmatique situé dans l'hypothalamus, déclenche donc le ralentissement de la libération de cette hormone (voir illustration 4). Ce sont la glande pinéale et l'hypothalamus qui sont responsables du cycle veille-sommeil.

La mélatonine ne détermine pas seulement le rythme du sommeil mais aussi son type et sa qualité (25). C'est lorsque la mélatonine atteint son apogée que survient le sommeil paradoxal. C'est dans cette phase de sommeil que l'on rêve. Le sommeil se divise en phases de sommeil lent et de sommeil paradoxal. Une nuit comporte environ quatre à six cycles et la période de sommeil paradoxal est de plus en plus longue à mesure qu'on avance dans la nuit. De cinq minutes que peut durer le sommeil paradoxal au début de la nuit, il peut atteindre trente à soixante minutes au cours du dernier cycle. Ainsi, lorsqu'on dort plus longtemps pendant une nuit, on se réveille souvent en se souvenant qu'on était en train de rêver (26).

Des études scientifiques ont prouvé que le sommeil paradoxal est très important dans l'apprentissage et la mémoire. À la suite d'événements très stressants, les périodes de ce type de sommeil seront plus fréquentes et plus longues, comme pour nettoyer le cerveau de ses «toxines».

Par ailleurs, si l'on administre expérimentalement de la mélatonine à des patients, ils ont envie de dormir (27). D'autre part, on a prouvé que la concentration de cette hormone est plus élevée chez les adultes que chez les enfants. Par contre, elle est assez basse chez les vieillards. Il n'est donc pas étonnant qu'on ait du mal à dormir en vieillissant.

On a noté également que les aveugles, surtout ceux qui souffrent de cécité complète, ont souvent des troubles du sommeil car ils sont privés du cycle lumière-obscurité (28).

L'administration expérimentale de mélatonine réduit la fatigue et améliore le sommeil chez ceux qui ont fait un long voyage. On peut ajuster l'horloge biologique selon l'horaire de la prise de cette hormone (29). La mélatonine serait donc responsable du contrôle du cycle sommeil-veille (30).

D'autre part, on sait que si la concentration de mélatonine est trop élevée (de même que si elle est trop basse), elle peut déséquilibrer nos cycles circadiens[17].

Il semble même que des cas de puberté précoce ou tardive seraient associés à une sécrétion inappropriée de mélatonine pour l'âge (31). Intéressant, n'est-ce pas?

Chez les maniacodépressifs, une étude a révélé des taux de mélatonine anormalement élevés et, chez certains autres dépressifs, des taux anormalement bas.

On a remarqué par ailleurs que les gens qui souffrent de **désordres affectifs saisonniers (DAS)** sont portés à consommer des aliments riches en sucres. Ils disent que ça les apaise. La raison physiologique de ce comportement est la suivante : ces aliments accélèrent la production de sérotonine, ce neurotransmetteur dont nous reparlerons dans le chapitre sur l'humeur et qui est sécrété par la glande pinéale (32) [illustration 4]. La sérotonine sert à la fabrication de la mélatonine. Elle est donc transformée en mélatonine suivant les besoins de notre corps. Et vous serez surpris d'apprendre que c'est sur la sérotonine qu'agissent les antidépresseurs à la mode comme le fluoxétine (Prozac), et que leur principal effet secondaire est **d'influer sur le désir sexuel** et la réponse à la stimulation sexuelle. Ces antidépresseurs peuvent causer en effet une inhibition de l'orgasme et une diminution du **désir**. Chez l'homme, des dysfonctions érectiles[18] et des éjaculations manquées peuvent également survenir comme effets secondaires de ces médications (33).

Aux États-Unis, on a noté qu'il y a dix fois plus de DAS l'hiver dans les États situés au nord, où la lumière est moindre (34). La carence de lumière diminue également la libido chez ces patients. Les gens qui souffrent de DAS voient leurs symptômes s'amoindrir quand ils se rapprochent de l'équateur, ce qui prouve que la lumière y est pour quelque chose. D'ailleurs, ne soigne-t-on pas les DAS par des épisodes d'exposition à de fortes lumières en remplacement du soleil ? En effet, le docteur M. Termon, de l'université de Columbia, a exposé ses patients à 2 500 lux[19] durant deux heures chaque matin pendant une certaine période. Après quelques jours de ce traitement, il a constaté que, chez plus de la moitié d'entre eux, la dépression et l'envie de manger des aliments sucrés disparaissaient (35).

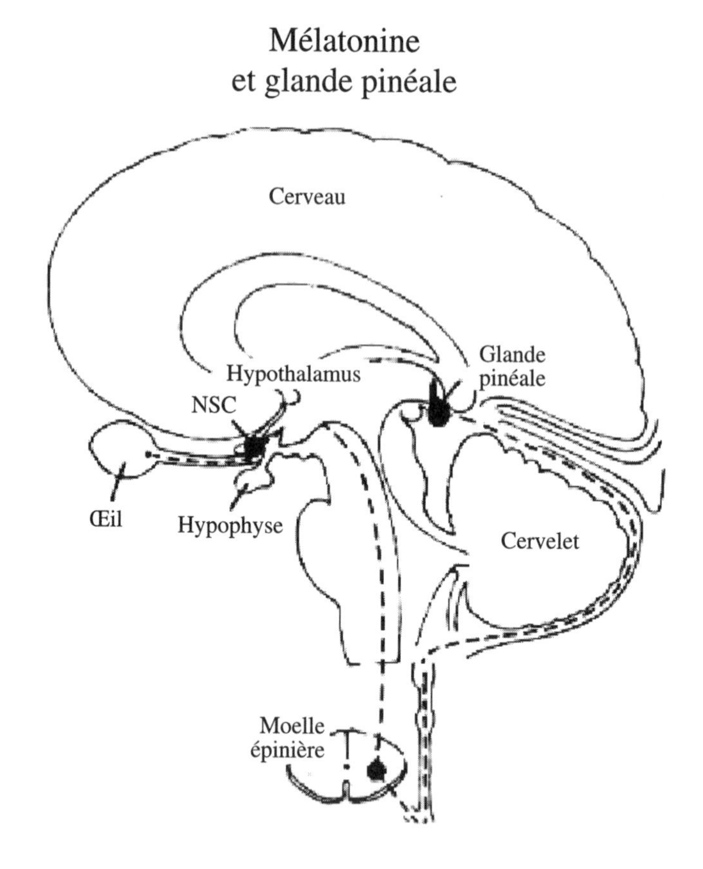

- - - - - = Courant nerveux passant de l'œil à la glande pinéale par le NSC (noyau suprachiasmatique) pour moduler la production de mélatonine.

Source : *Reproductive Endocrinology*, Dr S. Yen et Dr R. Jaffe, p. 653.

Illustration 4

Dix mille lux correspondent à l'exposition à la lumière du soleil quelques minutes après son lever, un matin de printemps. Un bureau bien éclairé offre de 700 à 1 000 lux, et une exposition sur une plage sous un soleil sans nuages équivaut à 100 000 lux. Par ailleurs, l'éclairage conventionnel d'une maison est de 300 à 500 lux (36).

Le docteur Termon a fait également une autre recherche, avec le même succès (37), les sujets étant exposés cette fois à 10 000 lux, une demi-heure par jour. Une autre étude, menée par Eastman et son équipe, exigeait une exposition à 6 000 lux pendant une heure et demie. Lewy, pour sa part, étudie les effets de la lumière du matin sur ses patients, comparativement à celle du soir. Toutes ces études en viennent à la même conclusion : la photothérapie, moins coûteuse que tous les antidépresseurs, s'avère supérieure à la fluoxétine (Prozac) quant à ses résultats sur la DAS, et ce sans effets secondaires (38).

Cette idée de la photothérapie pour traiter la DAS est si bien acceptée scientifiquement que la compagnie Technologies Northern Light, en collaboration avec le docteur Hani Iskandar, directeur du service des urgences et des soins intensifs psychiatriques de l'hôpital Douglas de Verdun et attaché à l'université McGill de Montréal, a mis au point un feuillet de mode d'emploi qui est joint à l'achat de lampes spéciales conçues pour cette thérapie.

On y lit que «l'exposition à l'intensité lumineuse de 10 000 lux pendant environ 30 minutes donne des résultats bénéfiques chez 60 % à 65 % des personnes qui souffrent de troubles affectifs saisonniers» (39).

Il semble donc évident que les DAS sont liés à des perturbations dans la production cyclique d'hormones et de certaines substances chimiques qui règlent le cycle circadien. L'élément crucial de tout cela, c'est l'exposition à la lumière.

Chez les gens souffrant de DAS, la production nocturne de mélatonine ne varie pas comme chez les autres personnes et reste à un niveau élevé deux heures de plus que chez le groupe témoin (40). Ainsi, étant fabriquée pendant plus longtemps, la mélatonine demande une utilisation plus grande de sérotonine, ce qui explique la plus grande consommation de sucre par les gens souffrant de DAS. Or, s'il y a déficit en sérotonine au niveau de la cellule nerveuse, comme nous le verrons plus loin, il y a dépression.

Comme la plupart de nos fonctions sont réglées par le cycle circadien, **notre comportement est nécessairement influencé par les hormones** ainsi que par les neurotransmetteurs et enzymes qui entrent en jeu (41). Et notre bonheur dépend de l'équilibre entre toutes ces substances qui sont véhiculées dans notre corps.

On a noté que les animaux s'accouplent aux équinoxes. Il semble, en effet, que leur comportement sexuel obéit à la luminosité ainsi qu'aux variations de concentration de mélatonine. La production de celle-ci est fonction de la durée du jour. Elle stimule ou ralentit les hormones sexuelles (42). Il semble ainsi que l'on modifie le comportement sexuel des animaux et leur cycle de reproduction si on les expose à une plus longue période de lumière artificielle que la durée du jour, durant l'hiver, par exemple.

L'hibernation serait par ailleurs régie par la glande pinéale (illustration 4). C'est sous l'effet de la mélatonine que l'animal sombre dans un profond sommeil durant la saison froide, assurant ainsi la survie de l'espèce (43).

D'ailleurs, n'avons-nous pas envie nous-mêmes de faire du cocooning quand arrive le mois de novembre avec ses courtes et grises journées? Mais, dès qu'apparaît la belle luminosité de février, nous voilà, tout comme nos plantes d'intérieur, également revivifiés. Et quand les chauds rayons du soleil d'avril nous font sortir de la maison, ne sentons-nous pas nous aussi que **l'hormone du désir** s'est également fait raviver? Le printemps n'est-il pas la saison des amours chez les humains aussi? Il suffit de se promener près d'une école ou d'une université au mois d'avril pour le constater.

La perte de sommeil affecte-t-elle les fonctions d'immunité[20], par le biais de la baisse de mélatonine? Le manque de sommeil nous rend-il ainsi plus vulnérables à la maladie?

Oui, la mélatonine aurait également un rôle à jouer dans le système immunitaire. Elle aiderait à le renforcer. On sait que le système immunitaire est notre moyen de nous défendre contre les bactéries, les virus et les corps étrangers. Or, comme tous les autres systèmes, il s'use en vieillissant et c'est pourquoi, en prenant de l'âge, on se défend moins bien contre la maladie. Des recherches faites sur des souris l'ont prouvé. On a injecté à deux groupes de souris une protéine étrangère, et on a ensuite administré de la mélatonine aux souris de l'un des deux groupes. Ce groupe présentait des réactions de défense supérieures à celles du groupe qui n'avait pas reçu de mélatonine (44).

Ainsi, vu l'engouement pour cette hormone qui est maintenant en vente libre aux États-Unis, plusieurs Québécois en achètent lors d'un voyage dans ce pays. Si vous le faites, il faudra bien surveiller le dosage puisque le traitement avec cette hormone n'est pas encore reconnu scientifiquement. Plusieurs études restent à faire pour qu'il soit accepté par le Bureau des aliments et drogues du Canada. Soyez donc très prudent si vous en faites usage.

Les recherches sur la mélatonine étant loin d'être terminées, je ne vous conseille pas de courir en acheter.

Il serait préférable d'en favoriser votre propre production en apprenant à respecter votre corps. Ainsi, quand la nuit vient, vaut mieux aller se coucher que de rester des heures devant l'écran de la télévision ou de l'ordinateur, car ainsi nous respectons le rythme sommeil-veille dont le corps a besoin pour permettre la fabrication et la sécrétion des hormones et autres produits essentiels à notre santé. Et pour éviter les DAS, offrons-nous, si nous le pouvons, de petites vacances au soleil, l'hiver venu. Dans le cas contraire, pourquoi ne pas profiter des belles journées ensoleillées que l'on a parfois, même durant cette saison, pour aller «jouer dehors», que ce soit en skis, en patins, en traîneau ou tout simplement à pied. La qualité de notre sommeil (et même de notre humeur) s'en trouvera améliorée, tandis que notre glande pinéale et sa mélatonine travailleront à notre bien-être, la nuit venue.

* * *

Vous commencez à réaliser à quel point **les hormones mènent vraiment notre vie** et comment la moindre perturbation de leur équilibre peut nous la gâcher.

Après cette petite incursion que nous avons faite du côté de l'hormone de «l'antivieillissement», nous sommes maintenant prêts à aborder deux notions essentielles à la compréhension de notre voyage à la découverte de la clé du **désir** et du **plaisir**.

Car je m'en voudrais, en terminant ce survol des hormones de notre corps, de vous cacher la façon dont tout cela fonctionne. Je serai brève, mais il vous faut à tout prix connaître les **sites récepteurs** (ces petites assiettes qui reçoivent les hormones) et les **protéines de transport** de ces hormones si vous voulez bien saisir le contenu des chapitres qui vont suivre. Ces éléments vous permettront de bien comprendre que les hormones sont organisées en réseau et jusqu'à quel point elles s'influencent entre elles.

Ces deux notions que je viens de mentionner sont d'autant plus importantes qu'elles influenceront grandement à l'avenir la fabrication de plusieurs médicaments, tant pour le remplacement hormonal que pour la prévention des cancers (que l'on pense au tamoxifène) ou le traitement de la dépression (avec les recapteurs de sérotonine, tels Paxil et Serzone, pour ne nommer que ceux-là).

Ainsi, en agissant sur les sites récepteurs spécifiques des tissus où l'on en a besoin plutôt que sur un trop grand nombre d'endroits, les futurs médicaments auront moins d'effets secondaires inutiles et nuisibles.

Élucidons donc ces deux notions capitales : **les sites récepteurs** et **les protéines de transport**.

Les sites récepteurs

L'hypothèse des sites récepteurs pour les mécanismes d'action des hormones (surtout stéroïdiennes[21]) a été avancée en 1960 par O'Malley et Gorski (45).

Simplement pour les œstrogènes, le corps est muni de plus de 300 sites récepteurs, situés un peu partout, au niveau du cœur, des artères, de la vessie, de l'utérus, des seins, des os, du cerveau et j'en passe. Trois cents petits sites où vont se poser les œstrogènes pour remplir leur fonction spécifique (i.e. livrer leur message). Il semble même, pour compliquer un peu le tableau, que le nombre de sites récepteurs varie durant le cycle menstruel, par exemple. De plus, les sites récepteurs auraient également un rythme (46). Comme une serrure est activée par une clé spécifique, le site récepteur peut

Mécanisme d'action des stéroïdes

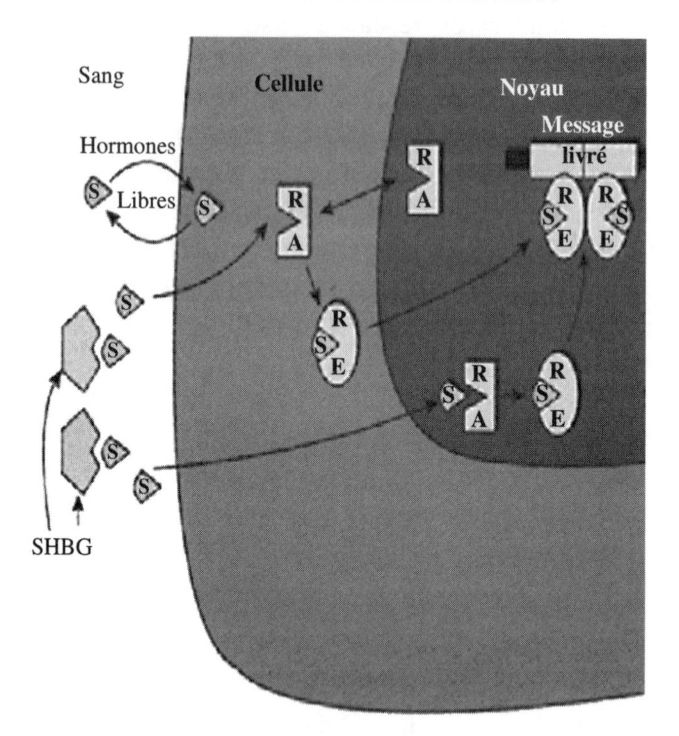

S : stéroïdes = A et E
RE : récepteur à œstrogènes
RA : récepteur à androgènes
SHBG : protéines de liaison

Source : O'Malley BW, *Biol Reprod*, 1992 ; 46 : 163-7, *Journal SOGC*. Supplément 1997, p. 6.

Illustration 5

accueillir telle ou telle hormone spécifiquement. Ces sites récepteurs sont constitués de protéines qui se lient très fortement à chacune de leurs hormones.

Pour comprendre le **mécanisme d'action des hormones**, on doit imaginer que chacune d'elles est fabriquée et sécrétée par telle ou telle glande et mise en circulation dans le sang.

Une portion de 95 % est liée à des protéines de transport ou protéines de liaison, comme on les nomme scientifiquement. Autrement dit, 95 % d'un groupe d'hormones prennent les transports en commun tandis que 5 % se rendent à pied... Nous parlerons plus loin de ces transporteurs et de leurs relations avec les hormones (illustration 5).

Il est très important de comprendre que c'est l'hormone **libre**, c'est-à-dire **non liée** à son transporteur, qui sera **active**. Ou, pour simplifier : c'est celle qui voyage à pied qui est le plus efficace. Nous verrons combien cette notion est capitale et nous permettra de comprendre beaucoup de choses.

Donc, cette portion libre (5 %), ou active, pénètre dans les cellules des différents organes auxquels elle est destinée. Et, dans ces cellules, elle se lie à ces sites récepteurs qui lui sont spécifiques. Les sites récepteurs (ou lieux de livraison) sont les destinataires à qui est adressé tel ou tel message. C'est alors que, livrant son message, la portion libre d'hormone va remplir le rôle qui lui est propre (illustration 5).

Quand la liaison se produit entre l'hormone et son récepteur, le message est alors transmis et c'est ainsi que l'hormone remplit sa fonction.

On peut imaginer ce qui se passe si, à un moment donné, une glande, parce que atteinte d'une maladie ou d'une tumeur, augmente la fabrication de son hormone. Une grande quantité du message sera transmise et les symptômes d'une stimulation hormonale excessive s'ensuivront.

Mais dans le cas de l'hypofonctionnement, où la glande ne fabrique pas assez d'hormones, comme à la préménopause, un tas de sites récepteurs restent vides, sans message, et alors surviennent des symptômes de carence : fatigue, dépression, angoisse quand il en manque sur les récepteurs du cerveau, par exemple, ou palpitations s'il en manque sur ceux du cœur.

On peut également comprendre ce qui se produit chez une femme qui subit une ablation des deux ovaires. Si l'on ne remplace pas rapidement les hormones qui deviennent manquantes, le stock qui est en circulation s'épuise. Les récepteurs se vident et alors surviennent les symptômes de carence, aussi variés et nombreux qu'il y a de récepteurs vides, tant dans le cerveau que dans les os, les tendons, les articulations, la vessie... De plus, à long terme, la testostérone, hormone essentielle pour la libido, ne sera, dans ce cas, fournie que par les surrénales (50 %).

En principe, chaque hormone a ses sites récepteurs spécifiques. Ainsi, l'hormone thyroïdienne n'ira pas se fixer au site récepteur de la progestérone ou de l'hormone de croissance. Certaines hormones ont des sites récepteurs dans certains tissus tandis que d'autres, comme les glucocorticoïdes (le cortisol), en ont partout car elles doivent intervenir dans tout le corps, étant responsables de la réponse de chaque cellule au stress (47).

Ce qui complique les choses au niveau des récepteurs, c'est que la présence d'une hormone en trop grande quantité peut parfois bloquer les récepteurs d'une autre hormone ou stimuler la multiplication de ses sites récepteurs ou de la réponse à d'autres hormones. C'est la cohue, comme au début du virage ambulatoire... Trop de changements de fonctions et trop de nouveaux employés qui ne connaissent pas bien leur nouveau rôle !

Ce qui suit est très important

D'autre part, les sites récepteurs n'ont pas tous la même sensibilité pour répondre par exemple à telle ou telle préparation hormonale qu'on donne en ménopause. Certains tissus de certains organes sont plus sensibles à telle préparation qu'à telle autre et chaque femme peut avoir sa propre réponse à telle préparation. C'est la raison pour laquelle, si l'on veut que le plus de femmes possible bénéficient de l'HTR, il faut faire du cas par cas. Certaines se sentiront très bien avec certains œstrogènes sous forme orale (par exemple, Prémarine, Estrace), alors que d'autres se porteront mieux avec d'autres formes, comme les timbres transdermiques (Estraderm, Vivelle, etc.) ou le gel (Estrogel). Il en sera de même pour la progestérone (Prometrium) et les autres progestatifs (Provera, Megace, Colprone). Car toutes les hormones de remplacement ne sont pas identiques.

C'est grâce à la connaissance des sites récepteurs et de leur fonctionnement qu'on a pu mettre au point des « antihormones » comme le tamoxifène, que l'on donne aux femmes qui ont eu un cancer du sein. Ce produit a une grande affinité avec les sites récepteurs des œstrogènes de cette glande mais n'a pas, comme les œstrogènes, la capacité de transmettre un message génétique. Il se lie donc au site récepteur de l'œstrogène mais de façon non productive et en bloque de plus le site (48). Aucun œstrogène ne peut alors se fixer au site qui est déjà occupé par le tamoxifène et donc ne peut stimuler de cellules précancéreuses sensibles à cette hormone. De cette manière, cette antihormone qu'est le tamoxifène empêche l'évolution de ce cancer.

Une médication semblable, le raloxifène, est maintenant disponible dans plusieurs pays (sous le nom d'Evista en Amérique du Nord). Elle est offerte pour prévenir l'ostéoporose et possiblement le cancer du sein. Elle agit en bloquant les récepteurs à œstrogènes au niveau des seins mais aussi de l'utérus, réduisant ainsi à long terme les cancers de ces deux organes. Ce médicament plaira peut-être davantage aux femmes qui craignent les hormones, malgré leurs bienfaits reconnus. Ainsi, cette médication, qui est un SERM ou, en français, un MSRE (un modulateur sélectif des récepteurs estrogéniques), n'augmente pas le risque de cancer de l'utérus, contrairement au tamoxifène (49). C'est donc une nouvelle médication très intéressante pour les femmes en postménopause.

Comme vous pouvez le constater, les relations entre chaque hormone et son site récepteur sont subtiles. On comprendra mieux maintenant qu'ajuster une HTR ne va pas toujours de soi a priori puisque chacune a sa façon de réagir à tel produit parce que ses propres récepteurs se mettent à faire des caprices et à préférer telle hormone de remplacement plutôt que telle autre. D'ailleurs, dans les études des produits pharmaceutiques, on se penche de plus en plus sur ces faits pour améliorer la fidélité des patientes aux traitements.

Mais… il y a un autre mais !

Outre les sites récepteurs, ces charmantes petites hormones ont également leurs **transporteurs**, et c'est presque aussi sophistiqué qu'à l'aérogare pour aller monter dans l'avion !

Parlons donc maintenant des protéines de transport, ou **protéines de liaison**, petites globulines qui viennent un peu compliquer le tableau !

Les protéines de liaison

Imaginons un peu qu'il s'agit là de différents autobus, dont certains n'acceptent que certaines hormones (ou passagers), et d'autres, certaines autres.

Ainsi, considérons que, après avoir quitté le lieu de fabrication (les glandes) pour s'acheminer vers les tissus cibles (les organes et tissus) où sont leurs sites récepteurs, les hormones seront, en grande partie, liées dans le sang à des transporteurs qui sont les **protéines de liaison**. Ces dernières sont fabriquées par le foie, ce magnifique laboratoire de production et de transformation de bien des substances qui se promènent dans notre sang.

Il existe plusieurs catégories de ces transporteurs (ou globulines, ou protéines de liaison). Imaginons encore ici que chaque transporteur est un autobus d'une couleur particulière.

Il y a la **SHBG**[22] (qu'on imaginera jaune) pour les hormones sexuelles, la **CBG**[23] (rouge) pour les hormones de stress, et la **TBG**[24] (verte) pour les hormones thyroïdiennes. Enfin, un dernier transporteur, **l'albumine**, sera également impliqué, mais de façon moins spécifique que les trois premiers (50). Ce dernier transporteur se liant de façon moins forte, nous imaginerons que ce n'est pas un autobus mais une bicyclette. Il est en effet plus facile et rapide de descendre d'une bicyclette que d'un autobus.

Ces protéines de liaison se lieront plus ou moins avec telle ou telle hormone. Leur rapidité de liaison et de mise en circulation de l'hormone qu'elles transportent influera sur la rapidité d'action de l'hormone sur le tissu où elle doit aller travailler. Car n'oubliez pas que c'est **la portion libre**, c'est-à-dire celle qui se détache de son transporteur, qui deviendra active et livrera son message au site récepteur (illustration 5).

Il existe une nouvelle notion, celle de portion biodisponible, comprenant la portion libre et celle qui est faiblement liée à l'albumine. (Donc, dans notre imaginaire, celle qui voyage à pied et celle qui utilise la bicyclette.) C'est par souci de précision scientifique que je vous dis cela, car, plus les recherches avancent, plus l'on découvre que c'est de cette notion d'hormone **biodisponible** qu'il faudra tenir compte, surtout pour les examens de laboratoire qui seront demandés. Chez l'homme, c'est la **testostérone biodisponible** qu'il faudra surveiller pour déceler l'apparition de l'andropause.

Voyons maintenant l'**affinité** de chaque protéine de liaison par rapport aux différentes hormones sexuelles.

La **SHBG** peut se lier à la testostérone et/ou à l'œstradiol. (L'autobus jaune a des sièges réservés à la testostérone et à l'œstradiol.) Elle a cependant plus d'affinité pour la testostérone que pour l'œstradiol (51). (Ainsi, plus de sièges pour la première que pour la deuxième.) Donc, si les deux hormones sont présentes dans le sang, plus de testostérone sera liée à la SHBG et, ainsi, plus d'œstradiol sera libre et donc actif. (En d'autres termes, si ces deux hormones désirent monter dans l'autobus, il y aura plus de places pour la testostérone. Par conséquent, plus d'œstradiol devra voyager à pied pour livrer son message et le fera donc plus rapidement, puisqu'il est plus facile de se faufiler à pied que par autobus à l'heure de pointe.)

Toutefois, ces deux hormones sont également partiellement liées à l'albumine. (Donc, une partie de la testostérone et de l'œstradiol qui est à pied pourra également utiliser les bicyclettes s'il y en a qui sont disponibles.) Cette liaison n'est pas forte et permet une remise en circulation rapide de ces hormones. Ces dernières sont donc liées dans une proportion de 95 % à leurs protéines de transport respectives et servent ainsi de réservoir auquel les tissus cibles peuvent puiser.

Les protéines de liaison protègent les tissus contre des concentrations trop élevées d'hormones et peuvent ainsi agir comme tampon. (Moins de piétons ou de cyclistes en circulation, puisqu'ils sont en majorité dans l'autobus jaune.)

Les hormones ont plus d'affinité, par ailleurs, pour leurs sites récepteurs que pour leurs transporteurs. (C'est normal : elles aiment mieux être rendues à destination que de rester dans l'autobus.) Elles se libèrent donc plus vite du transporteur (la SHBG) pour aller agir au niveau des récepteurs. Les transporteurs auraient en quelque sorte un rôle de modulation dans la réponse hormonale. **N'oublions pas que seules les hormones libres sont actives**, soit 5 % (celles qui sont à pied), car elles peuvent aller se fixer à leurs sites récepteurs.

Je souligne en passant que certains facteurs ou certaines substances peuvent faire varier la concentration de ces transporteurs. En d'autres termes, il y a des situations où il y a plus d'autobus jaunes et d'autres situations où il y en a moins.

Ce qui peut faire augmenter la SHBG (52)

La puberté, le vieillissement, la maigreur, la grossesse, l'hyperthyroïdie, les maladies hépatiques chroniques et les antiépileptiques font augmenter la SHBG. Il y a alors moins d'œstrogènes ou de testostérone libres, donc actifs. Ainsi, chez l'homme vieillissant, même si la concentration de testostérone reste sensiblement la même, comme il y a une augmentation de SHBG, il reste moins de testostérone libre, donc active. C'est ainsi qu'il pourra présenter des symptômes semblables à ceux de la femme en ménopause qui n'a plus ou presque plus d'hormones en circulation.

La prise d'œstrogènes en ménopause augmente également la SHBG, alors que les androgènes la diminuent. On comprend donc pourquoi, si l'on a une trop forte dose d'œstrogènes, il y aura moins de testostérone disponible, puisqu'il y a davantage de SHBG en circulation. Donc, il y aura une baisse de libido et, malgré tout, encore des bouffées de chaleur et de la fatigue.

Ce qui peut faire diminuer la SHBG (53)

La prise d'androgènes, de cortisone, de certains progestatifs, mais également des maladies comme l'hypothyroïdie et l'obésité, font diminuer la concentration de SHBG, permettant la présence de plus d'hormones libres, donc actives. S'il y a moins de SHBG en circulation chez les femmes obèses, il est facile de comprendre pourquoi ces femmes ont moins de problèmes à la ménopause et qu'elles n'ont généralement ni bouffées de chaleur ni baisse de libido, car elles ont davantage de testostérone et d'œstradiol libres, donc actifs. De plus, il y a chez elles une production accrue d'œstrogènes qui provient de la transformation d'androgènes en œstrogènes dans leur graisse.

Voyons maintenant l'autre classe de transporteurs, la **CBG** (nos autobus rouges), et vous comprendrez mieux l'équilibre qui peut se faire entre les différentes hormones.

La **CBG** lie pour sa part le cortisol (90 %), la cortisone et **la progestérone** (54). (L'autobus rouge est donc à la disposition de ces trois hormones.) Cependant, vous aurez compris qu'il y a plus de sièges réservés pour la cortisone et le cortisol que pour la progestérone. C'est à cause de cette dernière hormone que je dois vous parler des CBG. Je souligne ici que 80 % de la progestérone est liée à **l'albumine** (55). Ainsi, la progestérone est beaucoup plus sportive et préfère la bicyclette à l'autobus ! Or, on a vu que, lorsqu'une hormone se lie à l'albumine, elle est rapidement dissociable, donc libre (56). C'est évident qu'il est plus facile de quitter une bicyclette que de descendre d'un autobus, qui ne s'arrête qu'aux endroits où c'est permis.

Il est important de mentionner ici que la prise d'œstrogènes de remplacement augmente également la concentration de CBG dans le sang (57). Mais, comme la progestérone est davantage liée à l'albumine, qui la libère facilement, cet effet de stimulation par les œstrogènes n'entrave pas le travail de la progestérone.

On peut aussi imaginer que si trop de CBG est en circulation, comme elle a d'autre part une plus grande affinité pour le cortisol que pour la progestérone, il y aura diminution du cortisol libre et donc plus de fatigue et moins de résistance aux infections et au stress.

Par contre, la prise d'androgènes diminue la CBG, ce qui explique une augmentation de l'énergie, outre le fait que les androgènes eux-mêmes accroissent cette dernière directement.

* * *

En application pratique dans notre recherche du désir et du plaisir, prenons, si l'on veut résumer un peu toutes ces savantes données, l'exemple du **remplacement hormonal en ménopause**.

– Si on ne remplace que les œstrogènes (**œstradiol**), ou que la dose en est trop élevée, on augmente la SHBG ; on a donc moins d'**œstradiol** actif, et par conséquent une diminution des effets positifs des œstrogènes sur les bouffées de chaleur et le bien-être, et possiblement sur le cœur et les os. En d'autres termes, il y a donc persistance des bouffées de chaleur et des symptômes de fatigue et de dépression malgré la prise de cet **œstradiol, qui est en grande partie lié, donc inactif**.

– À faible dose, l'**œstradiol** se fixe de préférence à son propre site récepteur; mais à dose plus forte, l'**œstradiol** se fixe également sur les sites récepteurs à androgènes et devient antiandrogène (58). On a donc moins de libido, moins d'énergie et moins de joie de vivre, car il y a moins d'**œstradiol** et de **testostérone** libres, donc actifs. (Tous les livreurs sont confortablement installés dans les autobus et personne ne fait la livraison des messages !)

– Si l'on prend de **l'œstradiol et de la progestérone combinés**, l'œstradiol augmente la quantité de SHBG dans le sang, mais la progestérone la diminue. On aura donc une augmentation des effets positifs des deux hormones, puisqu'il y aura davantage des **deux hormones libres** et livrant les messages vers les sites récepteurs de chacune de ces hormones.

– Si l'on prend des œstrogènes (**œstradiol**) et des androgènes (**testostérone**), les premiers augmentent la SHBG et les seconds la diminuent.

On a donc l'équilibre hormonal, puisqu'il y a suffisamment d'œstradiol et de testostérone **libres**, donc pouvant remplir leurs fonctions respectives. Et on a encore là une augmentation des effets positifs des deux hormones.

– Si l'on combine **œstradiol, progestérone et testostérone**, on aura besoin d'un dosage moindre de ces trois hormones. La raison en est qu'il y aura équilibre des différents transporteurs (la SHBG, la CGB et l'albumine), et plus de ces trois hormones seront **libres et efficaces** pour les rôles qui leur sont propres.

* * *

N'avais-je pas raison d'insister pour que nous fassions ensemble ce survol du monde hormonal ? Les chapitres suivants seront tellement plus faciles à comprendre. Je vous assure que le plus difficile est terminé.

Gardez bien en mémoire cette notion de **la SHBG**, car elle constitue la clé de bien des énigmes hormonales.

Nous allons maintenant voir comment tout cela fonctionne et influence notre qualité de vie autant que **notre désir et notre plaisir** !

Annexe

Hormones thyroïdiennes

Dans le cas de la thyroïde, par exemple, si elle ne fonctionne pas suffisamment, les symptômes seront très variés : peau sèche, fatigue, perte d'énergie, ralentissement du pouls, prise de poids, retard dans les règles. Un trop grand fonctionnement de la thyroïde causera au contraire une perte de poids, une hyperactivité, de l'insomnie, une grande fébrilité, des règles souvent abondantes, un rythme cardiaque très rapide et parfois des tremblements des mains.

Permettez-moi de vous raconter la première visite à domicile de ma carrière. Je venais d'installer à Tadoussac mon premier bureau. Ce petit village de mille habitants avait été privé de médecin pendant plus de huit ans et je m'étais établie là, en pratique générale. C'est ma passion de l'eau et mon désir de voir le large qui, déjà à ce moment, m'avaient éloignée de ma ville natale, Montréal.

Ce matin-là, je pénétrai dans une roulotte où vivait une femme d'une cinquantaine d'années. Elle était alitée depuis plusieurs semaines, épuisée et sans aucune énergie. Elle avait constamment envie de dormir et, malgré un appétit à peu près nul, elle prenait du poids de façon importante. Son fils, qui la trouvait de plus en plus mal en point, m'avait demandé de lui rendre visite.

À l'examen, sa peau était sèche, son teint jaunâtre, son visage bouffi, et ses mains semblaient épaissies. La glande thyroïde ayant toujours suscité beaucoup d'intérêt chez moi pendant mes études de médecine, je pensai tout de suite qu'il s'agissait là d'un cas d'hypothyroïdie (ou hypofonctionnement de la glande), et la lenteur de ses réflexes ne faisait que confirmer mon impression. À ma demande, une infirmière vint donc dès le lendemain à son chevet pour lui faire des prises de sang, et les résultats des examens demandés confirmèrent mon diagnostic.

Je la mis aussitôt sous traitement d'extraits thyroïdiens et, en quelques semaines, elle se remit à fonctionner normalement, à se lever, à s'alimenter, à s'intéresser à la vie, à perdre du poids. Quelques mois plus tard, elle gambadait partout dans le village en criant au miracle. Je ne pouvais mieux commencer ma carrière de jeune médecin, femme de surcroît, ce qui était très rare, il y a vingt-sept ans, en région.

2

L'humeur, le comportement, l'agressivité...

Chaque jour, je vois défiler dans mon bureau des femmes en proie à des comportements qu'elles ne peuvent s'expliquer et qui les angoissent.

«Docteur, j'ai battu mon mari, et pourtant je l'aime et il n'avait rien fait... J'ai si honte!»

Petite femme de 42 ans, en préménopause.

«Docteur, faites quelque chose : je me sens si triste, si désemparée... J'ai envie de me suicider et pourtant je n'ai aucun problème!»

Femme d'affaires de 45 ans.

«Je suis par moments si découragée, si vidée, si fatiguée que j'aurais juste envie de me coucher et de mourir...»

Professeur d'art de 46 ans.

«Avant, j'étais capable de faire le ménage dans dix maisons par semaine. Maintenant, plus rien ne me tente, je me dispute avec mes patronnes et j'ai envie de tout balancer.»

Femme de ménage de 48 ans.

«La femme a la chair plus lâche que l'homme», écrivait Hippocrate[1], qui, dans son temps, ne parlait pas d'hormones mais d'humeurs. Voilà comment le docteur Michèle Lachowsky aborda le sujet d'une conférence qu'elle donna lors de la XVe Journée de Nice et de la Côte d'Azur, tenue en juin 1997, et dont le titre était : «Les humeurs des hormones».

Dans cette conférence, elle soulignait avec parfois beaucoup d'humour «les affres des perturbations hormonales tout au long de la vie des femmes et le trouble suscité chez les médecins pour arriver à bien saisir la symptomatologie des différents événements gynécologiques de leurs patientes, sachant qu'œstrogènes et progestérone jouent parfois des rôles opposés, ce qui se ressent sur les humeurs des femmes». Et cette femme médecin concluait que «... le trouble de nos patientes tient autant de l'irréel des idées reçues que du réel de leur inconfort». Et elle ajoutait que «la science reconnaît enfin une place au cerveau presque équivalente à celle des organes féminins dans la régie de l'humeur des hormones (1)».

Aussi, combien nombreuses sont mes patientes qui, lors de leur première visite à mon bureau, s'assoient sur le bout de la chaise, un rictus incertain au coin des lèvres... Il s'en faut de très peu que j'aie à leur tendre la boîte de kleenex.

On me dira peut-être que toutes ces femmes sont en dépression situationnelle et qu'elles n'ont besoin que d'antidépresseurs. Je ne suis pas d'accord. Car, dans ces conditions, bientôt plus de la moitié des femmes dans la quarantaine prendront Prozac, Zoloft, Luvox ou autres antidépresseurs. Et l'on trouve ça normal? Il faudrait peut-être s'interroger un peu plus et aller au fond des choses, ne croyez-vous pas? Car on oublie trop souvent, hélas, les effets secondaires négatifs que peuvent avoir les antidépresseurs **sur le désir et sur l'orgasme** !

Ce qui est étrange, c'est que, lorsque ces femmes sont mises sous hormonothérapie adéquate, elles se sentent mieux en moins d'une semaine. Et celles qui sont sous antidépresseurs ont souvent, en moins d'un mois, abandonné leur médication, parce qu'elles se sentent presque totalement guéries avec leur HTR[2]. J'exagère ? Non, pas du tout !

Bien sûr, 100 % des patientes qui me consultent se sentent mieux rapidement car elles prennent leurs hormones. Pourquoi les prennent-elles ? Parce qu'elles en ont besoin et qu'elles s'en rendent compte par la rapide amélioration de leur état général. Je n'ai pas à convaincre ces femmes de prendre des hormones. Si je ne leur en offrais pas, c'est là que serait le drame !

Dans un article intitulé « Œstrogènes et humeur » (*Estrogens and Mood*), le docteur F. Mortola, de Chicago, présente une étude qu'il a faite sur le rôle neuromodulateur des œstrogènes chez la femme. Il explique que le cerveau de la femme, ayant été exposé aux œstrogènes pendant plusieurs années, se retrouve perturbé dans sa physiologie par cet état de carence hormonale. Ainsi, l'instabilité émotionnelle qui survient à la ménopause lorsqu'il y a une brusque chute d'œstrogènes est la composante neurocomportementale de cette carence, et les bouffées de chaleur, entre autres symptômes, en sont la composante neurophysiologique. Il reconnaît d'autre part que l'association de faible dose d'œstrogènes à une thérapie d'antidépresseurs chez la femme ménopausée atteinte d'une dépression majeure améliore son état (2).

Il se réfère également, dans son étude, à la dépression post-partum[3], où la femme connaît un rapide déclin des œstrogènes dans les heures qui suivent l'accouchement.

Les cellules nerveuses

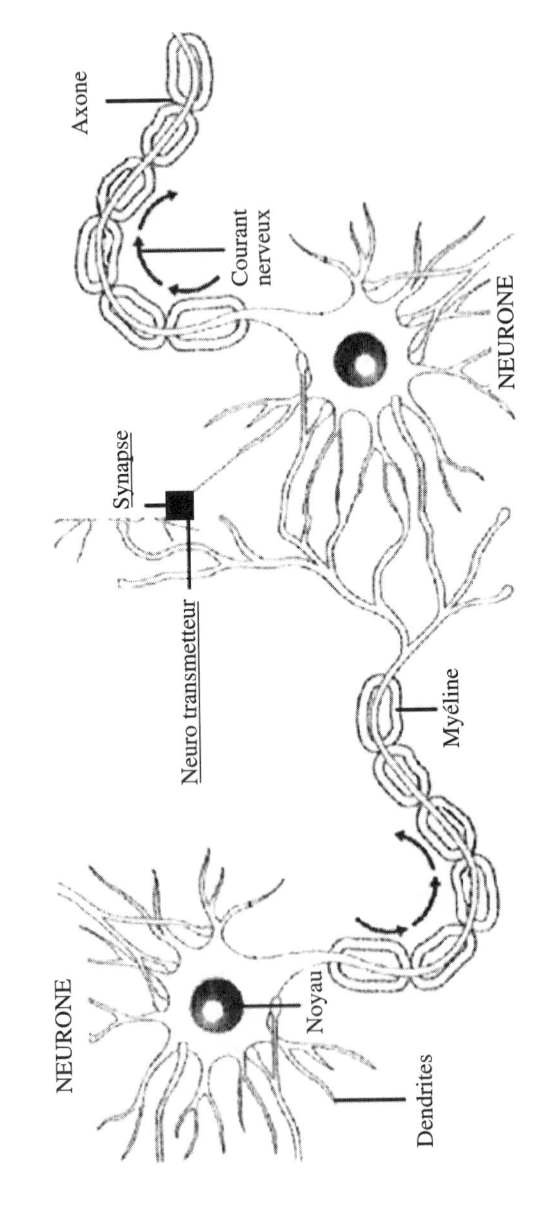

Source : Société de la sclérose en plaques.

Illustration 6

La progestérone ayant quelques effets opposés à ceux des œstrogènes sur certains neurotransmetteurs, il explique le syndrome prémenstruel de la même façon : déclin relatif des œstrogènes (3) [et j'ajouterais : ou de la progestérone]. Il en conclut que les œstrogènes seraient mieux perçus comme modulateur de l'humeur et qu'ils apportent aux femmes en ménopause une amélioration de leur bien-être (4). Ces hormones auraient sans doute un rôle à jouer au niveau des neurotransmetteurs.

Voyons d'abord ce qu'est un **neurotransmetteur.**

Il s'agit d'une substance chimique permettant le passage du message entre deux cellules nerveuses (voir illustration 6).

Mme Barbara B. Sherwin a beaucoup étudié l'effet des carences hormonales sur le comportement. Maintenant, les preuves sont là : il y a vraiment une explication chimique aux troubles du comportement liés aux perturbations hormonales, tout comme il y a une explication à la dépression post-partum de même qu'aux comportements exécrables de nos adolescents et adolescentes... «qui étaient autrefois si doux et si gentils» !

Barbara B. Sherwin s'est penchée sur les effets des hormones stéroïdiennes sexuelles sur les mécanismes cérébraux se rapportant à l'humeur. Voici quelques-unes de ses conclusions :

«Les œstrogènes ont des effets à la fois inducteurs et directs sur les neurones. Ils déclenchent, entre autres, la synthèse de l'ARN[4], et par ricochet entraînent des changements des taux des enzymes de synthèse des neurotransmetteurs (5).»

Tentons de simplifier tout cela.

Qu'est-ce qu'un **neurone** ? C'est tout simplement une cellule nerveuse.

Comme on peut l'apercevoir sur l'illustration 6, le neurone est une cellule qui a des pattes, ou prolongements afférents (les dendrites), et l'axone, qui est un prolongement efférent, est entouré d'une gaine de myéline.

> C'est justement la myéline qui est atteinte dans la maladie de la sclérose en plaques. Quand il y a perte de cette substance à un niveau ou un autre du système nerveux, la personne atteinte de cette maladie se voit privée de la fonction que remplissait cette portion de myéline. Ainsi, par exemple, si la personne atteinte de sclérose en plaques a des pertes de myéline au niveau de la moelle épinière ou de certaines voies nerveuses, elle aura de plus en plus de difficulté à marcher, à soulever ses pieds ou à se servir de ses bras, suivant le degré d'atteinte.

Revenons au fonctionnement de la cellule nerveuse. Ce prolongement du neurone entre en contact avec les dendrites ou le corps cellulaire d'un autre neurone par l'intermédiaire des **synapses**[5], bien visibles au microscope électronique, pour permettre le passage du courant nerveux (illustration 6).

Quant au **neurotransmetteur**, il s'agit d'une substance chimique qui permet la transmission d'un message entre deux neurones.

Vous me suivez? Cette molécule qui est libérée de l'axone (illustration 6) franchit l'espace intersynaptique et se lie avec un récepteur situé sur la membrane postsynaptique. Le récepteur est complémentaire, dans sa structure, du neurotransmetteur spécifique, tout comme, encore une fois, une clé et une serrure.

C'est un peu la même chose qu'entre les sites récepteurs et les hormones.

D'autre part, on sait maintenant qu'il y a des récepteurs des hormones sexuelles dans certaines zones du cerveau (6).

Des études autoradiographiques[6] ont démontré que les neurones qui contiennent des récepteurs spécifiques des œstrogènes se trouvent dans des zones spécifiques du cerveau, surtout, entre autres, l'hypophyse, l'hypothalamus et le cortex cérébral (7).

Par ailleurs, plusieurs systèmes de neurotransmetteurs (dont la sérotonine, l'adrénaline et les endorphines, pour ne nommer que ceux-là, car nous en aurons besoin plus loin) seraient sensibles aux œstrogènes (8).

> D'autres études autoradiographiques ont démontré qu'il y a également des récepteurs spécifiques à la testostérone qui se trouvent principalement dans la région préoptique de l'hypothalamus, et en concentration moindre dans d'autres zones dont le cortex cérébral (9).

De plus, certaines régions du cerveau contiennent des enzymes nécessaires à la conversion aromatique des androgènes en œstrogènes, dont, parmi les plus actives à cet égard, l'hypothalamus antérieur (10). L'aromatisation est un procédé chimique par lequel il y a transformation des androgènes (hormones plutôt mâles) en œstrogènes (hormones femelles) dans la graisse, le foie, les surrénales et d'autres tissus. Le cerveau semble donc avoir un grand besoin d'œstrogènes pour son bon fonctionnement, puisqu'il est muni de ce système de conversion pour augmenter son taux d'œstrogènes (illustration 7).

> D'autre part, l'absorption spécifique, la liaison et la capacité d'aromatisation et de transformation de la testostérone en œstrogènes peuvent jouer, chez le rat, un rôle sur la différenciation sexuelle du cerveau.

Transformation des hormones sexuelles

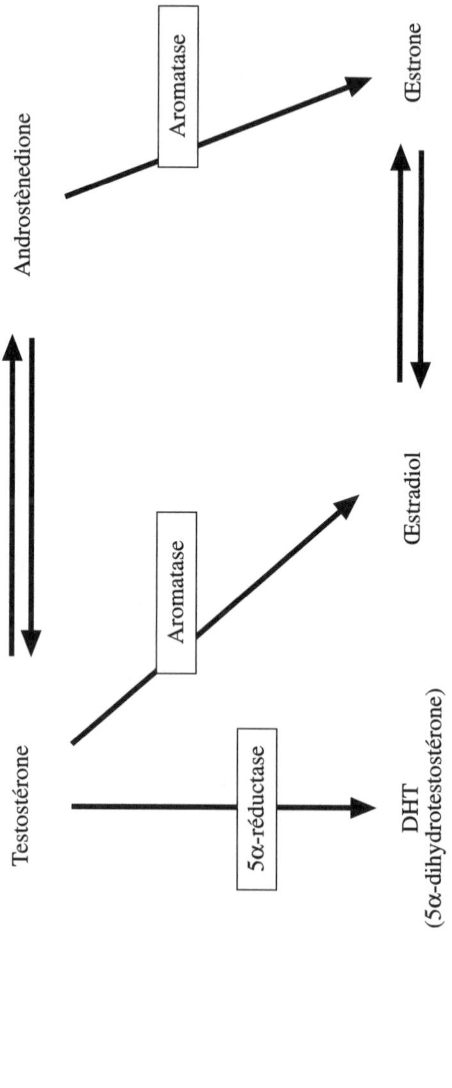

Testostérone ⇄ Androstènedione

Testostérone → (Aromatase) → Œstradiol

Androstènedione → (Aromatase) → Œstrone

Œstradiol ⇄ Œstrone

Testostérone → (5α-réductase) → DHT (5α-dihydrotestostérone)

Illustration 7

Source : *Osteoporosis Illustrated*, p. 132.

Certains chercheurs ont suggéré que la différenciation du cerveau mâle est dépendante, au moins en partie, de la formation des œstrogènes et du développement neuronal dans l'hypothalamus et le cerveau antérieur (11).

En est-il ainsi chez l'être humain? Le cerveau semble se sentir plus à l'aise dans un milieu riche en œstrogènes. Cela expliquerait sans doute l'observation faite par les médecins qui travaillent en andropause : ils ont noté que, chez leurs patients déprimés, il y a toujours une faible concentration de testostérone libre, donc active. On sait que la testostérone peut être transformée en œstrogènes dans le cerveau. Comme la seule autre source d'œstrogènes pour eux est la surrénale, faible, comme pour les femmes d'ailleurs, et qu'ils n'ont pas d'ovaires, la testostérone est donc la plus grande source potentiellement transformable en œstrogènes dans leur cerveau.

Connaissant une baisse de testostérone en circulation provenant des testicules, le cerveau ne peut aromatiser qu'un faible taux de testostérone pour le transformer en œstrogènes. Si leurs récepteurs cérébraux ont besoin d'œstrogènes et se retrouvent en carence, ces hommes seraient alors aussi déprimés qu'une femme en ménopause, et pour les mêmes raisons : manque d'œstrogènes au cerveau.

Mais cela va même plus loin puisque ces mêmes hommes souffrent également d'insomnie. Vous allez vite comprendre pourquoi dans les pages qui vont suivre.

Pour en revenir aux études de Mme Sherwin, elle conclut finalement :

«Il est donc clair que les stéroïdes (i.e. les hormones stéroïdiennes) sexuels peuvent exercer leur action directe sur des parties du cerveau que l'on pense prioritairement responsables de l'émotion et de la sexualité» (12).

Cette chercheuse a fait deux études bien contrôlées de femmes ménopausées chirurgicalement, chez lesquelles le pourcentage de dépression était inverse aux taux d'œstradiol et de testostérone circulants, c'est-à-dire que les femmes étaient d'autant plus déprimées que les taux de ces hormones circulantes étaient abaissés (13).

De plus, dans ces études, le pourcentage de dépressions augmentait lorsqu'on substituait un placebo aux œstrogènes chez les femmes ovariectomisées (14).

Mme Sherwin écrit aussi que «s'il est exact que les œstrogènes améliorent l'humeur, leur mécanisme d'action pourrait être lié à une augmentation de la durée pendant laquelle les neurotransmetteurs sont disponibles au niveau de la synapse nerveuse (15)» (illustration 6).

En d'autres termes, plus la synapse est exposée à son neurotransmetteur, meilleure est l'humeur. Et si, par exemple, au niveau d'un point nerveux important, il y a une carence de cette substance essentielle qu'est le neurotransmetteur, le courant passe mal ou ne passe pas et il s'ensuit de la dépression (illustration 8).

> Les œstrogènes peuvent influencer la disponibilité des neurotransmetteurs de différentes façons, comme en maintenant par exemple des niveaux plus élevés de sérotonine. Cette substance est l'un de ces neurotransmetteurs importants dont j'ai parlé plus haut. On sait que la baisse de sa disponibilité est liée à de nombreux problèmes psychiatriques, mais on a

également remarqué, tant chez l'humain que chez le rat, qu'une baisse de sérotonine entraîne une augmentation de l'agressivité, accroît la tendance à la violence, tant envers soi-même qu'envers autrui, et augmente l'instabilité (16) [illustration 8].

Tout cela explique donc très bien les problèmes des femmes dont les propos ont été cités en début de chapitre.

Une stabilité dans le taux de sérotonine circulante serait nécessaire, semble-t-il, pour que l'organisme puisse réagir adéquatement à un environnement perturbant (17). On a même noté une diminution du taux de 5HIAA (produit de catabolisme de la sérotonine) chez des sujets ayant tenté de se suicider. D'autre part, il semblerait qu'une baisse de sérotonine jouerait un rôle important dans les désordres affectifs saisonniers (DAS), comme nous l'avons mentionné plus haut (18). La sérotonine est le seul neurotransmetteur qui affiche un rythme saisonnier marqué. Elle est plus concentrée au début du printemps et à l'été, période où l'on rencontre moins de désordres affectifs saisonniers (19).

Les œstrogènes agissent également sur le système nerveux en libérant le tryptophane de son transporteur, l'albumine. (Tiens, tiens ! Lui aussi voyage à bicyclette !) Or, c'est à partir du tryptophane que la sérotonine est fabriquée (illustration 8). Libéré ainsi de son transporteur, ce précurseur très important se trouvera en plus grande quantité au niveau du cerveau, où il sera transformé en sérotonine (5-HT) [illustration 8]. Encore là **grâce aux œstrogènes** !

On voit ainsi jusqu'à quel point les œstrogènes sont importants pour le cerveau, et donc pour l'humeur et le comportement. Et sans ces hormones, comme la qualité de la vie peut être amoindrie !

La sérotonine et le neurone

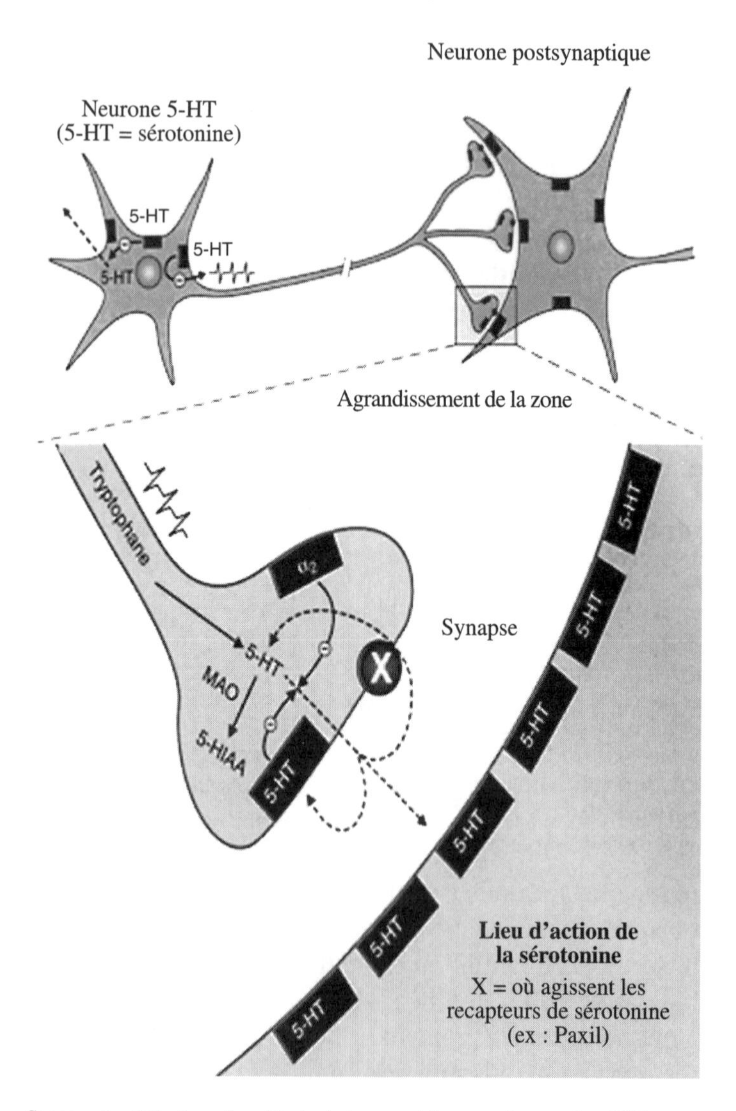

Source : *Les Sélections de médecine/sciences*, n° 7, septembre-octobre 1997.

Illustration 8

Cette explication est appuyée par le rapport d'une corrélation positive entre la concentration totale d'œstradiol plasmatique et le pourcentage de tryptophane plasmatique libre chez la femme postménopausique (20).

En d'autres termes, plus on trouvera d'œstradiol dans le sang de la femme ménopausée, plus il y aura de tryptophane libre. Inversement, moins on trouvera de ces deux substances, plus la femme sera déprimée, car elle n'aura pas suffisamment de ce précurseur pour fabriquer la sérotonine essentielle à son bien-être mental.

Or, j'ai justement lu, il y a peu de temps, que le L-tryptophane est employé depuis longtemps dans le traitement de la dépression et des troubles du sommeil. Un article d'*Actualité médicale* de février 1997 mentionnait que le docteur Simon N. Young, professeur de psychiatrie à l'université McGill de Montréal, «croit que le L-tryptophane agit positivement sur l'humeur et l'anxiété par plusieurs mécanismes dont, entre autres, en augmentant la synthèse de la mélatonine». On a montré que la mélatonine, produit de transformation du L-tryptophane, favorise le sommeil.

Mais, comme le mentionne le docteur Young, «le L-tryptophane est un composé intéressant car il est le précurseur spécifique d'un neurotransmetteur qui a des effets favorables sur la biochimie et le comportement (i.e. la sérotonine) [illustration 8] et dont le déficit joue un rôle crucial dans la dépression (21)». Et cette substance n'accroît pas seulement la disponibilité de la sérotonine, mais aussi la production de la mélatonine, d'où son effet sur le sommeil.

Qu'on vienne ensuite me dire que les œstrogènes n'ont rien à voir avec la dépression et l'insomnie rencontrées en ménopause!

On a aussi observé plus de dépression chez les femmes qui présentaient une baisse des taux plasmatiques de tryptophane libre et une amélioration de la dépression à la suite de l'administration d'œstrogènes à ces femmes en postménopause.

Il est donc irréfutable, à la lumière de ces conclusions, que les œstrogènes peuvent affecter l'humeur et le comportement, donc le **bonheur** chez la femme. Aussi, il faudra que les médecins qui s'intéressent à la ménopause tiennent compte de plus en plus des plaintes et symptômes de leurs patientes et tentent de les soulager rapidement pour éviter de les voir se soumettre à des thérapies aux antidépresseurs qui ont souvent comme effets secondaires d'accentuer les autres symptômes de la ménopause : bouffées de chaleur, ballonnements, insomnie, baisse de libido (dans certains cas) et j'en passe. Corrigeons d'abord la carence hormonale. Nous verrons ensuite s'il y a vraiment besoin d'ajouter un antidépresseur.

Il est peut-être bon de mentionner que tous ces antidépresseurs à la mode agissent au niveau du recaptage de la sérotonine par les neurones (voir le X sur l'illustration 8). Ne serait-il donc pas plus simple de remplacer d'abord ce qui manque, c'est-à-dire les œstrogènes ?

Ainsi, les œstrogènes faciliteraient la libération du tryptophane de son transporteur; la présence accrue de tryptophane libre permettrait la présence accrue de sérotonine en circulation, donc une quantité suffisante de cette précieuse substance dont le neurone a besoin pour passer le message entre deux cellules nerveuses. En conclusion, moins de dépression !

D'autre part, un récent article paru dans la revue *Chasser la dépression* mentionnait que, dans une étude faite à l'Institut Max Planck de Munich, chez des patientes déprimées, on avait noté une plus grande déminéralisation de la colonne vertébrale (qui amène de l'ostéoporose) [22].

On sait que la dépression est associée à une augmentation de la sécrétion de cortisol (hormone fabriquée par la surrénale et servant à répondre à tout stress, et qui voyage en autobus rouge, rappelez-vous), et que l'hypercorticoïdie contribue à la diminution de la densité osseuse (23).

Donc, la personne en dépression augmente sa perte osseuse (et voit diminuer sa qualité de vie et son autonomie à long terme), directement par l'effet négatif de la cortisone sur l'os mais aussi indirectement par l'inactivité physique qu'amène l'état dépressif et qui concourt également à la perte de la masse osseuse. N'est-ce pas là une lourde conséquence de la carence en œstrogènes?

Comment alors même seulement parler de **désir** de vivre quand la femme en carence d'œstrogènes a du mal à faire ses journées tant son énergie est basse et qu'elle a parfois même des idées suicidaires pour mettre fin à ce drame intérieur qu'elle vit et qu'elle ne peut même pas comprendre?

Le syndrome prémenstruel (SPM)

Je suis de plus en plus persuadée que plusieurs femmes traînent toute leur vie une carence plus ou moins importante en œstrogènes ou en progestérone. Si l'on interroge un peu certaines femmes en proie à un SPM de plus en plus important en avançant en âge, on retrouvera très souvent les mêmes symptômes et les mêmes comportements que l'on rencontre en préménopause.

D'ailleurs, certaines de ces femmes sont vite soulagées si on leur prescrit des anovulants. On bloque leur ovulation, on leur permet de retrouver un équilibre hormonal, et, si l'on a la chance de tomber sur le bon anovulant, tout va pour le mieux. Mais, malheureusement, ça ne va pas toujours. Il faudrait peut-être alors s'interroger sur le choix judicieux de tel ou tel contraceptif, car ils n'ont pas tous la même composition. Certains contiennent plus de progestérone, d'autres, plus d'œstrogènes.

De plus, certains progestatifs sont plus androgénisants que d'autres et ils sont parfois responsables d'un peu d'acné ou de prise de poids. En contrepartie, ils permettront d'avoir plus d'énergie et plus d'appétit sexuel. Cependant, s'ils trop androgénisants, ils pourront être responsables de l'agressivité accrue du syndrome prémenstruel. Voici ce qui explique sans doute ce comportement : quand il y a une certaine carence en œstrogènes, c'est comme s'il y avait trop d'androgènes en circulation, avec la conséquence de ce surplus relatif. Et quand, d'autre part, il y a une carence en progestérone, c'est comme s'il y avait cette fois trop d'œstrogènes, ce qui amène alors des symptômes de surcharge de ces dernières hormones. Nous avons bien expliqué tout ce fonctionnement hormonal dans le premier chapitre, quand il fut question de notre agent de liaison, la SHBG, et de son équipe de protéines de transport.

L'école de pensée française sur ce sujet, différemment de l'école anglaise, plaide la carence en progestérone comme cause du SPM (24). Elle n'a pas tout à fait tort car on a pu remarquer qu'en préménopause, s'il y a absence d'ovulation et donc carence en progestérone, l'hyperœstrogénie[7] relative provoque un état d'hyperactivité et parfois même d'angoisse agressive. C'est cet état de déséquilibre hormonal qui engendre une agressivité souvent incontrôlable qui donne envie à bien des femmes de mettre leur compagnon dehors, quelques jours par mois.

J'ai même reçu les aveux d'une de mes patientes à ce sujet. Elle avait battu son mari ! Vous savez qu'il y a même eu des femmes qui ont tué leur époux pendant la semaine qui précédait leur menstruation. L'une d'elles a finalement été relâchée après que son avocat eut fait la preuve qu'elle avait agi contre sa volonté et sous l'influence d'une perturbation hormonale. Elle s'est remariée et, quelques années plus tard, a tué son nouveau mari. Il fut prouvé que la perturbation hormonale avait, une fois de plus, été en cause dans ce nouveau meurtre !

Dangereuses, les perturbations hormonales, n'est-ce pas ?

Ainsi, on pense qu'il peut y avoir lors de SPM un taux insuffisant de progestérone ou encore une mauvaise utilisation des récepteurs de cette hormone. Souvent, dans ces cas, un traitement avec de la progestérone naturelle (Prometrium, 300 mg pendant 14 jours) donnera de très bons résultats (25).

Comme on peut le constater, rien n'est simple quand les hormones influencent nos humeurs. En être conscient et ne pas le nier comme ce fut le cas trop longtemps, c'est déjà commencer à trouver des solutions.

Si l'on décide de choisir les anovulants comme thérapie en préménopause, là aussi il faudrait s'interroger sur la teneur des hormones de l'anovulant pour la carence que l'on veut traiter, ainsi que des doses de l'une ou l'autre hormone. Car, comme on l'a dit plus haut, toutes les femmes ne sont pas identiques et les besoins de l'une peuvent être très différents de ceux de l'autre.

Par exemple, si une femme présente un cycle court, de 20-22 jours, avec douleurs aux seins et une agressivité qui l'étonne elle-même, elle est en état d'hyperœstrogénisme relatif et souvent n'a pas ovulé. Elle manque donc de progestérone, qui équilibrerait son trop-plein d'œstrogènes, lequel est responsable de ses maux de seins et de son agressivité.

Cependant, le SPM se présente de façon différente chez la femme qui a une carence relative en œstrogènes. Celle-là se plaint d'une grande fatigue, de dépression, d'insomnie, de maux de tête.

Vous voyez bien que le SPM peut être différent chez chacune.

Aussi, grâce à mes consultations, à mes expériences cliniques et à mes recherches en ménopause, je peux maintenant vous dire ceci : je suis de plus en plus persuadée que le comportement et l'humeur sont **d'ordre hormonal** !

Car toutes ces femmes que j'ai accueillies à mon bureau, épuisées, déprimées, agressives, anxieuses, angoissées, n'étaient en rien des cas psychiatriques, et le simple ajustement d'une hormonothérapie équilibrée a suffi à rétablir leur humeur, à leur redonner envie de vivre, à les rendre productives, créatives, à les faire se retrouver «comme avant» en quelques semaines, ce qu'on n'arrive pas à faire si rapidement avec des antidépresseurs, je vous l'assure !

Alors, mesdames, quand vous vous ferez dire, avec une pointe d'ironie, que c'est dans votre tête que ça se passe, répondez à ces interlocuteurs qui manquent souvent de compréhension ou qui ne veulent pas prendre le temps de bien écouter : « Vous avez raison ! » Mais vous pourrez juger de la valeur de ces propos. Ce qui est triste, c'est que vous saurez que c'est vrai et que toutes les perturbations chimiques dont est victime votre cerveau, par manque d'hormones, en sont la cause, ce qu'ignore sans doute encore la personne qui nie que le manque d'œstrogènes affecte l'humeur, le comportement et le sommeil. Que dire alors de la qualité de vie qui découle de ces problèmes ?

Les maux de tête et les migraines

Parlons un peu des maux de tête et des migraines. Nombre de femmes ont connu tout au long de leur vie ces terribles migraines qui les terrassaient à chaque période prémenstruelle ou lors de l'ovulation. Ces migraines que rien ne soulage les forçaient souvent à prendre des médicaments très puissants.

Je pense, pour ma part, que plusieurs de ces migraines sont liées à la carence en œstrogènes.

Une jeune dame de 42 ans me consulta un jour car elle souffrait de migraines que rien n'arrivait à soulager. Elle devait même recevoir, à la base de la nuque, des injections d'analgésique... Le cousin de cette dame, médecin et chercheur, avait lu mon livre sur la ménopause et, comme j'y mentionnais que les maux de tête pouvaient être un symptôme de carence hormonale, il lui conseilla de me rencontrer.

Par acquit de conscience, je lui fis passer les examens d'usage, peu confiante qu'ils seraient concluants. Comme elle avait eu quelques épisodes d'aménorrhée, puis des règles un peu anarchiques, je savais que le processus de préménopause était amorcé, les variations dans le cycle ou le type de menstruation étant, selon des chercheurs, le symptôme le plus valable de l'amorce de la préménopause.

Bien sûr, ses FSH, LH et œstradiol étaient normaux. Mais, persuadée tout de même que ses migraines étaient causées par une carence hormonale, je lui suggérai de prendre un demi-comprimé ou un comprimé d'Estrace (œstrogènes) quand elle sentirait venir la prochaine migraine, qui surviendrait en principe à l'ovulation ou le jour précédant ses règles.

Nous étions au mois de mai. Je fus invitée à participer à des journées de formation en ménopause à Toronto, et justement, pendant ce congrès, un gynécologue de cette ville nous expliqua que, pour des céphalées prémenstruelles, il conseillait à ses patientes un comprimé d'œstrogènes sublingual ou même intravaginal.

Quand je revis ma patiente, quelques mois plus tard, elle me dit que cette thérapie avait beaucoup amélioré sa qualité de vie. Mais comme son cycle commençait à être un peu anarchique et qu'elle avait parfois des migraines n'importe quand, nous avons opté pour une mini-hormonothérapie de remplacement avec œstrogènes et progestérone cyclique. Je la revis après deux mois et elle n'avait presque plus de migraines, qu'elle arrivait d'ailleurs à contrôler très bien avec un peu plus d'œstrogènes ces jours-là !

Mais, comme rien n'est simple dans le monde des hormones, certains maux de tête peuvent être causés par trop d'œstrogènes !

Ainsi, quand on parle de qualité de la vie, de joie de vivre, de **plaisir**, comment y parvenir quand une migraine vous guette à la moindre fluctuation hormonale ?

L'hormonothérapie de remplacement (HTR) : à quel âge ?

En terminant ce chapitre, j'aimerais m'attarder un peu sur l'âge de la ménopause et de la préménopause, et sur certains symptômes qui s'y rattachent, en expliquant leur cause.

«La périménopause est la période pendant laquelle apparaissent les signes biologiques et/ou cliniques annonçant l'approche de la ménopause et au moins l'année qui suit les dernières règles» (définition de l'Organisation mondiale de la santé) [26].

Cette période s'accompagne d'une baisse de fécondité liée aux perturbations hormonales qu'on y rencontre. Un article du docteur Ch. Jamin, de Paris, «L'ovaire endocrine en péri et post-ménopause», insiste sur le fait que «ces perturbations hormonales débutent tôt dans la vie, vers l'âge de 35 ans, alors même que les cycles ne sont pas perturbés (27)». «Et plus on s'approche de la ménopause, plus on rencontrera des phases d'hypœstrogénie (ou baisse d'œstrogènes), entrecoupées de leur contraire, i.e., d'hyperœstrogénie (ou surcharge en œstrogènes). Les symptômes, on le comprend, seront très variés. La baisse d'œstradiol dans le sang aura un effet sur les lipides, causant une élévation du cholestérol total et des LDL et une baisse de la masse osseuse. La femme ressentira une grande fatigue, de l'insomnie, parfois des chaleurs et souvent de la dépression. Cependant, pendant les périodes d'hyperœstrogénie où il y a souvent carence en progestérone, elle se plaindra de lourdeurs aux jambes, de douleurs aux seins, de l'impression d'une grande agitation intérieure et souvent de nausées (28).»

Ainsi, d'après le docteur Jamin, même après la disparition des règles depuis plus d'un an, il n'est pas rare que se produisent encore parfois des ovulations. C'est ce qui explique qu'on puisse voir réapparaître des saignements utérins ou de fortes douleurs aux seins chez ces femmes ménopausées et même chez celles qui ne prennent pas d'hormones (29).

Ainsi, l'âge du début de l'HTR est très discuté, mais, pour ma part, selon mon expérience tant clinique que personnelle, si la patiente est très symptomatique et, de plus, à risque de maladies cardiovasculaires et d'ostéoporose, je trouve inhumain de la faire attendre que ses règles aient cessé depuis plus d'un an avant de lui donner l'HTR. Car ce sont dans des conditions misérables, livrée à cet état de fatigue intense, de dépression, de douleurs articulaires et d'insomnie chronique, qu'elle devra subir inutilement ce délai.

Je ne peux supporter de voir ces femmes dans la jeune quarantaine se traîner, dépressives, asthéniques et souvent anémiques, en baisse hormonale évidente, ni de les voir gâcher leur vie et risquer parfois même le suicide dans certains cas, tant elles sont mal dans leur peau. Car c'est justement quand la ménopause survient dans la jeune quarantaine que les symptômes sont souvent très importants et très variés. Dans la cinquantaine, au contraire, la ménopause s'installe plus doucement, plus naturellement. Et souvent les femmes de ce groupe d'âge ne veulent pas prendre d'HTR, justement parce que, pour elles, il n'y a pas d'urgence à faire ce remplacement. La baisse hormonale s'est produite de façon plus physiologique, si je puis dire. Alors qu'au contraire, dans la quarantaine, la ménopause survient de façon plus brusque et plus dramatique.

Chez les femmes en préménopause, le remplacement hormonal peut se faire avec des anovulants dans la plupart des cas. Il existe actuellement des préparations avec de très faibles doses d'œstrogènes que nous pouvons leur offrir durant cette période. Comment savoir qu'elles seront en ménopause, sous cette médication ? Il suffira de doser leur FSH, LH et œstradiol dans la semaine où elles ne prendont rien, les anovulants étant pris pendant 21 jours sur 28. Je recommande à mes patientes de faire cet examen idéalement le jour qui précède la prise de leur premier anovulant du mois suivant. Un taux de FSH sur LH supérieur à 1 et un œstradiol inférieur à 20 pg par ml (ou inférieur à 70 pmol par l) signifie qu'elles sont en ménopause et qu'elles peuvent passer à l'HTR (30). De toute façon, cliniquement, elles recommenceront à avoir des bouffées de chaleur dans la semaine où elles ne prendront pas d'anovulant et, malgré la médication, elles se sentiront très fatiguées et souvent dépressives durant le reste du mois.

J'ajouterai que les anovulants sont également indiqués même pour les femmes qui ont eu une hystérectomie et qui souffrent de symptômes de préménopause. En effet, on verra plus loin que la première hormone qui tombe en panne dans cette période de la vie est la progestérone. Or, par hyperœstrogénisme relatif, ces femmes, même sans utérus, connaissent les mêmes malaises qui sont liés à ces perturbations hormonales, i.e. maux de seins, ballonnements, nausées, agressivité, douleurs aux jambes. Un anovulant, en plus d'empêcher les ovaires de fonctionner, fournira à ces femmes un niveau hormonal stable d'œstrogènes et de progestérone.

Si les anovulants sont contre-indiqués, un miniremplacement hormonal pourra souvent améliorer leur qualité de vie et leur état général. N'oublions pas que ces hormones de remplacement ne constituent que de faibles doses de ce que nos ovaires nous fournissent tout au long de notre vie, de la puberté à la quarantaine avancée, soit pendant une trentaine d'années. Cependant, attention ! Cette dernière thérapie n'est pas anticonceptionnelle. Ces patientes devront avoir des relations protégées si elles n'ont pas eu de ligature de trompes ou si leur mari n'a pas eu de vasectomie.

Quand j'entends ces discussions futiles sur l'âge de la ménopause, je me dis : allons-nous courir le risque de perdre quelques femmes (par le suicide) parce qu'elles n'ont pas l'âge défini par les livres de médecine pour être en ménopause? La médecine n'est-elle pas une science humaine qui évolue avec l'expérience humaine?

Il est capital d'empêcher le vieillissement prématuré de ces femmes ayant une carence en œstrogènes, tant au niveau des artères et des os qu'à tous les autres niveaux.

D'autre part, plusieurs femmes subissent des hémorragies intempestives qui sont très souvent liées à une atrophie de leur endomètre[8]. Leur cycle est encore régulier, mais les règles sont très abondantes. On a mentionné plus haut que des états d'hypoœstrogénie étaient très fréquents en périménopause. Ainsi, nous savons que la progestérone ne peut agir bénéfiquement sur un endomètre qui n'est pas d'abord imprégné d'œstrogènes. On rencontre souvent le même problème lors de l'HTR chez certaines femmes qui reçoivent peu d'œstrogènes et une trop forte dose de progestérone (31).

Les doses

De trop fortes doses d'hormones (supraphysiologiques[9]) lors d'une HTR sont parfois responsables de l'abandon de cette thérapie. J'ai souvent reçu en consultation des dames de 60 ans et plus qui n'avaient jamais pris d'hormones après leur ménopause et qui, informées des effets bénéfiques de ce traitement, en avaient demandé à leur médecin traitant. Or, il ne faut pas oublier que ces dames étaient sans hormones depuis leur ménopause, si ce n'est un très faible niveau fourni par les surrénales et la conversion périphérique. Or, les soumettre dès le départ à la dose usuelle d'HTR suggérée pour protéger les os et les artères est une erreur. Il vaut mieux leur donner une très faible dose pendant quelque temps, et l'augmenter graduellement.

Il ne faut d'ailleurs pas oublier que de grandes variations individuelles affectent la biodisponibilité des hormones, qu'elles soient administrées par voie orale ou transdermique. La lenteur de la digestion et les troubles du foie peuvent diminuer l'efficacité de telle hormone sous forme orale. Chez les femmes obèses, le timbre transdermique pourra mal diffuser l'hormone à cause de l'épaisseur des tissus graisseux et parfois même du type de peau ou d'une plus grande sudation, qui fait décoller le timbre.

Aussi, mesdames, si vous ne vous sentez pas «comme avant», il se peut que la forme d'administration ou le type d'hormones que vous prenez ne vous convienne pas. Ce n'est pas pour rien qu'il existe tant de sortes d'HTR et tant de doses. On fait de plus en plus du cas par cas en hormonothérapie et c'est à mon avis la seule façon d'assurer la fidélité à l'HTR chez nos patientes.

Les étourdissements et les vertiges

Un jour, j'ai reçu à mon bureau une femme de 42 ans, en proie depuis plus de trois ans à des vertiges qui la privaient de prendre son jeune garçon dans ses bras. Quand elle devait prendre le métro, deux fois par jour, pour se rendre à son travail, elle attendait qu'il soit au quai avant de s'y avancer tellement elle craignait que son vertige ne la précipite sur les rails.

Lors d'un examen annuel sur son lieu de travail, elle fit mention au médecin qu'elle souffrait de fatigue, de bouffées de chaleur la nuit et de dépression. Le médecin traita cette préménopause selon l'usage, avec des anovulants. L'état de la petite dame s'améliora quelque peu mais elle devait absolument ajouter des œstrogènes durant la semaine où elle ne prenait pas d'anovulants, sinon les bouffées de chaleur reprenaient et son vertige encore plus !

Quand elle me consulta, j'eus envie de faire mesurer son œstradiol pendant la semaine sans anovulants, lui demandant de ne pas prendre d'œstrogènes pendant ce temps. Elle eut évidemment, durant cette semaine-là, des vertiges encore plus importants.

Son taux d'œstradiol revint à 32 pmol par litre. Or, des valeurs entre 10 et 40 signalent une ménopause précoce (32). À moins de 100 pmol par litre, on est en ménopause (ou du moins ça signifie que la production d'œstrogènes est plutôt perturbée !).

Elle ne put continuer très longtemps ce mode de traitement car les vertiges étaient de plus en plus forts. Par acquit de conscience, je l'envoyai en consultation en ORL et en neurologie, et elle passa un scanner. Bien sûr, les deux spécialistes furent d'accord avec moi : cette dame avait une grave carence en œstrogènes. C'est peu de temps après que j'ai compris la subtilité de la carence. Elle se situait au niveau des récepteurs du cervelet et de ses très petits vaisseaux, qui subissaient les effets de la carence.

J'arrivai à trouver la dose optimale d'œstrogènes pouvant convenir à cette patiente, à la lumière de ses vertiges. Quand on eut trouvé la bonne dose, les vertiges cessèrent. Elle en souffrait depuis trois ans… Six mois plus tard, voyant qu'elle prenait une dose beaucoup plus forte que celle de son amie, elle tenta de « sauter » quelques pilules… et eut vite fait de comprendre que ce qu'elle prenait, c'était *sa dose à elle*, i.e. celle dont *elle* avait besoin. Quand elle fut revenue à *sa* dose, les vertiges cessèrent. Ce n'est là l'histoire que d'un cas de vertige, mais je pourrais vous raconter plusieurs exemples de ce genre.

Très récemment, la femme d'un de mes confrères, qui me consultait pour vérifier si elle prenait l'HTR qui lui convenait (car elle ne se sentait pas encore «comme avant»), me raconta comment était «arrivée» sa ménopause. Elle avait 44 ans quand, un beau matin, elle se leva et commença à ressentir des vertiges. Elle aussi fut examinée par différents spécialistes, qui ne trouvèrent aucune pathologie pouvant expliquer ses troubles d'équilibre. Cependant, à compter du jour où commencèrent ses vertiges, elle n'eut plus de règles. Elle était ménopausée.

Il est très fréquent qu'une petite grand-mère me consulte avec une telle histoire de vertiges, qui durent depuis plusieurs années et dont elle n'a jamais été soulagée parce qu'on en ignorait la cause.

Et que dire de cette religieuse de 65 ans à qui l'on avait fait cadeau de mon livre sur la ménopause et qui me dit, heureuse d'avoir eu accès à tant d'informations : «Pourquoi ne m'a-t-on jamais offert de prendre des hormones? Je suis en proie à des étourdissements et des vertiges depuis tant d'années, sans parler de mes difficultés à me concentrer et de ma mémoire qui fait défaut et dont j'étais si fière!»

Si j'avais le temps, j'irais leur donner des séances d'information, à toutes ces religieuses, femmes trop souvent oubliées… mais femmes quand même!

Encore ici, on peut constater que de petits malaises comme des vertiges ou des étourdissements, sans être de graves maladies, peuvent empoisonner notre existence.

D'abord parce que l'anxiété suscitée par l'ignorance de leur cause nuit à notre qualité de vie, ensuite parce que l'angoisse créée par la peur qu'ils augmentent ou provoquent des accidents est suffisante pour nous empêcher d'entreprendre quelque chose. Ainsi, le **désir** et le **plaisir**, donc la joie de vivre, s'en trouvent perturbés.

La mémoire et la maladie d'Alzheimer

Certains troubles de la mémoire et une difficulté de concentration sont causés par une carence en œstrogènes au niveau des sites récepteurs du cerveau. Là aussi, le bon dosage d'HTR aura vite fait de régler le problème. Il est fréquent que je reçoive en consultation des professeurs qui sont en préménopause et qui se plaignent de cet affreux symptôme de carence en œstrogènes qu'est la perte de mémoire. Une dame m'a même raconté que, dans les mois qui avaient précédé le début de sa prise d'hormones, elle ne parvenait plus à tracer le chiffre trois. Elle paniquait chaque fois qu'elle devait transcrire une adresse ou un numéro de téléphone contenant ce chiffre. Ce problème est rentré dans l'ordre, à sa grande surprise, après quelques semaines d'HTR.

> Dans une étude effectuée à l'université de Floride sur les œstrogènes et la protection de la mémoire, on rapporte qu'en l'absence d'œstrogènes un déclin de 30 % à 40 % du transport et de l'utilisation du glucose au niveau du cerveau peut avoir des conséquences dramatiques sur la mémoire. Le glucose est en effet la seule source d'énergie du cerveau et de l'acétylcoenzyme A (33). Or, cette dernière est essentielle pour la synthèse de l'acéthylcholine, laquelle est à son tour essentielle pour la mémoire. Donc, si

cette dernière est réduite par la carence en glucose qui est engendrée par le manque d'œstrogènes au cerveau, il en résulte des troubles de la mémoire. Quand on donne des œstrogènes, la mémoire s'améliore rapidement (34). Cette même étude a démontré l'habilité des œstrogènes à diminuer l'oxydation et à augmenter la viabilité de la cellule nerveuse, ce qui rend ces hormones très intéressantes pour protéger contre la progression de la perte neuronale de la maladie d'Alzheimer (35).

Barbara B. Sherwin, qui a publié les résultats de ses recherches sur les œstrogènes et la mémoire chez les femmes dans *Annals of the New York Academy of Sciences*, en venait aux mêmes conclusions. Et comme la maladie d'Alzheimer se caractérise par une perte progressive de la mémoire, le docteur Sherwin a suggéré la possibilité de retarder l'apparition et l'évolution de la maladie par l'administration d'œstrogènes dès que la carence commence à se faire sentir (36).

Ainsi, dans certains centres où l'on garde des personnes atteintes de la maladie d'Alzheimer ou d'autres maladies cérébrales débilitantes, on a effectivement donné aux femmes des œstrogènes pour ralentir l'évolution de la maladie, et cela avec beaucoup de succès. Après trois semaines de traitement, on a noté chez ces femmes une amélioration objective des fonctions mentales (37).

Un autre article, intitulé : «Œstrogènes et maladie d'Alzheimer», rapporte les mêmes faits que les études que je viens de citer, quant aux bienfaits des œstrogènes sur la mémoire, en insistant sur la durée du traitement œstrogénique comme facteur important dans la prévention ou le ralentissement de cette maladie (38).

Des expériences de laboratoire sur des neurones ont démontré que les œstrogènes étaient de puissants agents neuroprotecteurs. Des chercheurs tentent donc de mettre au point des œstrogènes de synthèse qui seraient non œstrogéniques, pour qu'on puisse se servir de ces produits également chez les hommes à risque de maladies neurodégénératives (39).

La maladie de Parkinson

Une étude faite aux États-Unis et impliquant 171 femmes a démontré récemment que l'HTR ralentit la progression de la maladie de Parkinson chez les femmes qui en sont atteintes. Le docteur Rachel Saunders-Pullman, qui a fait cette étude, explique que les œstrogènes agissent probablement au niveau des récepteurs opioïdes[10] des zones atteintes (40).

Les conclusions préliminaires de quatre autres études de ce genre viennent d'être présentées au 5e congrès international sur la maladie de Parkinson et les désordres du mouvement.

Le docteur D. Maraganore, de la clinique Mayo, de Rochester, New York, a remarqué, au cours de son étude, que les femmes sous HTR étaient moins enclines à avoir la maladie de Parkinson que celles qui ne prenaient pas d'hormones (41).

D'autre part, les chercheurs du NIH (National Institute of Health) ont découvert que les œstrogènes inclus dans l'HTR pouvaient augmenter l'absorption de la levodopa, ce médicament employé pour traiter la maladie de Parkinson. Cette étude a par ailleurs démontré que la prise d'œstrogènes pourrait permettre de diminuer un peu la dose de levodopa chez ces malades, réduisant par le fait même les effets secondaires de dyskinésie[11] souvent rencontrés avec cette médication. Cette étude prometteuse se poursuit et il faudra en surveiller les conclusions (42).

Les chercheurs de l'école de médecine de l'université de l'Utah, pour leur part, ont découvert que les femmes sous HTR qui souffraient de la maladie de Parkinson obtenaient un meilleur résultat dans les tests de mémoire verbale que le groupe sans HTR. Cette découverte peut être utile également pour celles qui, sans cette maladie, présentent tout de même des troubles de la mémoire (43). Enfin, une quatrième étude, faite à l'université de Miami, conclut que les œstrogènes peuvent protéger les gens contre la maladie de Parkinson (44).

Ainsi, comme on peut en juger par toutes ces études qui démontrent les bienfaits des œstrogènes non seulement sur le système nerveux mais sur la qualité de la vie en général, je pense qu'aucune femme ne peut rester indifférente à tous ces avantages qui lui sont offerts par le remplacement de cette hormone. Les deux autres parties de ce livre prouveront, je l'espère, que les autres hormones sexuelles ont leur importance dans la qualité de la vie, le **plaisir** et le **désir**. Mais ne brûlons pas d'étapes car il reste encore bien des points à éclaircir sur les œstrogènes et leurs bienfaits.

3

Petits malaises et grandes misères... des carences en œstrogènes

Dans ce chapitre, je vais continuer de faire la lumière sur une foule de petits problèmes cliniques trop souvent mal traités parce que leur cause est ignorée et qui sont autant de facteurs qui gâchent notre existence, nuisant ainsi à notre **plaisir** et à notre **désir** de vivre.

Le problème de la médecine actuelle, c'est que, durant les dernières décennies, on a formé des spécialistes. Or, le corps humain est un tout. Un orchestre ne peut produire une belle musique sans chef d'orchestre. Le corps ne peut être soigné convenablement si l'on en ignore l'ensemble pour en traiter les parties. Car tous les éléments du corps sont interdépendants. Pourquoi existe-t-il des maladies psychosomatiques? Parce que le psychisme influence le physique et vice-versa.

C'est donc à force d'observations cliniques et grâce à *l'écoute* des symptômes des patients que nous pouvons, nous, les omnipraticiens, enrichir nos connaissances et en venir à faire des trouvailles importantes qui amélioreront la qualité de la vie de nos patientes. C'est, pour ma part, ce qui me procure du **plaisir** à travailler et le **désir** de continuer encore longtemps à exercer cette merveilleuse profession.

Le sommeil

Lors d'une de ces «mises à jour sur la ménopause» dont je vous ai parlé plus haut, un conférencier a affirmé que, pour lui, l'insomnie de la ménopause tenait au fait que les femmes se réveillaient et restaient éveillées à cause de leurs bouffées de chaleur… et que leur état dépressif en était la conséquence. D'après lui, l'insomnie était la conséquence des bouffées de chaleur.

Plusieurs personnes dans l'assistance, dont moi-même, n'étaient pas d'accord.

Il faut avoir expérimenté l'insomnie par carence en œstrogènes pour savoir qu'elle est directement la conséquence de cette carence. Il m'arrive, surtout en bateau, où je perds la notion du temps et ne sais plus trop quel jour on est, de me réveiller au milieu de la nuit et de ne plus pouvoir me rendormir. Je compte alors les moutons, révise de mémoire les dernières partitions de musique apprises en nommant les notes (oh! que mon professeur de piano serait heureux d'apprendre cela!). Quand le sommeil ne vient tout de même pas, je repense au calendrier et réalise très souvent que j'ai oublié de changer mon timbre d'œstrogènes. Je me lève, en colle un nouveau et, en moins d'une demi-heure, je dors à poings fermés jusqu'au lendemain. Effet placebo, me direz-vous. Demandez alors aux femmes qui suivent encore l'ancien calendrier hormonal et arrêtent de prendre leurs œstrogènes (Prémarine, par exemple) du 25 au 1er du mois suivant comment elles dorment durant ces jours-là, sans ces hormones!

Souvent, les jeunes filles qui prennent des anovulants à faible dose en œstrogènes ont également de l'insomnie à la fin du mois et durant la semaine où elles ne prennent aucune hormone. Mais certaines femmes ont besoin de plus. Ainsi, elles dormiront mieux quand elles ajouteront leur progestérone naturelle micronisée (Prometrium), l'effet calmant de cette dernière s'ajoutant à celui des œstrogènes. C'est normal ! Souvenez-vous que durant les premières semaines de grossesse, quand la progestérone augmente à de fortes concentrations, la femme enceinte s'endort partout. J'avais heureusement un confrère de classe qui prenait bien ses notes de cours car j'ai commencé ma première année de médecine alors que j'étais enceinte de quelques semaines. Si je n'avais pu bénéficier de ses notes, je ne sais vraiment pas comment j'aurais pu étudier la matière de mon premier trimestre.

On a remarqué que le sommeil était perturbé en période prémenstruelle et pendant la menstruation. On a découvert, en effet, des récepteurs à œstrogènes dans le noyau suprachiasmatique du cerveau (1). Si l'on se souvient bien, **ce noyau est impliqué dans l'horaire de sécrétion de la mélatonine, qui gère le sommeil** (illustration 4).

Durant la ménopause, on éprouve des difficultés dans la première phase du sommeil, ou endormissement, et des réveils fréquents durant la nuit, et ce même sans bouffées de chaleur. En fait, il y a une diminution dans le temps total de sommeil. Près de 77 % des femmes qui consultent en clinique de ménopause se plaignent d'insomnie et jusqu'à 91 % ressentent une grande fatigue (2). Quand ces femmes commencent à prendre des œstrogènes, elles réalisent qu'elles se réveillent moins souvent durant la nuit, dorment plus profondément et se sentent plus reposées le matin (3).

Les muqueuses et la peau

À la ménopause, la sécheresse des muqueuses ne survient pas seulement au niveau du vagin. Toutes les muqueuses peuvent subir cet amincississement et cette déshydratation.

Les femmes se plaindront d'avoir le nez bouché, d'éprouver des bourdonnements et du prurit aux oreilles, une soif constante, de la difficulté à avaler, pouvant aller dans certains cas jusqu'à la glossite[1] et une toux sèche. On a même parlé, dans un récent congrès sur la ménopause, de syndrome de « l'œil sec ». J'ai d'ailleurs connu plusieurs cas de ce genre.

Ainsi, il y a eu une présentation à ce sujet au 8e congrès international sur la ménopause, à Sydney, en novembre 1996. Pour le docteur M. Mekta, 40 % des femmes ménopausées ont des symptômes oculaires : baisse de l'acuité visuelle, pression oculaire modifiée, kérato-conjonctivite, problèmes de convergence-divergence et sensation d'œil sec. L'HTR stimule les glandes lacrymales, rétablit la pression oculaire et rétablit la convergence, par son action sur le cerveau (4).

Un jour, une femme professeur est venue me consulter, en crise de panique, car elle présentait depuis quelques semaines et de façon croissante de la difficulté à avaler, à parler en classe et à respirer. Elle s'était fait renvoyer d'un spécialiste en ORL à un autre en neurologie, pour finalement se faire dire que c'était dû au vieillissement de ses muqueuses, qu'elle devait vivre ainsi et que des hormones pourraient peut-être améliorer son état et diminuer ses symptômes, si elle se décidait à en prendre. Je précise que cette dame était hystérectomisée depuis quelques années mais qu'elle avait conservé ses ovaires. Elle avait 53 ans et n'avait jamais ressenti aucun autre symptôme de carence œstrogénique, si ce n'est un peu de fatigue.

Je la mis sous œstrogènes et effectivement, après deux mois, ses difficultés respiratoires avaient diminué de 50 %.

Le docteur Rodolphe Maheux, de l'hôpital Saint-Francois-d'Assise de Québec, a par ailleurs achevé des recherches sur l'effet des œstrogènes sur la peau et son vieillissement, lors de carence œstrogénique. Une peau qui vieillit se déshydrate, ce qui cause des démangeaisons et de l'irritation. J'ai des patientes qui se plaignent de se réveiller en proie à un prurit incontrôlable (que j'ai aussi connu). Et, bien sûr, lors des bouffées de chaleur, elles sentent leur peau d'autant plus irritée.

Ces modifications touchent également la région génitale, qui est aussi très riche en récepteurs à œstrogènes. Il y aura donc également des démangeaisons à la vulve et à la région située autour du rectum. Nous en parlerons en détail dans le chapitre 4.

Les femmes pourront aussi se plaindre de ballonnements, de constipation, de diarrhée, problèmes également dus au déséquilibre hormonal.

On rencontre fréquemment ces symptômes chez les femmes ovariectomisées et ne prenant que des œstrogènes, ce qui porte à croire que les œstrogènes seuls ne viennent pas à bout de ces symptômes. Cependant, ils sont souvent soulagés chez les femmes sous HTR, pendant la période où elles ajoutent la progestérone, quand cette dernière est naturelle (Prometrium).

Le poids

Et que dire de la prise de poids sans changement des habitudes alimentaires, en périménopause ! Eh bien ! vous allez constater que même cela s'explique.

Qu'est-ce qui fait engraisser, en cette période de la vie ? Le déséquilibre hormonal en serait-il la cause ?

Selon certains chercheurs, les œstrogènes auraient un rôle de lipolyse[2] au niveau des graisses abdominales ;

autres termes, ces hormones en permettraient la [illegible]. Leur carence faciliterait donc l'augmentation de [illegible]asse graisseuse.

[illegible]n pense qu'une diminution de sécrétion de l'hormone de croissance (GH) pourrait également être en cause dans la diminution de la masse musculaire (et donc de la dépense énergétique) au profit de la masse graisseuse (5).

D'autre part, le stress, si fréquent et si souvent mal géré en cette période de la vie, pourrait participer à la perte de la masse maigre par son action sur le système hypothalamus-hypophyse-surrénales (6). Il en résulterait une prise de poids. Or, on sait combien quelques centimètres de plus au tour de taille peuvent gâcher la vie d'une femme !

La production de graisse abdominale chez les hommes de plus de cinquante ans s'explique de la même façon, mais aussi par une augmentation de l'enzyme aromatase dans les cellules graisseuses, responsable de la conversion périphérique des androgènes en œstrogènes (7). Car ce phénomène peut également exister chez eux.

Il faut noter par ailleurs que, dès que la femme commence à prendre des œstrogènes, son poids se stabilise, et il arrive même qu'elle perde cet excès de graisse qu'elle avait pris contre sa volonté et malgré ses efforts. Le même phénomène s'observe chez l'homme quand il commence à prendre de la testostérone : il perd de la masse graisseuse au profit de la masse musculaire. Ainsi, par le remplacement hormonal, l'homme autant que la femme se sent plus vigoureux, mieux dans sa peau et donc plus heureux !

Il semble que ce phénomène s'explique de la façon suivante : on a découvert une association importante entre le niveau de leptine et la testostérone, chez l'homme. La **leptine** est cette protéine produite par le tissu adipeux[3] qui joue un rôle dans l'équilibre du poids et de la masse graisseuse en signalant à l'hypothalamus l'état de réserve énergétique du corps et en stimulant ainsi l'état de faim ou de satiété. Parlons donc un peu de cette découverte récente qui risque de bouleverser à long terme et dans le sens positif la vie des gens souffrant d'obésité.

La leptine

On a récemment identifié une hormone (toujours les hormones !) produite par le gène *ob*, situé sur le chromosome 7 (8), sécrétée spécifiquement par le tissu adipeux et qu'on a nommée **leptine,** du grec *leptos*, qui signifie « mince » (9).

Le rôle de cette hormone serait d'« intervenir dans le contrôle de la masse grasse en modulant la prise alimentaire et la dépense d'énergie (10) ». La leptine agit sur le cerveau en se fixant sur un récepteur spécifique (illustration 9).

> La leptine se trouve en plus grande concentration chez la femme sans doute à cause du rôle qu'elle doit jouer, puisqu'elle est en quelque sorte une **protéine de reproduction** (11). En effet, des recherches ont prouvé qu'elle rétablit la fertilité chez l'animal obèse et c'est sa présence qui enclenche le phénomène de la puberté.

Les hormones sexuelles agissent sur la leptine. Les androgènes en diminueraient la concentration sanguine alors que les œstrogènes augmenteraient sa production par le tissu adipeux (12).

La leptine et les graisses

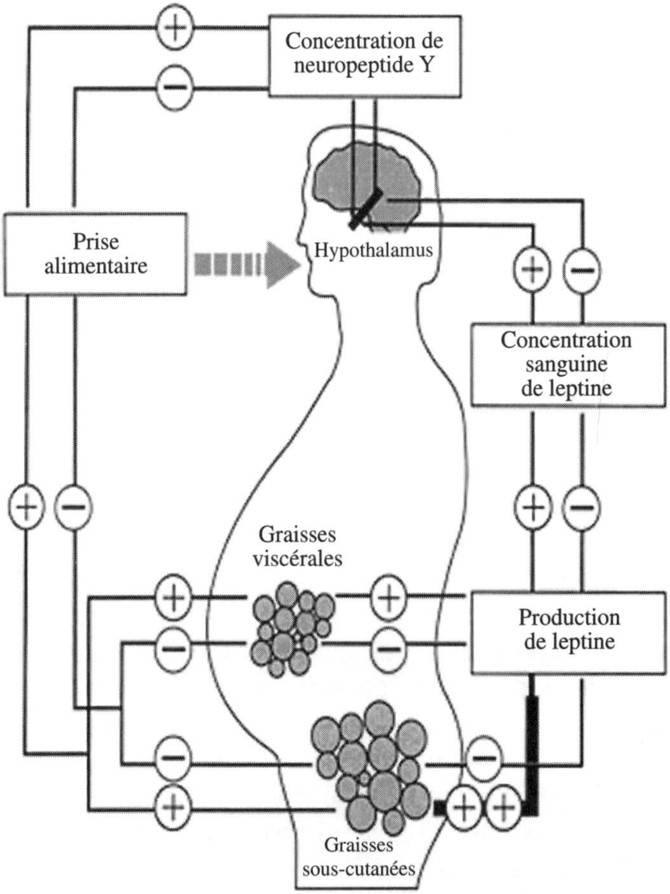

Concentration de neuropeptide Y
Prise alimentaire
Hypothalamus
Concentration sanguine de leptine
Graisses viscérales
Production de leptine
Graisses sous-cutanées

Effet de la leptine sur la prise d'aliments
et sur les graisses du corps

Source : *Les Sélections de médecine/sciences*, nº 11, septembre-octobre 1998, p. 7.

Illustration 9

Il y a des variations de la leptine chez la femme pendant son cycle : elle augmente lors de la phase lutéale[4], coïncidant avec le pic de progestérone (13).

C'est pourquoi on a davantage faim dans la deuxième partie de notre cycle.

> Chez le jeune garçon, la chute de concentration de leptine peut servir de déclencheur de la puberté puisque celle-ci coïncide avec une augmentation de la testostérone (14). Comme la puberté est la période où l'humain acquiert la capacité de se reproduire, c'est la proportion de graisse et/ou la répartition de cette dernière qui sera le facteur déclenchant. D'ailleurs, une diminution excessive de la masse graisseuse, que l'on rencontre, entre autres, chez l'anorexique ou encore dans des périodes de grande privation, comme en temps de guerre, n'est-elle pas souvent accompagnée de l'arrêt des règles, donc de l'impossibilité de reproduction?

Chez la plupart des sujets obèses, un taux élevé de leptine en proportion de l'augmentation de leur masse grasse suggère une «résistance» à l'action centrale de cette hormone, donc possiblement une anomalie au niveau des voies de signalisation hypothalamiques de la leptine (illustration 9) [15].

La leptine est donc une hormone sécrétée par la cellule graisseuse, dont le rôle est d'informer le cerveau de l'état des réserves adipeuses. Ses récepteurs sont situés dans l'hypothalamus et la sécrétion de leptine se fait de façon pulsatile, comme celle des hormones de l'axe hypothalamo-hypophysaire (illustration 9) [16]. Quand la masse graisseuse augmente, la leptine produite par le tissu adipeux inhibe la prise alimentaire et stimule la dépense d'énergie (17).

On peut comprendre, dès lors, le vaste champ de recherches qui s'offre aux compagnies pharmaceutiques avec la découverte de cette hormone, quant à la production éventuelle d'une leptine de synthèse qui amènerait une solution au problème de l'obésité et à toutes les maladies qu'elle engendre.

On a découvert que l'administration de testostérone à des hommes âgés réduit chez eux le niveau de leptine (18). Il y aurait donc une sensibilisation de la leptine grâce à la testostérone.

Il faut souligner, d'autre part, que l'augmentation de la masse graisseuse abdominale (qu'on nomme aussi surpoids androïde) accentue les risques de maladie cardiovasculaire tant chez la femme que chez l'homme, et aussi de cancer chez la femme (19). On a, en effet, constaté un risque accru de cancer du sein et de l'endomètre chez les femmes présentant du surpoids de type androïde (20).

> Chez ces femmes, il y a une baisse de la SHBG, comme nous l'avons mentionné plus haut. Elles sont ainsi exposées à une plus grande fraction libre de leurs œstrogènes. Il y a également chez elles une plus importante transformation de leurs androgènes en œstrogènes, à cause du surplus de tissu adipeux, qui est le site de cette transformation et qui contient plus d'enzyme aromatase pour assurer cette conversion. Le bon côté de ce phénomène est que, chez celles qui ne suivent pas d'HTR, le surplus d'androgènes contribue à maintenir la masse osseuse (21). Cependant, elles sont exposées à plus d'œstrogènes actifs pouvant intervenir au niveau des seins et de l'utérus, ce qui augmente le risque de cancer de ces organes (22). Certaines études parlent même d'une augmentation de 50 % du risque de cancer du sein chez les femmes ménopausées obèses qui ne suivent pas d'HTR, à cause de toutes ces raisons (23).

Donc, si votre tour de taille excède 87,5 cm (ou 35 pouces), prenez garde, madame, car vous êtes à risque d'hypertension, de diabète, de maladies cardiaques (24), et possiblement de cancer du sein ou de l'utérus.

Les muscles, les ligaments et les articulations

Parlons maintenant des douleurs ostéoarticulaires et musculaires dont se plaignent les femmes en périménopause mais que les hommes connaissent également s'ils subissent une andropause.

Pour ma part, les douleurs articulaires ainsi qu'une bursite et une épicondylite ont été les premiers symptômes de ma carence en œstrogènes dans ma préménopause et je peux vous dire que d'avoir mal partout au point de ne trouver aucune position confortable pour dormir amoindrit beaucoup la bonne humeur du lendemain et l'efficacité au travail.

On a noté une plus grande incidence de tendinites, de bursites et même de fibromyalgie[5] dans un groupe de femmes en périménopause. Cela s'explique également.

La carence en œstrogènes dans cette période de la vie cause une plus grande laxité ligamentaire et une diminution du tonus musculaire par affaiblissement des tissus (25). En d'autres termes, les muscles et les ligaments deviennent plus lâches et ne répondent plus adéquatement aux efforts, qui doivent alors être plus grands. De plus, comme il y a souvent des douleurs au dos, les autres articulations, i.e. les genoux et les hanches, devront combler les lacunes et subiront des douleurs à leur tour (26).

On tend même à croire que ces faiblesses musculaires et ligamentaires seraient partiellement responsables de l'augmentation des fractures ostéoporotiques chez les femmes plus âgées et sans HTR. Elles ont de la difficulté à maintenir un bon équilibre à cause de la faiblesse de leurs muscles, qui ne répondent plus adéquatement (27).

Chez l'homme, on constate également que la testostérone a un rôle à jouer au niveau du tissu synovial (présent dans les articulations), rôle de modulation de la réponse immunitaire, et que, lorsqu'il y a déclin de la testostérone, les hommes souffrent davantage de douleurs articulaires. Nous en reparlerons dans le chapitre que je leur ai réservé.

Il y a aussi une aggravation des cas d'arthrite rhumatoïde et de *polymyalgia rheumatica*[6], de même que des douleurs articulaires et musculaires diffuses chez les femmes en préménopause et en ménopause (28).

Une perte de tonus semblable se fait sentir au niveau des vaisseaux sanguins et lymphatiques, ce qui cause des douleurs et des lourdeurs aux jambes (29). Et ces symptômes sont accentués en préménopause, surtout dans la période prémenstruelle, par déséquilibre entre les œstrogènes et la progestérone. On a constaté en effet que ces deux hormones agissent de façon contraire et complémentaire sur les veines. Les œstrogènes les dilatent alors que la progestérone les contracte.

Toutes ces douleurs et ces faiblesses musculaires et articulaires ne sont-elles pas suffisantes pour entraver le **plaisir** de vivre ? Ne peuvent-elles pas porter atteinte au **bonheur** et même au **désir de vivre** ?

Comme vous pouvez le constater, cet immense et inimaginable variété de symptômes rend le défi de l'HTR très intéressant, pour ne pas dire passionnant.

Les bouffées de chaleur… et les frissons

Ce sujet est à peu près le seul sur lequel tout le monde s'entend. Et pourtant ce ne sont pas toutes les femmes qui ont des bouffées de chaleur. Cela expliquerait que plusieurs femmes semblent traverser la ménopause sans problèmes. Mais, après avoir lu toutes ces pages, vous savez maintenant que les bouffées de chaleur ne sont pas le seul symptôme de la ménopause. Elles ne sont que la pointe de l'iceberg !

Cependant, il semblerait tout de même que 60 % à 80 % des femmes en périménopause et en ménopause ont des bouffées de chaleur, sur une période de temps pouvant varier d'un individu à l'autre (30).

> La bouffée de chaleur classique est souvent précédée d'une AURA[7] qui peut durer quelques minutes. Elle se manifeste par une sensation de pression dans la tête. La femme sent venir sa bouffée de chaleur. Puis cette «aura» sera suivie d'une vague de chaleur qui part de la tête pour descendre et couvrir tout le corps. La température cutanée augmente alors par la dilatation des vaisseaux qui l'accompagne.
>
> Ces vagues se produisent en série, d'une durée de quelques minutes à une demi-heure. Des palpitations seront parfois ressenties et le pouls pourra alors augmenter de plusieurs battements par minute. Certaines femmes ont des sudations si importantes lors de ces bouffées de chaleur qu'elles doivent se changer plusieurs fois dans la même nuit. Elles doivent même parfois changer les draps… ou changer de lit.

Ce qui est très important, c'est que, la plupart du temps, ces femmes ne sont pas réveillées par la bouffée de chaleur, mais par l'**aura** qui la précède (31).

Ces phénomènes surviennent surtout la nuit chez la plupart des femmes. Mais parfois certaines les ressentent durant la journée, ce qui les gêne beaucoup quand cela leur arrive en public, au travail ou lors d'une sortie.

> Le mécanisme des bouffées de chaleur demeure mystérieux. Il s'agit probablement d'une interaction complexe au niveau des neurotransmetteurs centraux, qui sont responsables du centre de régulation de la température du corps (32). D'autres substances, telles l'adrénaline, la noradrénaline, l'ACTH et les endorphines, pourraient également avoir un rôle à jouer dans ce mécanisme mal expliqué (33).

Certaines femmes ressentent, au contraire, des frissons qui peuvent parfois les faire trembler de la tête aux pieds. J'en ai fait moi-même l'expérience à quelques reprises, la dernière fois quand je modifiais mes doses d'œstrogènes pour trouver une solution à mes démangeaisons. Pour ce dernier problème, j'avais finalement compris que la carence en progestérone et en androgènes était la cause de ce prurit. Mais, pour les bouffées de chaleur comme pour les frissons, l'explication semble se situer au niveau du siège de thermorégulation de l'hypothalamus. Je peux cependant constater que les bouffées de chaleur sont également liées aux perturbations hormonales. On a effectivement noté que, si l'on donne des œstrogènes à forte dose, on abaisse la température du corps. Celle-ci diminue également un peu avant l'ovulation, alors que les œstrogènes sont à un haut niveau. C'est ainsi qu'on pourrait peut-être expliquer ces périodes de frissons en préménopause, qui seraient consécutives à de l'hyperœstrogénisme par carence en progestérone souvent rencontré dans cette période de la vie (34).

Mes patientes qui présentaient ce genre de symptôme ont cessé d'avoir des frissons dès que leur HTR a été bien ajustée.

Jusqu'à maintenant, nous avons surtout considéré les raisons qui amènent une femme à prendre des œstrogènes pendant une brève période de temps pour soulager ses symptômes. Nous savons que tous ces malaises qui surviennent en périménopause sont causés par un arrêt assez brusque de production de nos hormones. Et, en réalité, plus cette panne survient tôt, plus les symptômes sont grands et portent les femmes à consulter leur médecin pour trouver un moyen d'améliorer leur qualité de vie, qui se trouve plus ou moins soudainement amoindrie.

Concernant la prévention et l'amélioration de cette qualité de vie à long terme en freinant les conséquences des carences hormonales sur les tissus, il est important maintenant d'aborder deux systèmes qui peuvent être épargnés par le remplacement hormonal : le système osseux et le système cardiovasculaire.

Nous savons déjà depuis quelques années que les œstrogènes freinent l'évolution vers l'ostéoporose et ainsi nous sommes de plus en plus persuadés de la pertinence de l'HTR dans ces cas. C'est le docteur F. Albright qui, dès 1941, a reconnu que la carence en œstrogènes pouvait entraîner une perte osseuse accélérée chez la femme (35).

D'autre part, les dernières découvertes concernant l'effet bénéfique des œstrogènes sur le profil lipidique ont encouragé les médecins, et même maintenant les cardiologues, à recommander l'HTR le plus tôt possible chez de plus nombreuses patientes à risque de maladies cardiovasculaires.

Ainsi, quand je suis en présence d'une femme qui traverse sa ménopause sans trop de symptômes, sans doute à cause d'une diminution lente et graduelle de production de ses hormones, qui permet à ses différents systèmes de s'adapter en douce, j'essaie d'évaluer avec elle ses risques d'ostéoporose ou de maladies cardio-vasculaires. Car ce sont ces deux éléments qui feront pencher la balance en faveur d'une HTR à long terme. Ce n'est cependant pas facile de tenter de convaincre ces femmes qui vivent une ménopause sans problèmes (et cela existe) de prendre à long terme un médicament afin de prévenir ces maladies. C'est là un défi de taille.

L'ostéoporose

Parlons maintenant de l'**ostéoporose** et de l'effet bénéfique des œstrogènes sur cette maladie. Pour mieux comprendre ce sujet, il faut d'abord parler un peu de l'os lui-même.

L'os est un tissu en constant remodelage, alternant entre la formation et la résorption. En réalité, c'est un peu ce qui arrive à tous nos tissus. Des cellules naissent, d'autres meurent. Mais, dans le cas de l'os, des cellules nommées ostéoblastes sont responsables de la formation du tissu, alors que d'autres, les ostéoclastes, sont affectées à la résorption de ce même tissu. Il semble y avoir un certain équilibre dans le travail des cellules de ces deux équipes jusqu'à l'âge de 30-35 ans, alors que la masse osseuse commence à diminuer chez les deux sexes. Cependant, l'arrivée de la ménopause (de même que de l'andropause chez certains hommes) accélère cette perte de masse osseuse.

Le tissu osseux entre dans la fabrication de deux types d'os : l'os cortical (les os longs), composant 80 %

du squelette, et l'os trabéculaire (20 %), contenant plus de tissu spongieux, ce qui lui vaut aussi le nom d'os spongieux.

Le remodelage osseux est plus marqué et plus rapide (6 à 8 fois) au niveau de l'os spongieux. La perte de masse osseuse sera donc plus rapide pour ce type d'os. C'est pourquoi, comme on trouve plus de tissu spongieux au niveau des vertèbres, par exemple, on portera une attention plus spéciale à la colonne vertébrale chez la personne qui prend de l'âge. Une perte osseuse à ce niveau amènera des tassements vertébraux (et parfois des fractures), ce qui explique que certaines personnes commencent à avoir le dos voûté en vieillissant.

Les os longs (de type cortical) seront atteints beaucoup plus tard (vers 75 ans) par l'ostéoporose (36).

Ainsi, pendant la première année de ménopause sans HTR, la femme peut perdre de 3 % à 5 % de sa masse osseuse. Nous savons cependant depuis quelques années que la prise d'œstrogènes ralentit la perte osseuse chez la femme ménopausée. Ce que nous ne savions pas et qui est une découverte plus récente et combien prometteuse, c'est que la prise d'œstrogènes non seulement diminue la résorption osseuse, mais permet une amélioration de la masse osseuse. Cette thérapie améliore les cas d'ostéoporose et d'ostéopénie[8], réduisant ainsi le risque de fracture.

Un endocrinologue et chercheur, le docteur Bruno de Lignières, affirmait que «même chez des femmes qui ont déjà une ostéopénie constituée, l'oestrogénothérapie permet des gains substantiels de la masse osseuse (souvent supérieurs à 5 % la première année) et une diminution significative de l'incidence des fractures. Elle est donc également indiquée dans le traitement de l'ostéoporose constituée (37)». Cependant, cette thérapie devra être poursuivie à long terme si l'on veut en conserver les bénéfices, car un arrêt de plus de deux ans signifie la perte de 70 % de ces bénéfices acquis (38). Un autre clinicien soulignait avec un peu d'humour que l'ostéoporose commence avec la première menstruation et non avec la dernière (39). Vous comprendrez ce propos quand, plus loin, je vous expliquerai le rôle de chaque hormone sexuelle sur la santé du tissu osseux.

Mais, me direz-vous, ce ne sont pas toutes les femmes qui risquent de développer cette maladie !

Je vous répondrai **qu'une femme blanche sur quatre** est à risque.

Voyons donc ce qui peut causer la perte osseuse.

Il y a des **causes intrinsèques**, i.e. contre lesquelles on ne peut rien faire et qui sont les suivantes : être de sexe féminin, de race blanche ou asiatique, d'ossature délicate, avoir des antécédents familiaux de cette maladie, avoir vécu une ménopause précoce (ou chirurgicale) ou encore ne pas avoir eu d'enfant.

Mais il y a également des **causes extrinsèques**, donc sur lesquelles on peut avoir un certain contrôle : si l'on a eu un trop faible apport en calcium depuis longtemps, par une alimentation inadéquate; si l'on a fait usage de tabac et abusé de l'alcool; si l'on a absorbé beaucoup de caféine, d'aliments riches en protéines, en sodium et en phosphates; si l'on est une inactive chronique ou si l'on a consommé des médicaments tels que la cortisone, l'héparine, des antiépileptiques et des extraits thyroïdiens à dose élevée. Car ce sont tous là des facteurs que l'on **pourrait** modifier à plus ou moins court terme.

Or, nous savons combien l'ostéoporose engendre de lourdes dépenses en soins de santé, mais entraîne également une importante baisse de la qualité de vie ou même de l'autonomie chez ceux et celles qui en souffrent.

D'autre part, j'ai été très étonnée, en demandant une ostéodensitométrie pour plusieurs de mes patientes qui me consultent en périménopause, de trouver de l'ostéopénie ou de l'ostéoporose chez des femmes qui, à prime abord par leur stature, ne laissaient présager aucune atteinte.

Pour évaluer la densité osseuse, on a recours à l'**ostéodensitométrie**.

Cet examen consiste en une radiographie particulière qu'on appelle DEXA (*dual energy X-ray absorptiometry*).

La personne est allongée sur une table, les genoux pliés sur un cube pour que la colonne vertébrale repose bien sur la table. Un appareil se déplace au-dessus d'elle et lit la densité des os. Cet examen n'est absolument pas douloureux; personne ne vous touche et ça ne dure que quelques minutes. Il est préférable, pour un examen complet et donc plus valable, de faire également la lecture de la densité de l'os du col du fémur (à la jonction de la cuisse et de la hanche).

La lecture de ces deux points en particulier peut nous donner une bonne idée de la santé (ou de l'atteinte) des os en général.

Le résultat de cet examen permet de connaître, avec des chiffres précis, ce qu'il reste de masse osseuse chez le patient.

Il est important de mentionner ici que le maximum de masse osseuse est atteint entre 30 et 35 ans. Deux valeurs sont données sur le rapport de cet examen : **le score T et le score Z**. Ces valeurs correspondent à des déviations standard (SD) [aussi appelées **écart type**] par rapport à la masse osseuse normale, sur l'illustration du résultat (voir illustration 10).

Le **score T** se rapporte au groupe des jeunes adultes, puisque, comme nous venons de le voir, c'est à cet âge que le maximun de masse osseuse est atteint.

Le **score Z** est celui qui se rapporte au groupe du même âge que la personne qui passe l'examen.

D'autre part, l'Organisation mondiale de la santé (OMS) a décrété qu'à compter de l'âge de 60 ans on se servira du score Z pour apprécier les résultats.

Pour bien comprendre l'interprétation de ces résultats, reportez-vous à l'illustration 10.

Un score T, i.e. un écart type entre -1,0 et -2,5, donnera un diagnostic d'**ostéopénie**, premier pas vers l'ostéoporose.

Un score T égal ou inférieur à -2,5 signifie qu'il y a **ostéoporose**.

Un score T inférieur à -2,5 avec fracture signifie qu'il y a **ostéoporose *sévère***.

Mais un score Z à -1,0 chez une femme de 60 ans et plus signifie qu'il y a ostéoporose.

À quoi servent ces scores ? me direz-vous. Ils servent à évaluer le **risque possible de fracture**.

Ainsi, en cas d'ostéopénie, c'est-à-dire avec un score T entre -1,0 et -2,5, le risque de fracture est augmenté de deux à cinq fois.

En cas d'ostéoporose, i.e. avec un score T à -2,5 ou pire, le risque de fracture sera augmenté de cinq fois et plus. Si la personne présente de l'ostéoporose et qu'elle a déjà eu des fractures, son risque augmente davantage et de façon exponentielle (40).

Voilà ! Vous avez en main toutes les notions nécessaires pour comprendre les résultats de votre prochaine ostéodensitométrie.

La densité osseuse

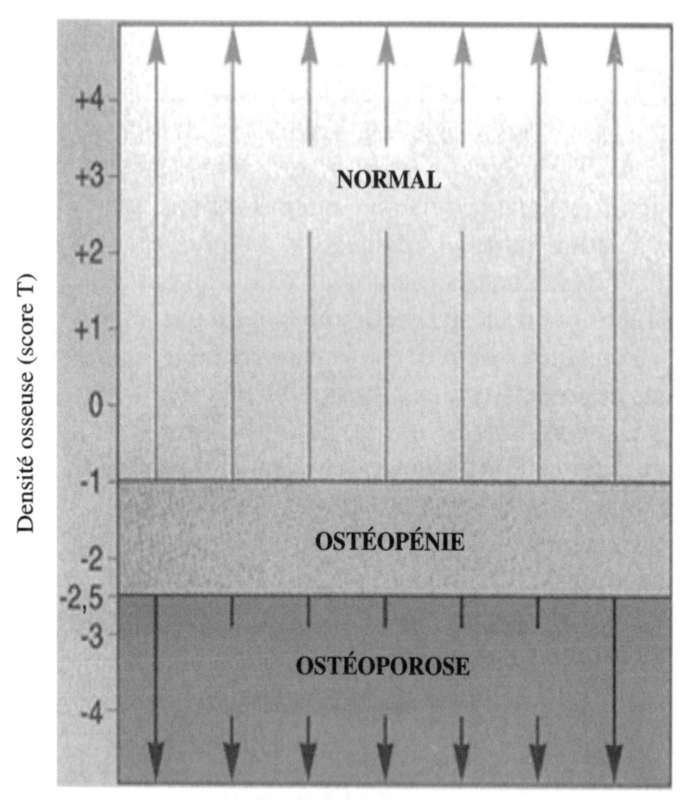

Score T ou écart type

Normal	=	supérieur à -1
Ostéopénie	=	entre -1 et -2,5
Ostéoporose	=	inférieur à -2,5

Source : *The Canadian Journal of CME*, octobre 1998, p. 156.

Illustration 10

Parfois, des femmes de forte constitution et de grande taille peuvent souffrir de cette maladie alors que de toutes petites femmes peuvent avoir de très bons os. Je pense, entre autres, à une petite dame de 61 ans, ménopausée depuis l'âge de 53 ans et sous HTR depuis ce temps, mesurant un mètre cinquante et ne pesant que 40 kilos. Eh bien, son résultat était un score Z à +1,4, i.e. que sa masse osseuse était à 118 % comparativement à son groupe d'âge égal (rappelez-vous cette notion du score Z pour les plus de 60 ans).

Par contre, une autre de mes patientes, une dame de 48 ans, ménopausée depuis trois ans et sans HTR, mesurant un mètre soixante-dix-huit et pesant quatre-vingt-huit kilos, faisait de l'ostéopénie, sa masse osseuse étant diminuée de 12 % avec un score T à -1,25.

Notez que la première avait commencé à prendre des hormones dès l'arrêt de ses règles, alors que la seconde, ménopausée depuis trois ans, ne se décidait pas à commencer une HTR, de peur d'engraisser davantage. De plus, elle avait déjà pris des corticoïdes, qui, on le sait, font perdre de la masse osseuse plus rapidement. En effet, sous cette médication, la perte est assez importante dans les six premiers mois et peut être aussi élevée que 15 % dans la première année (41).

On ne peut donc uniquement se fier à la clinique, et l'ostéodensitométrie est un moyen extraordinaire de déceler les patientes à risque et aussi de les inciter à entreprendre une HTR si elles sont indécises. Mais c'est également un merveilleux outil pour vérifier si les traitements d'ostéoporose sont efficaces ou/et si l'HTR en cours en diminue les risques.

Je pense en particulier à l'une de mes patientes, qui, âgée de 47 ans, pesant cinquante kilos et mesurant un mètre cinquante-deux, était hystérectomisée et ovariectomisée depuis l'âge de 34 ans et n'avait reçu aucune hormone durant les deux premières années qui avaient suivies sa castration. C'est à force de se plaindre de ses bouffées de chaleur qu'elle avait fini par obtenir une prescription d'œstrogènes (Prémarine), qu'elle prenait

25 jours par mois. Elle me consultait, à l'époque, pour ses varices.

Lors d'une radiographie simple de la colonne qu'elle passa pour des douleurs au dos, on diagnostiqua chez elle de l'ostéoporose. Or, pour qu'on puisse découvrir de l'ostéoporose à la radiographie simple, il faut qu'il y ait perte d'au moins 30 % de la masse osseuse.

C'est alors qu'elle me revint, très déprimée, me demandant comment sa masse osseuse pouvait être aussi diminuée puisqu'elle prenait religieusement ses hormones.

Je la rassurai d'abord en proposant de lui faire passer une ostéodensitométrie qui nous donnerait la valeur assez précise de sa perte osseuse réelle. Secrètement, j'espérais qu'il y ait eu une mauvaise interprétation de la radiographie, qui n'est pas la meilleure méthode pour faire un tel diagnostic.

Hélas, l'ostéodensitométrie révéla que cette dame présentait bel et bien de l'ostéoporose avec un risque fracturaire très important. Son score T était à -3, 87.

Or, si le score T est inférieur à -2,5, on est en présence, comme je l'ai mentionné plus haut, d'ostéoporose importante. Et cette patiente n'avait que 47 ans.

J'entrepris une investigation afin d'éliminer d'autres causes d'ostéoporose. Mais d'abord, comme première étape du traitement, je lui suggérai de continuer de prendre ses hormones tout le mois au lieu d'arrêter au 25e jour comme elle le faisait jusque-là. Après un questionnaire détaillé, j'appris qu'elle avait également des problèmes d'estomac. Pensant alors aussitôt à une mauvaise absorption de ses hormones, je lui suggérai de les prendre sous forme de timbres transdermiques.

J'appris également qu'elle avait déjà pris des anti-acides à base d'aluminium pendant plusieurs mois pour ses maux d'estomac. Or, ces produits augmentent l'excrétion de calcium de 90 mg par jour, autre cause de sa perte osseuse (42).

Elle m'avoua enfin qu'elle avait dû être soumise à une corticothérapie pendant plusieurs mois pour ses douleurs ostéoarticulaires. Or, on sait qu'un tel traitement augmente également la perte osseuse. Et cette perte est rapide et massive durant les premiers mois de la prise de ces médicaments et proportionnelle à la dose, comme je l'ai mentionné plus haut. D'autre part, à cause de ses problèmes gastriques, elle ne tolérait aucun biphosphonate, ces nouveaux médicaments utilisés pour traiter l'ostéoporose.

Cette dame est maintenant traitée avec une combinaison œstrogènes-androgènes, deux hormones qui améliorent la masse osseuse. Or, on sait que les androgènes sont une solution de remplacement, en association avec les œstrogènes, surtout si la patiente est également en carence de ces hormones, comme on peut le constater par une prise de sang.

Son ostéodensitométrie passée récemment témoigne d'une amélioration de 8 % pour une période de 20 mois de traitement. Cliniquement, elle n'a plus mal aux muscles ni aux os et se sent en bien meilleure forme. N'est-ce pas là encore un bienfait des hormones pour améliorer la qualité de la vie, donc le **plaisir** de vivre ?

Et que dire de cette jeune infirmière de 28 ans qui n'avait plus de règles depuis plus de trois ans ? Elle avait d'abord été examinée pour infertilité, puis avait pris des médicaments pour permettre une grossesse, s'était lassée du peu de résultats et avait finalement été oubliée dans les paperasses administratives. Je découvris, par des examens que je lui fis passer pour trouver la cause de son aménorrhée[9], un très mauvais profil lipidique avec LDL et cholestérol total très élevés et… une perte osseuse importante pour son âge.

Je découvris finalement qu'elle souffrait d'insuffisance hypothalamo-hypophysaire; en d'autres termes, ses glandes-chefs, i.e. l'hypothalamus et l'hypophyse, étaient en panne dans leur commandement aux ovaires. Comme elle n'avait plus de règles depuis trois ans et qu'elle était donc en carence hormonale, elle hypothéquait grandement son avenir avec déjà de l'ostéopénie et ce mauvais profil lipidique. Je la fis voir par un spécialiste et elle fut traitée d'abord avec une HTR puis avec des anovulants.

Comme elle travaillait de nuit depuis plusieurs années, je pensai que la perturbation de son cycle circadien pouvait être la cause de sa panne hormonale. Elle changea donc un peu son mode de vie, réduisant ses jours de travail à l'hôpital, et tenta de trouver une façon de combler le manque à gagner.

Puis, après quelque temps, comme elle espérait toujours devenir enceinte, on décida de lui faire cesser ses anovulants et de surveiller de très près ses FSH et LH. Et progressivement nous avons assisté à une reprise de ses fonctions hypothalamo-hypophysaires. En septembre dernier, elle m'a appris par une gentille carte qu'elle était enceinte, et, juste avant que je parte en vacances, cette année, on m'a annoncé la naissance d'une mignonne petite fille de trois kilos.

La pratique médicale apporte parfois de grandes joies!

Une autre petite dame de 37 ans n'avait plus de règles depuis trois ans et avait des bouffées de chaleur… mais s'était fait dire qu'elle était trop jeune pour être en ménopause. Elle aussi avait déjà perdu pas mal de sa masse osseuse. Or, vous vous souvenez que dans la première année de la ménopause on peut perdre de 3 % à 5 % d'os spongieux.

Alors, si vous n'avez pas de règles pendant plusieurs mois ou si votre cycle présente trop d'irrégularités, ne tardez pas à consulter, quel que soit votre âge. Il y va de la santé de vos os.

Une autre jeune femme de 37 ans qui me consultait pour de forts SPM me raconta avoir eu, plusieurs années plus tôt, un diagnostic d'ovaires polykystiques alors qu'elle n'avait ses règles que deux ou trois fois par année. Or, nous savons que l'anovulation peut aussi s'accompagner de perte osseuse. Son ostéodensitométrie signalait même une perte osseuse assez importante pour son âge.

Depuis que je travaille dans ce domaine, je suis toujours étonnée de trouver autant de cas d'ostéopénie et d'ostéoporose. Il s'agit souvent de femmes qui ont des règles anormales et il faudrait qu'elles soient mieux examinées car fréquemment ces femmes n'ovulent pas. Or, une étude très intéressante publiée dans *Canadian Journal of Diagnosis* de février 1997 démontrait que des cycles anovulatoires[10] pouvaient faire perdre une moyenne annuelle de 4 % d'os au niveau de la colonne vertébrale (43). Dans ces cas, la carence en progestérone (mais aussi en œstrogènes) serait la cause de cette perte osseuse, fait très important auquel nous reviendrons dans la deuxième partie de ce livre.

Ainsi, mesdames, soyez vigilantes si vous avez (ou avez eu) des cycles anarchiques et irréguliers tout au long de votre vie car vous êtes en danger d'une perte osseuse insidieuse et de ses conséquences à long terme sur votre autonomie.

Il faudrait également surveiller les jeunes filles anorexiques de même que celles dont l'alimentation laisse à désirer. Car une mauvaise alimentation entre 18 et 35 ans serait responsable d'un capital osseux déficient. Une jeune fille qui remplace le lait par du coca-cola arrivera peut-être à 35 ans avec une densité osseuse déjà inférieure à celle de la jeune fille qui consomme des produits laitiers.

J'ai même trouvé de l'ostéoporose chez un monsieur de 42 ans qui avait le petit vice de «lever le coude» un peu haut, trop souvent et depuis longtemps. Sans cet examen, comment aurions-nous su qu'il souffrait de cette perte osseuse et qu'il devait être traité pour éviter les fractures qui risquaient de compromettre l'indépendance de ses mouvements à un âge plus avancé? Hum! certains plaisirs peuvent donc causer des ennuis!

Je crois qu'il est important, pour avoir une belle qualité de vie lors de la périménopause et surtout pour combattre l'ostéoporose, que les femmes comprennent bien l'importance de leurs hormones et de leur calcium si elles veulent effectivement sauver leurs os. Il faudra parfois augmenter le dosage des unes et de l'autre s'il n'est pas suffisant. C'est donc en surveillant le taux d'œstradiol et l'ostéodensitométrie aux douze à dix-huit mois s'il y a ostéoporose et aux deux ans s'il y a une ostéopénie importante que médecins et patientes pourront faire équipe pour assurer le maintien d'une bonne masse osseuse, essentielle à l'autonomie alors qu'on prend de l'âge. Et qui dit autonomie dit joie de vivre, plaisir, bonheur!

La prévention

Quelques mots enfin sur la prévention de l'ostéoporose. Avant la ménopause, une bonne alimentation, avec des produits laitiers mais aussi tout aliment contenant du calcium, de l'exercice, de la vitamine D et du calcium en comprimés (dont la dose variera si vous ne pouvez prendre de produits laitiers) vous assureront une bonne masse osseuse. D'autre part, il faudra éviter les abus mentionnés plus haut, en ce qui concerne le tabac, le café et l'alcool.

Ainsi, en préménopause, le besoin quotidien en calcium sera de 1 000 mg, et en postménopause, de 1 500 mg. Comme notre alimentation comprend en moyenne de 300 à 600 mg de calcium par jour, il suffira de combler le manque par un supplément calcique. Le carbonate de calcium est recommandé pour la plupart des personnes. Cependant, le citrate de calcium ne requiert pas l'acide gastrique pour être absorbé. Ainsi, ceux qui prennent des bloqueurs d'histamine (Tagamet, par exemple) ainsi que les personnes âgées (75 ans et plus) peuvent prendre cette forme de calcium, 400 mg de citrate équivalant à 500 mg de carbonate de calcium élémentaire (44).

Comme nous ne sommes pas suffisamment exposés au soleil sous nos latitudes, un supplément de vitamine D doit également être ajouté : 400 U.I. par jour constituent la dose recommandée. Chez les personnes de plus de 75 ans, il faut augmenter la dose à 800 U.I. par jour (45).

À la ménopause et surtout si l'on est à risque d'ostéoporose, on devrait prendre des œstrogènes, des biphosphonates ou du raloxifène. Je vous invite par ailleurs à consulter le tout nouveau livre de Mme Louise Lambert-Lagacé, cette diététicienne bien connue pour ses nombreux ouvrages sur une saine alimentation à toute période de la vie. Son dernier livre, *Ménopause, nutrition et santé* (46), est riche de renseignements à cet égard.

Le traitement

Pour traiter l'**ostéoporose** en ménopause, l'HTR agit en arrêtant la perte osseuse et en remodelant et refabriquant la masse osseuse. L'addition d'androgènes, surtout chez les femmes ovariectomisées, peut également s'avérer très bénéfique pour la masse osseuse, comme je l'ai signalé plus haut.

Mais nous avons également, pour celles qui ne peuvent ou ne veulent pas prendre d'hormones, les **biphosphonates**, comprenant l'étidronate (Didrocal ou Didronel, s'il est sans calcium) et l'alendronate (Fosamax), qui existe maintenant en comprimés de 5 mg pour traiter l'ostéopénie et de 10 mg pour l'ostéoporose.

Il y a également le raloxifène (ou Evista), maintenant disponible au Canada et dans plusieurs pays, et dont des études reconnaissent l'effet positif sur la masse osseuse.

Dans les cas où la femme prend ses hormones, les absorbe bien et subit malgré tout une perte osseuse (5 % à 15 % des patientes), il faut considérer d'ajouter à son HTR des agents comme les biphosphonates pendant quelque temps (47).

Lors du Congrès européen sur l'ostéoporose, tenu à Berlin en septembre 1998, on a présenté une étude prouvant que, si l'on ajoute de l'alendronate (Fosamax) à l'HTR chez des femmes ménopausées souffrant d'ostéoporose, la masse osseuse augmente davantage que chez le groupe de femmes qui sont traitées uniquement avec l'HTR ou l'alendronate. Les résultats sont de 2 % à 3 % supérieurs (48).

Il est également possible maintenant de traiter des personnes âgées chez qui l'on découvre de l'ostéoporose, que ce soit avec les biphosphonates ou l'HTR, même si elles n'ont jamais pris de ces médicaments. Il y a dans ma clientèle plusieurs dames ostéoporotiques de plus de 70 ans à qui j'ai donné une HTR avec beaucoup de succès, tant pour leurs os que pour leur bien-être général. Bien sûr, il est important de commencer chez elles cette médication par de faibles doses, pour éviter les effets secondaires qui les décourageraient de poursuivre ce traitement.

Mais nous pouvons maintenant offrir également à ce groupe de femmes le raloxifène, si elles ne supportent pas les biphosphonates et que nous n'arrivons pas à bout de leurs craintes concernant l'HTR.

Je veux souligner ici l'importance, pour celles qui ont dû prendre de la cortisone durant leur vie, soit pour de l'asthme ou pour des maladies articulaires, de faire vérifier leur masse osseuse par une ostéodensitométrie. Nous savons que la cortisone peut faire du tort au tissu osseux. Parfois même avant la ménopause, s'il y a eu perte osseuse, vous devrez prendre un contraceptif contenant 20 ug d'œstrogènes. Dans le cas où vous avez au départ un score T supérieur à -2,5 mais où votre perte osseuse est de 3 % et plus au contrôle suivant, on vous recommandera alors la prise de l'alendronate 5 mg ou de l'étidronate 400 mg cyclique. Si votre score T est à -2,5 ou pire et que vous n'acceptez pas de prendre des contraceptifs, on vous donnera alors de l'alendronate 10 mg ou de l'étidronate cyclique (49).

Enfin, disons en terminant qu'une femme qui est ménopausée et sans HTR ralentira un peu sa perte osseuse en prenant du calcium et de la vitamine D, en diminuant l'alcool, la cigarette et le café, et en faisant de l'exercice. N'oublions pas que la consommation de phytoœstrogènes peut aussi aider. Nous parlerons de ces produits à la fin du prochain chapitre.

Le cœur et les artères

J'en ai gros sur le cœur à vous dire là-dessus.

J'ai en effet perdu beaucoup de mes proches, emportés par les maladies cardiovasculaires : mon père, à 53 ans, puis ma sœur, à 43 ans, et un oncle, à 39 ans, tous décédés d'un infarctus. Plus récemment, ce fut le tour de la mère de ma petite belle-fille, amputée des deux jambes à cause d'artériosclérose et qu'on a dû laisser mourir, à 45 ans, parce qu'on n'avait plus rien à lui offrir sauf d'amputer une de ses hanches, car la maladie progressait très rapidement.

Alors, si je connais, moi, une solution à ce problème, pour aider les personnes ayant des antécédents personnels ou familiaux de ces maladies, la faire connaître et la diffuser sera ma façon de me consoler de toutes ces pertes. J'aurai ainsi contribué à leur donner un moyen de prévenir l'apparition de ces terribles maladies ou du moins de les retarder, ainsi que toutes leurs conséquences, tant sur la qualité de la vie que sur sa durée.

Car c'est un fait reconnu maintenant que les œstrogènes jouent un rôle protecteur au niveau du cœur et des artères ainsi que sur l'équilibre des lipides. Et ce double rôle retarde ainsi les maladies cardiovasculaires. Les vieux médecins disaient : « Tant qu'une femme voit ses règles, le cœur reste bon ! », car, par leurs connaissances cliniques, ils avaient réalisé depuis longtemps que jusqu'à sa ménopause la femme était protégée contre ces maladies. Mais maintenant on en a obtenu des preuves en laboratoire. Et ce sont justement les œstrogènes qui assurent cette protection.

Voyons donc de quelle façon ces hormones remplissent leur rôle au niveau **du coeur et des artères**.

Les œstrogènes exercent une sorte d'« effet téflon » sur la paroi interne de l'artère, empêchant l'adhésion de l'athérome, cette substance faite de cholestérol. Sans œstrogènes, cet athérome pourrait rétrécir le vaisseau sanguin et causer à la longue un blocage, d'où angine et possiblement infarctus.

Mais ce n'est pas là son seul rôle. Il semble en effet que l'œstradiol rende la paroi plus souple et lui permette un meilleur travail pour propulser le sang vers tous les organes et tissus. Et cette hormone agit de la même manière au niveau du cœur.

La couche interne des vaisseaux, appelée endothélium, a des fonctions très importantes. Elle est **vasodilatatrice**, permettant la relaxation et la dilatation de l'artère. Elle est également **antiathérogène**, c'est-à-dire qu'elle ne permet pas l'adhésion de l'athérome, comme on l'a dit plus haut.

De plus, l'endothélium est **antithrombotique**, protégeant ainsi des thromboembolies (50). Il semble que ce soient les œstrogènes qui préservent ces propriétés, gardant ainsi l'endothélium en santé. C'est ce que j'appelais l'«effet téflon». L'action se passerait au niveau des récepteurs à œstrogènes qui ont été mis en évidence dans les artères coronariennes de la femme (51).

Privée d'œstrogènes, la paroi perd sa protection «téflon» ainsi que sa souplesse et s'abîme; l'athérome s'y dépose et l'artère rétrécit, ce qui peut engendrer des douleurs et des troubles circulatoires aux membres inférieurs, des accidents cérébrovasculaires, de l'angine et un infarctus, tel que je viens de le mentionner.

Il semble que l'effet bénéfique des œstrogènes sur les risques de maladies cardiovasculaires soit plus important et plus probant chez les femmes déjà atteintes de ces maladies (52).

Vous vous souvenez du rôle de la leptine quant à l'obésité? En juin 1998, on a découvert un lien entre le gène *ob* de l'obésité et le risque cardiaque. Les chercheurs ont pu, selon l'étude, établir un lien entre le taux de leptine dans le sang et le syndrome de résistance à l'insuline. Or, on trouve dans ce syndrome une tension artérielle élevée, un faible taux de bon cholestérol (HDL) et d'insuline, facteurs qui peuvent causer une maladie cardiaque (53).

Les veines

Concernant l'effet hormonal sur les parois veineuses, l'étude PEPI[11] a démontré que les femmes qui avaient reçu des œstrogènes (avec ou sans progestérone) aux doses usuelles employées actuellement, lesquelles sont moindres que les doses utilisées antérieurement, ne verraient pas augmenter leur risque de thrombose veineuse, parce qu'il y aurait, avec l'HTR, un équilibre entre les différents facteurs de coagulation. Bien sûr, les femmes présentant une maladie sanguine familiale avec problèmes de certains facteurs de coagulation ne sont pas impliquées ici (54).

Le profil lipidique

Qu'est-ce qu'on entend par «profil lipidique»? C'est l'ensemble des valeurs des différents gras contenus dans votre sang. En préménopause, quand les œstrogènes commencent à diminuer dans le sang, on assiste à un renversement du profil lipidique. Il y a alors une élévation du LDL-cholestérol (le mauvais) alors que le HDL-cholestérol (le bon) s'abaisse. Il y a également une hausse des triglycérides, une autre sorte de gras qui est assez mauvais pour les artères et le cœur.

Élucidons un peu cette histoire de cholestérol en la simplifiant pour mieux la comprendre. Il y a le cholestérol total et les fractions HDL et LDL. Le cholestérol HDL ou C-HDL, pour abréger, est une lipoprotéine à haute densité (H = *hight*, ou haute), et le LDL en est une à basse densité (L = *low*, ou basse).

Le C-HDL est important car, à un taux élevé, il diminue le risque de maladies cardiovasculaires, plus ou moins indépendamment des variations du C-LDL.

Une étude a en effet découvert des taux élevés de C-HDL chez des octogénaires en excellente santé. En revanche, une autre étude a mis en évidence un taux inférieur de maladies cardiovasculaires dans des populations qui avaient des taux de C-LDL très faibles. Il y avait également chez ces gens moins de facteurs de risque de ces maladies, i.e. de l'obésité, de l'hypertension, de la résistance à l'insuline et de la sédentarité (55).

Ainsi, il semble que, pour sauvegarder l'équilibre de son profil lipidique, il faille maintenir un rapport adéquat entre le cholestérol total et le C-HDL. Une diète trop stricte qui ferait abaisser le taux de cholestérol total de même que le C-LDL sans maintenir élevé le niveau de C-HDL pourrait être néfaste pour la santé du cœur et des artères (56).

Concernant la ménopause, quand la femme commence une HTR, le rapport s'inverse de nouveau, de façon bénéfique cette fois, car le HDL augmente alors que le LDL diminue, ce qui est souhaitable pour la santé du cœur et des vaisseaux. Certaines préparations hormonales produisent par ailleurs une plus faible élévation des triglycérides par rapport à d'autres (4 % au lieu de 20 %), ce qui est également préférable (57).

Certaines formes d'œstrogènes sont donc plus bénéfiques que d'autres à cet effet. La forme orale est-elle meilleure dans ces cas que la forme transdermique ? Les œstrogènes conjugués sont-ils moins bons que l'œstradiol ? Je ne peux prendre position actuellement dans ce débat, les opinions des spécialistes étant encore très partagées.

Les œstrogènes améliorent par ailleurs le métabolisme du glucose, diminuent la résistance à l'insuline et réduisent, comme nous l'avons dit plus haut, l'accumulation de graisse abdominale, des facteurs favorables à la lutte contre les maladies cardiovasculaires.

D'autre part, toujours selon l'étude PEPI, l'association de progestérone naturelle (Prometrium) serait moins négative sur le profil lipidique que certains progestatifs, qui ont tendance à diminuer partiellement l'effet bénéfique des œstrogènes sur les C-HDL (58). D'autres progestatifs, sans altérer l'effet positif des œstrogènes sur la paroi des artères et du cœur, nuiraient cependant aux effets antivieillissement de ces derniers (59).

Les œstrogènes auraient des propriétés antioxydantes[12] et c'est ainsi qu'ils agiraient contre le vieillissement, tant sur le système cardiovasculaire que sur les autres tissus et les autres organes.

Il faut donc être très attentif dans le choix des œstrogènes et de la progestérone, pour une meilleure protection, chez les personnes à risque de maladies cardiovasculaires. Quant au nouveau médicament déjà mentionné antérieurement, le raloxifène (Evista), il produit des réductions significatives du LDL-cholestérol (le mauvais) et du cholestérol total. Cependant, les études faites jusqu'ici n'ont pas démontré d'augmentation du HDL-cholestérol (le bon) sous cette médication. Le raloxifène ne cause par ailleurs aucun changement sur les triglycérides (60).

Cependant, puisque des statistiques nous révèlent que ces maladies sont la principale cause de mortalité chez la femme en ménopause (31 %, comparativement à 3 % par cancer du sein et 2,8 % par fracture de la hanche), des mesures devraient être envisagées par ces femmes à risque (61). Bien sûr, les œstrogènes semblent être des hormones prometteuses en ce sens, mais ils doivent absolument être associés, dans ces cas, à de l'exercice et à une alimentation convenable, et, par-dessus tout, ces femmes doivent cesser de fumer !

Le syndrome X

On a noté une amélioration de la symptomatologie chez les femmes souffrant du syndrome X, quand elles prennent des œstrogènes. Le syndrome X, décrit pour la première fois par Reaven en 1988, se caractérise par de l'angine et une dépression du segment ST[13] sur l'électrocardiogramme, à l'exercice. Il est plus fréquent chez la femme que chez l'homme. Ce syndrome se rencontre plus souvent chez les femmes ovariectomisées et les signes d'insuffisance ovarienne qui lui sont associés (bouffées de chaleur, migraine) suggèrent que le déficit en œstrogènes déclencherait le début de ce syndrome chez la plupart des femmes atteintes (62).

Chez ces femmes, le remplacement d'œstrogènes réduit la fréquence des douleurs angineuses. Ainsi, une étude à double insu[14] menée auprès de 25 femmes ménopausées souffrant du syndrome X et traitées avec du 17 bêta-œstradiol transdermique (Estraderm ou Vivelle) a démontré une réduction de ces crises durant la période où elles ont reçu cette hormone, avec une moyenne de 3,6 crises en 10 jours. Pendant une deuxième période de 10 jours, où elles ont reçu un placebo, elles ont eu une moyenne de 7,3 crises (63).

Une autre étude, publiée dans la célèbre revue médicale *The Lancet*, avait démontré l'effet bénéfique de l'administration sublinguale d'œstradiol par rapport à un placebo sur les signes d'angine induite à l'effort, sur l'ECG, i.e. dépression du segment ST, comme mentionné plus haut. Cet effet bénéfique avait également été remarqué sur la tolérance à l'exercice chez des femmes ménopausées qui avaient reçu cette même hormone. Il semble que l'effet se produirait directement en relaxant les artères coronariennes et en causant une vasodilatation périphérique (64).

Vous vous souvenez par ailleurs de la relation que nous avons énoncée antérieurement entre le taux de leptine dans le sang et le risque de maladie cardiovasculaire ?

Or, il est bon de se rappeler que le syndrome X se retrouve souvent dans l'association d'une obésité androïde, d'une résistance à l'insuline, d'un taux de triglycérides élevé et d'une baisse du HDL-cholestérol, d'une hypertension artérielle, d'une baisse de la SHBG et du rôle de la leptine (65). Les œstrogènes rétabliraient l'équilibre dans plusieurs de ces facteurs.

Je trouve donc toutes ces études très rassurantes et si, comme le reste de ma famille, je souffrais de maladie cardiovasculaire, tous ces arguments me feraient adopter une HTR pour protéger mes artères et mon cœur.

Que celles qui souffrent d'hypertension artérielle se rassurent : dans la plupart des cas, les œstrogènes ne sont pas contre-indiqués, au contraire. En effet, on a vu l'effet antioxydant de ces hormones sur l'endothélium des artères, permettant une vasodilatation et pouvant donc ainsi aider à réduire l'hypertension. On a effectivement observé une diminution de la tension artérielle chez plusieurs femmes hypertendues qui ont commencé une HTR (66).

Voilà, ma mission est accomplie : vous avez maintenant en main la solution pour prolonger votre vie et lui assurer une meilleure qualité.

Alors, si vous avez de bons os et un cœur et des artères en santé, vous avez les bons moyens de réussir à profiter des **plaisirs de la vie**. Mais, pour que ces plaisirs soient comblés, mesdames, il faut que **votre plancher pelvien**, **alcôve de vos amours**, soit également en santé. C'est ce que nous allons voir dans le prochain chapitre.

4

L'alcôve des plaisirs et de l'amour : le plancher pelvien

Si c'est à l'écoute de mes patientes que j'ai enrichi mes connaissances des multiples symptômes de la ménopause, c'est aussi grâce à leurs questions qu'est né chez moi l'intérêt pour des sujets aussi particuliers que la sensibilité des récepteurs aux différentes molécules d'hormones, l'ostéoporose, une meilleure connaissance de la progestérone, et celui qui fait l'objet de ce chapitre : la santé du plancher pelvien.

Les conclusions auxquelles je suis parvenue après avoir étudié cette région du corps féminin que je pourrais aussi appeler **l'alcôve des plaisirs** (vous comprendrez bientôt pourquoi) sont d'un grand intérêt pour toutes les femmes, même celles qui ne sont pas encore ménopausées. Car j'ai découvert au cours de mes recherches cliniques que les problèmes de carences hormonales rencontrés à la ménopause peuvent se manifester de façon identique tout au long de la vie d'une femme, et ce à différents degrés.

Il existe maintenant une nouvelle spécialité médicale appelée périnéologie. Il s'agit d'une science qui étudie et traite les perturbations et les changements que subit le périnée (une partie du plancher pelvien), que ce soit par les grossesses, les conséquences des carences hormonales ou le vieillissement et ses maladies.

L'anatomie

Qu'est-ce qu'on appelle le **plancher pelvien** ? Si l'on regarde l'illustration 11, on peut remarquer une partie

Tissus pelviens œstrogéno-dépendants

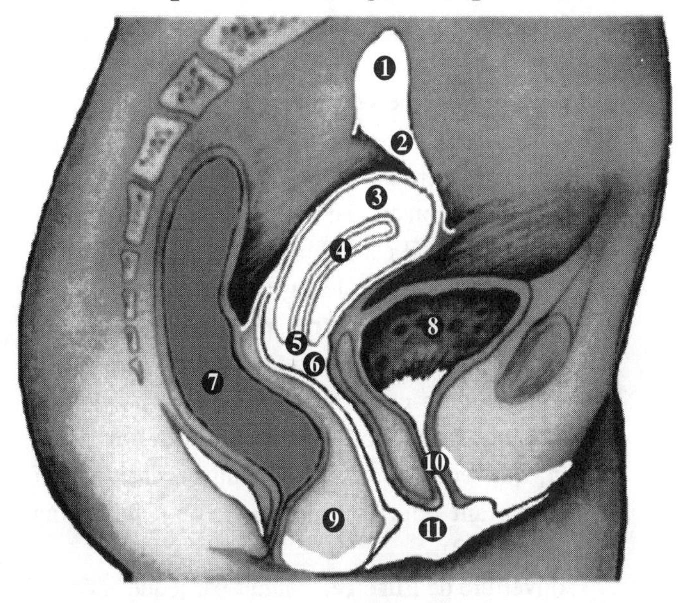

1. Ovaires
2. Trompes
3. Utérus
4. Endomètre
5. Col
6. Vagin
7. Rectum
8. Vessie
9. Muscles pubo-coccygiens
10. Urètre
11. Vulve

Zones blanches :
tissus où agissent les œstrogènes

Source : *Santé des femmes d'âge mûr*, Pharmacia & Upjohn.

Illustration 11

blanche comprenant la vulve et la région génito-rectale. C'est ce qu'on appelle le plancher pelvien, avec toute la musculature qui participe au maintien des organes qui y reposent.

Mais la partie blanche comprend également tous les tissus qui dépendent, pour être en santé, de la présence des œstrogènes.

Voyons un peu plus en détail les organes sexuels féminins. Ils comprennent une composante externe et une composante interne. (Ce cours est facultatif. Celles que le sujet n'intéresse pas peuvent sauter quelques pages.)

La partie externe comprend la **vulve**, que nous allons détailler. Celle-ci inclut le **mont de Vénus**, qui est la partie la plus visible des organes sexuels externes. Il est constitué d'une couche de graisse sur les os pubiens et il est recouvert de poils. La vulve comprend également les **grandes lèvres**, plus externes, et les **petites lèvres**, plus internes, fines et sans poils, lesquelles entourent le **vagin** et se replient souvent pour en couvrir l'ouverture. Les petites lèvres se rejoignent pour former le **capuchon clitoridien**, qui recouvre le **clitoris**, un organe sensitif très important pour la réponse sexuelle féminine (illustration 12).

L'ouverture de l'**urètre**, conduit par lequel s'écoule l'urine, est située à mi-chemin entre le clitoris et l'ouverture du vagin. Le site où se rejoignent les grandes lèvres derrière le vagin est appelé la **fourchette**. L'espace entre l'ouverture du vagin et l'anus se nomme le **périnée** (illustration 12).

L'**hymen** est une mince membrane qui recouvre partiellement l'ouverture vaginale. S'il est extensible et encore présent lors de la première relation, il sera brisé ou étiré lors de la pénétration du pénis à l'intérieur du vagin. La présence ou l'absence de l'hymen n'est pas un indicateur fiable de la virginité, malgré l'idée qui a été véhiculée au cours des siècles.

Organes génitaux externes féminins

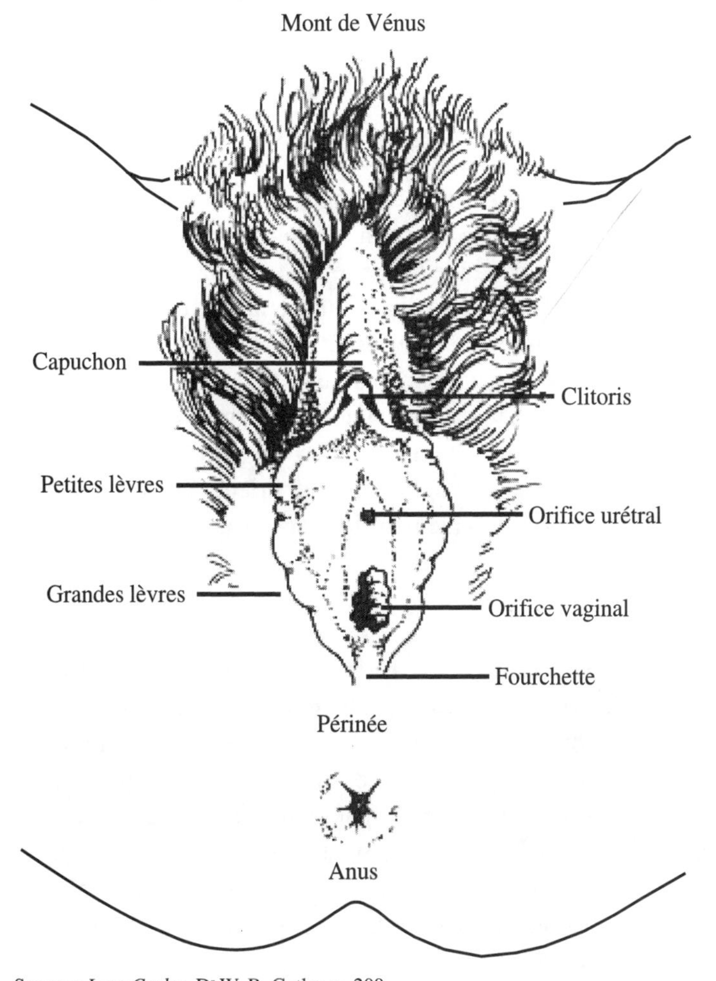

Source : *Love Cycles*, Dr W. B. Cutler, p. 200.

Illustration 12

Les organes sexuels **internes** de la femme comprennent le **vagin**, l'**utérus**, les **trompes de Fallope** et les **ovaires** (voir illustration 11). Les pertes menstruelles s'écoulent à partir de l'utérus et passent par le vagin. Ce dernier, ou ce qu'on nomme gentiment le «canal de naissance» puisque le bébé y passe avant de naître, est avant tout l'alcôve de l'amour à proprement parler puisque c'est là que séjourne et s'agite le pénis durant la relation sexuelle.

Le **col** est situé au bout de l'utérus et au fond du vagin. C'est au niveau du col que se font les prélèvements lors d'une cytologie, car cette région peut être le siège de cancer à n'importe quel âge à partir du début de la vie sexuelle active de la femme.

L'**utérus** est un organe musculaire qui a un revêtement interne, l'**endomètre**, contenant plusieurs glandes et vaisseaux sanguins. C'est dans l'utérus que loge le fœtus tout au long de la grossesse et c'est le col qui se dilatera lors du travail pour laisser passer le bébé par le vagin vers l'extérieur. Mais l'utérus se contracte également lors des relations sexuelles, comme nous le verrons plus loin. L'endomètre est la partie de l'utérus à surveiller lors d'HTR (illustration 11).

Au sommet de l'utérus, de part et d'autre, s'ouvrent les **trompes de Fallope**, qui conduisent aux ovaires (illustration 11). C'est ce chemin qu'empruntera l'ovule pour se rendre dans l'utérus, où il sera peut-être fécondé par le spermatozoïde déposé dans le vagin lors de la relation sexuelle. On sait que le spermatozoïde est muni d'une petite queue (flagelle) qui lui permet de se déplacer très vite et de s'acheminer vers l'utérus.

Les **ovaires** produisent, pour leur part, les **ovules** (cellules sexuelles féminines qui peuvent être fertilisées); mais les ovaires produisent également les hormones sexuelles, i.e. les œstrogènes, la progestérone et les androgènes (1).

On trouvera peut-être curieux que j'aie jugé bon de détailler ici l'anatomie des organes sexuels féminins. C'est que mon expérience clinique ne cesse de me démontrer que plusieurs femmes ne se connaissent pas. Pour les autres, une brève révision est toujours utile...

Et, bien sûr, il ne faut pas oublier les muscles pubococcygiens, qui font partie du plancher pelvien et qui supportent tous ces organes (illustration 11). On comprendra facilement que si cette musculature devient affaiblie, il y aura à plus ou moins long terme une descente de ces organes, que ce soit l'utérus, le rectum ou la vessie. Mais il y aura également une diminution de la qualité de l'orgasme, car les muscles pubococcygiens doivent participer à cette réponse à la stimulation sexuelle. Ainsi, s'ils sont affaiblis, la réponse sera moindre.

En outre, il faut savoir que le plancher pelvien est porteur de nombreux sites récepteurs à œstrogènes, à progestérone et à testostérone, et qu'une carence de ces hormones pourra également, à plus ou moins long terme, amener une descente de vessie, d'utérus ou de rectum, ainsi que les multiples symptômes qui découlent de ces déficiences et dont il sera question dans les pages qui vont suivre.

Il faut aussi parler de la tonicité préalable des muscles de chacune des femmes, du nombre de grossesses et d'accouchements, et des déchirures subies lors du passage de trop gros bébés. Mais sachez également qu'il peut y avoir descente de vessie ou d'utérus même chez des femmes qui ont eu peu d'enfants. Les sites récepteurs étant privés d'hormones, certaines femmes peuvent présenter, même en préménopause, un début de descente d'utérus ou de vessie, accompagnée ou non d'urgences urinaires.

La physiologie et l'acte sexuel

Détaillons un peu la **physiologie** du plancher pelvien.

En d'autres termes, voyons comment tout cela fonctionne. L'**œstradiol**, notre principal œstrogène, agit sur ces tissus en permettant la maturation des cellules superficielles des muqueuses (voir illustration 13) des différents organes impliqués, que ce soit la vessie, l'urètre, le vagin, le rectum et tous les muscles qui sont responsables de la tenue de ces organes. De quelle façon?

C'est en équilibrant le pH de ces muqueuses, grâce à la présence du lactobacille de Döderlein, que l'œstradiol agit. Ce germe se nourrit du glycogène[1] contenu dans les cellules superficielles et intermédiaires de la paroi vaginale. C'est en transformant ce sucre en acide lactique qu'il maintient l'acidité du vagin, assurant une défense plus efficace contre les autres microbes et les champignons qui sont naturellement présents à ce niveau. Cette acidité varie en fonction des sécrétions hormonales, surtout l'œstradiol, qui y conditionnent le taux de glycogène (2).

Ainsi, le remplacement de cette hormone, tout en maintenant une bonne hydratation, permet d'éviter un amincissement progressif des muqueuses qui pourrait amener une sécheresse vaginale, et même un rétrécissement et une synéchie[2] du vagin à un âge avancé.

Il est utile que vous sachiez qu'avant la ménopause, dans la paroi vaginale de la femme qui a un apport

Cellules des muqueuses vaginales

Avant la ménopause

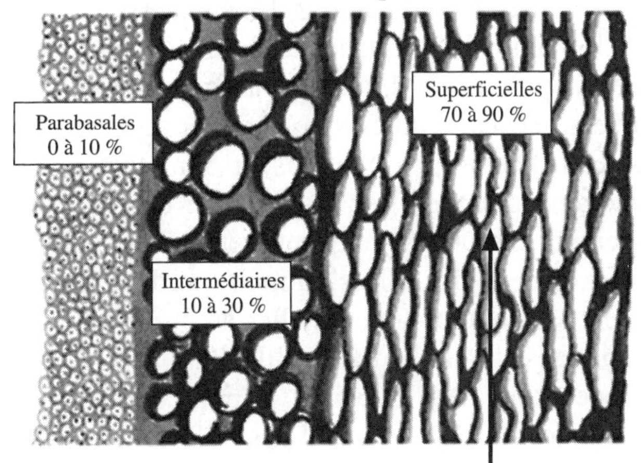

Après la ménopause

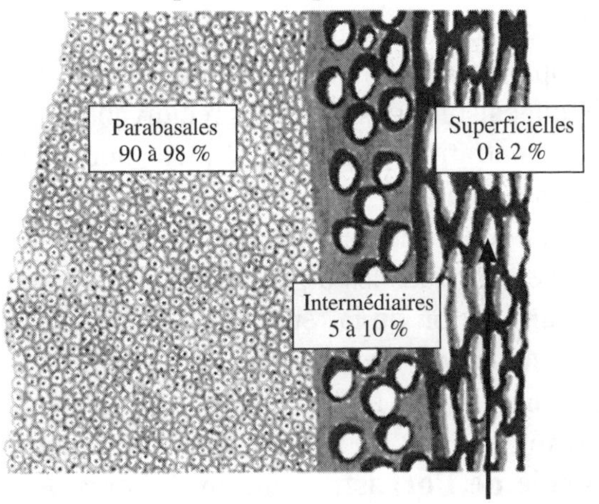

Source : Dr Marie-Andrée Champagne, réalisée par Brigitte Lafortune.

Illustration 13

suffisant d'œstrogènes, les cellules superficielles dominent (70-95 %), accompagnées de cellules intermédiaires et parabasales (illustration 13, en haut).

À la ménopause, quand la paroi manque d'œstrogènes, la proportion des différentes couches cellulaires s'inverse et les cellules seront majoritairement parabasales (illustration 13, en bas). Il y a alors moins de glycogène pour assurer la présence des bacilles de Döderlein. Car plus la muqueuse vaginale se voit privée d'œstrogènes, plus elle s'amincit, perdant progressivement ses cellules superficielles au profit des cellules parabasales et intermédiaires (illustration 13, en bas).

Cependant, l'HTR rétablit le pourcentage observé avant la ménopause, i.e. celui des cellules superficielles (3). Ce test est très simple à faire lors de la cytologie et en dit long sur la carence en œstrogènes des muqueuses.

De cet amincissement des muqueuses, il découle de l'atrophie de la vulve et du vagin, de l'irritation, des démangeaisons, des vaginites récidivantes, des douleurs à la pénétration et par conséquent une perte d'intérêt pour les relations sexuelles, qui deviennent pénibles. Comme il y a une diminution de la circulation sanguine au niveau de tous les organes sexuels pelviens, il y aura une diminution de la réponse à la stimulation sexuelle et de sa qualité, laquelle est directement dépendante du flux sanguin à ce niveau (4).

Arrêtons-nous un peu pour bien comprendre **la physiologie de l'orgasme**, ou, en d'autres termes, quels muscles ou autres éléments du plancher pelvien et des organes entrent en jeu pour réaliser l'orgasme.

Des études menées il y a plus de vingt ans par l'équipe Masters et Johnson auprès de 312 hommes et 382 femmes, comportant des observations faites sur

10 000 cycles d'excitation et d'orgasme, ont permis à ce gynécologue et à cette psychologue, tous deux américains, de décrire les quatre phases du cycle de la réponse sexuelle humaine : l'excitation, le plateau, l'orgasme et la résolution.

Sachez d'abord que, chez la femme non excitée sexuellement, les grandes lèvres sont fermées l'une contre l'autre, les petites lèvres recouvrent habituellement l'ouverture du vagin, et les parois de cet organe reposent l'une sur l'autre, comme celles d'un ballon dégonflé.

Voyons maintenant chacune des phases de la réponse sexuelle à l'excitation et ce qui s'y passe. (Mais si ça ne vous intéresse pas, vous pouvez passer outre !)

A) L'excitation

Cette phase se caractérise par une vasocongestion. En d'autres termes, il y a une augmentation du flux sanguin dans les vaisseaux des organes génitaux, amenant un gonflement (ou œdème) des tissus. Ainsi, les parois du vagin devenant congestionnées, elles permettent à ses glandes de sécréter du liquide, produisant ainsi la lubrification vaginale. Le clitoris, pour sa part, devient plus gros et plus ferme.

Durant cette phase d'excitation, la vasocongestion se manifeste également au niveau des seins, qui se gonflent un peu. Cette congestion des vaisseaux produira un aplatissement des grandes lèvres et permettra leur séparation. À leur tour, les petites lèvres subiront les mêmes phénomènes et s'ouvriront également (illustration 12).

Les deux tiers supérieurs du vagin se gonflent alors comme un ballon, et, en réponse à cela, le col et l'utérus sont tirés vers le haut, créant plus d'espace dans le vagin pour recevoir le pénis durant la relation sexuelle (illustration 11).

La femme présente sur la partie supérieure de l'abdomen une rougeur qui s'étend à la poitrine. Le pouls et la pression artérielle augmentent.

B) Le plateau

Durant cette phase, la vasocongestion arrive à son maximum et les processus enclenchés durant la phase d'excitation continuent d'augmenter jusqu'à ce qu'une tension suffisante soit atteinte pour arriver à l'orgasme.

Les seins continuent à se gonfler, ainsi que le tiers supérieur du vagin, créant ce qu'on appelle le «plateau orgasmique». Le clitoris se rétracte alors et l'utérus se gonfle. À l'approche de l'orgasme, les grandes lèvres deviennent plus foncées.

C) L'orgasme

L'orgasme se définit comme une sensation de plaisir intense qui survient au sommet de l'excitation sexuelle et qui est suivie d'une chute de la tension sexuelle.

L'orgasme consiste en une série de contractions rythmiques du plancher pelvien et des organes qu'il supporte. Ces contractions, qui causent le plaisir sexuel, varient en nombre et en intensité. Cette sensation est très intense, plus intense que le simple picotement ou le plaisir qui accompagne une grande excitation sexuelle.

Durant cette phase, le rythme du pouls et celui de la respiration augmentent, ainsi que la pression artérielle, de façon importante. Il y a une contraction musculaire générale.

D) La résolution

Durant la résolution, les processus induits lors de l'excitation et du plateau se renversent et les organes redeviennent comme avant l'excitation. Les contractions musculaires qui sont survenues lors de l'orgasme vont vers une réduction de leur tension et une libération du sang des tissus engorgés.

Les seins reprennent leur volume normal et la rougeur de la peau disparaît après l'orgasme. Le clitoris reprend son volume et sa position normale et commence à se dérober sous le capuchon (illustration 12). Le gonflement vaginal persiste alors que l'utérus reprend sa position initiale de même que son volume normal.

La phase de résolution prend habituellement de 15 à 30 minutes, mais peut être plus longue, surtout si l'orgasme complet n'a pas été atteint (5).

La femme, contrairement à l'homme (dont nous verrons également la physiologie de l'orgasme, dans la troisième partie), ne semble pas avoir de période réfractaire, et, à cause de cela, elle peut avoir plusieurs orgasmes en un court laps de temps. En réalité, d'après une étude faite à l'université du Wisconsin auprès de 805 infirmières quant à leur comportement et à leurs attitudes sexuelles, on a découvert que près de 43 % des femmes avaient régulièrement plusieurs orgasmes au cours d'une relation. Dans la même étude cependant, 10 % d'entre elles n'avaient jamais connu d'orgasme (6).

Mais, encore là, l'important n'est pas la quantité mais la qualité de l'orgasme. Celles qui n'avaient jamais expérimenté plusieurs orgasmes consécutifs se considéraient cependant très satisfaites de leur vie sexuelle.

Nous voilà donc bien documentés pour mieux comprendre pourquoi, en périménopause, il peut survenir une diminution du **plaisir** ou de sa qualité. On a noté justement, lors d'une étude faite en France, que 30 % des femmes qui consultent pour des problèmes au niveau du plancher pelvien se plaignent également de douleurs sexuelles et de baisse d'intensité de leur orgasme (7).

Alors, bien sûr, que dire d'une muqueuse qui ne se lubrifie que très peu ? Comment les organes sous-jacents peuvent-ils répondre à la stimulation… ? Car, pour y répondre, ils doivent pouvoir se gorger de sang, comme on vient de le voir. Or, si la muqueuse est amincie, les microvaisseaux se font rares et répondent peu à la stimulation. Et combien reste-t-il alors de récepteurs de sensibilité au niveau des tissus qui sont privés d'une bonne vascularisation (illustration 13, en bas) ?

Dans ces conditions, la carence hormonale se fait également sentir à d'autres niveaux du plancher pelvien. Ainsi, le clitoris répondra plus lentement et moins intensément à la stimulation. D'autre part, si elles sont amincies et plus fragiles, les petites lèvres seront moins congestionnées en réponse à la caresse. Les sécrétions vaginales et celles des glandes de Bartholin[3] seront diminuées et présenteront une réponse retardée, causant donc une lubrification déficiente durant la pénétration. Et, tel que mentionné plus haut, la musculature, étant affaiblie, se contractera inadéquatement pendant la relation sexuelle. L'élasticité des tissus de la vulve et du vagin sera amoindrie et la sécheresse des parois pourra provoquer de la douleur (8).

Alors, comment avoir envie de plaisir si le prix à payer s'appelle brûlure, sensation de déchirement ? Comment même imaginer le **désir d'un tel… plaisir** ?

Sachez que le plaisir a lui aussi une composante hormonale et que même pour sa portion mentale la stimulation est également hormonale, ce que nous aborderons dans la troisième partie..

Conséquemment, s'il y a une diminution de la lubrification, il y aura une sécheresse vaginale qui peut parfois aller jusqu'à la synéchie chez les vieilles femmes, comme je l'ai mentionné déjà (9). Permettez-moi de vous raconter un de mes cas qui illustre justement un problème de ce genre.

Un jour, une dame de 75 ans vint à mon bureau pour un examen gynécologique. Comme je la voyais pour la première fois, je l'interrogeai d'abord sur ses antécédents et sur les médicaments qu'elle prenait, avant de procéder à son examen. Elle me dit qu'elle prenait encore des hormones et me raconta que, grâce à son ancien gynécologue (qui avait, hélas, pris sa retraite), elle pouvait encore passer son examen gynécologique. Du fait de ses bons soins et conseils, son vagin s'ouvrait encore et cela était dû au fait qu'il lui avait prescrit des hormones, quelques années plus tôt.

Elle avait eu sa ménopause dans la jeune quarantaine et comme, à ce moment-là, «les hormones n'étaient pas à la mode», me dit-elle avec une pointe d'ironie, elle n'en avait jamais pris, jusqu'au jour où, à l'âge de 65 ans, elle avait éprouvé des brûlements au niveau de la vulve, ce qui l'avait conduite chez un gynécologue. Celui-ci, constatant qu'il y avait synéchie de son vagin, lui avait suggéré de prendre des hormones. Après quelques mois, les petites lèvres s'étaient enfin décollées et son vagin s'était ouvert de nouveau. Cette femme, qui était devenue veuve à 52 ans, n'avait eu ensuite aucun autre partenaire sexuel. Elle n'avait donc pas vraiment perçu le rétrécissement graduel de sa région vulvo-vaginale, surtout qu'à l'époque les femmes connaissaient moins bien leur corps.

Donc, mesdames, si vous refusez l'HTR, surveillez tout de même votre plancher pelvien ! Continuez de vous faire examiner régulièrement par votre médecin et, au moindre signe de vieillissement accéléré de ces précieux tissus, acceptez au moins que l'on vous traite localement. Nous verrons plus loin les moyens qui s'offrent à vous pour éviter la détérioration de votre plancher pelvien et ses conséquences sur tous les organes qu'il soutient.

Étudiant donc le plancher pelvien chez les femmes en périménopause et ayant appris par ce test à faire lors de la cytologie annuelle qu'on pouvait alors connaître un début de vieillissement des muqueuses, je demandai une évaluation hormonale des muqueuses vaginales, non seulement chez les patientes en périménopause qui se plaignaient de symptômes que je savais liés à une déficience hormonale, mais également chez les jeunes femmes qui se plaignaient de sécheresse vaginale ou d'infections vaginales à répétition. Je la demandai également chez celles qui se plaignaient d'urgence urinaire et chez qui, lors de l'examen gynécologique, je percevais une assez pauvre lubrification vaginale.

Je procédai même à cet examen chez des jeunes filles de 18-19 ans qui prenaient des anovulants à très faible dose en œstrogènes depuis quelques années et qui se plaignaient de vaginites fréquentes et même d'inappétence sexuelle. Or, je prenais des notes assez détaillées à chaque fois, dans mes dossiers, établissant au préalable des pronostics de carence œstrogénique.

Les résultats de mes recherches furent concluants. Chez toutes ces femmes, la couche superficielle de la muqueuse (celle qui est gorgée d'œstrogènes) était toujours inférieure à la normale, oscillant de 50 % à 0 %, ce qui est bien loin des 70-95 % et plus que je devais trouver en temps normal (illustration 13, en haut).

Mais, chose heureuse, si l'on ne tarde pas trop à remplacer l'hormone manquante, ces modifications sont réversibles, ainsi que les symptômes qui en découlent.

Or, quand le plancher pelvien est en carence hormonale, on peut présenter les divers symptômes suivants : sécheresse vaginale, pertes vaginales trop abondantes, pertes non traitables et récidivantes, douleurs lors des relations, urgences urinaires, douleur en urinant et sensation que la vessie ne se vide pas.

Voici des exemples tirés de quelques-uns des cas que j'ai traités.

> «Chaque fois que je dois sortir, je vais aux toilettes juste avant, et dès que j'arrive quelque part, que ce soit au théâtre, au centre d'achat ou dans une réunion, je m'empresse de repérer où sont les toilettes car je devrai y aller plusieurs fois dans la soirée...»
>
> Jeannine, 42 ans, hystérectomisée.

> «Dès que je ris, je sens que je mouille ma petite culotte... Ça fait que je ne peux même plus rire... C'est un peu dommage!»
>
> Paule, 40 ans.

> «Je passe mon temps à me promener la nuit pour aller uriner. Je me lève le matin à moitié morte pour faire ma journée...»
>
> Pascale, 43 ans.

> «Vous ne me croirez pas mais quand je marche, ça me fait mal à la vulve tellement c'est sec; il faut sans cesse que je mette de la vaseline...»
>
> Liliane, 44 ans, hystérectomisée à 36 ans.

> «Je dépense une fortune en crèmes vaginales de toutes sortes depuis deux ans. Je n'arrive même plus à avoir des relations convenables. Je suis toujours en train de traiter une vaginite. D'ailleurs, ça fait toujours mal… Alors… !»
>
> Lise, 46 ans.

> «Docteur, j'ai souvent des gaz que je ne peux même pas retenir… Que puis-je faire ?»
>
> Clothilde, 45 ans.

Mis à part tous ces symptômes, plusieurs de ces femmes étaient en préménopause avec une menstruation très irrégulière depuis plusieurs mois. Certaines, qui étaient hystérectomisées et qui souffraient de terribles bouffées de chaleur la nuit, s'étaient fait dire qu'elles ne pouvaient pas être en ménopause car elles n'avaient pas encore 50 ans.

La plupart de ces femmes avaient une carence en œstrogènes et souvent, après à peine quelques mois de traitement, l'équilibre hormonal était rétabli. Leurs symptômes génito-urinaires avaient diminué d'au moins 50 %, que ce soient les urgences urinaires (10-12 fois), de nuit comme de jour, les difficultés à retenir leur urine, les infections urinaires à répétition, les vaginites récidivantes, les douleurs à la pénétration. Il y eut aussi des améliorations sur d'autres plans, dépassant le sujet de ce chapitre mais auxquelles nous reviendrons ultérieurement.

Mais si l'on ne tient pas compte de cet amincissement des muqueuses vulvo-vaginales, il en découlera des symptômes multiples et un inconfort qui augmenteront avec l'âge. Saviez-vous que **1,6 million de Canadiens** souffrent d'incontinence urinaire ? Trop souvent considérée comme normale chez les gens âgés, elle est souvent tenue sous silence, par gêne.

Les femmes sont tout étonnées quand je leur explique, que ce soit en consultation ou lors d'une conférence, que tous ces symptômes, tous ces inconforts qu'elles s'habituent hélas à supporter, sont causés pour la plupart par une carence hormonale qu'il est possible de corriger par un traitement local ou général.

En effet, le conduit urinaire, incluant l'urètre et le trigone, est riche en récepteurs à œstrogènes, leur nombre augmentant progressivement de l'urètre distal à l'urètre proximal (10) [illustration 11], On comprendra donc qu'en situation de carence en œstrogènes ces sites s'atrophient progressivement, ce qui cause des douleurs en urinant, de l'incontinence de stress, une fréquence urinaire accrue, un besoin d'uriner la nuit. Une sensation de lourdeur au niveau pelvien, une pression au-dessus du pubis, de la douleur à la pénétration lors des relations sexuelles, de la difficulté à vider la vessie ou des douleurs lombaires peuvent être des symptômes de descente de la vessie ou de l'utérus. (Car tous ces tissus, souvenez-vous, sont dépendants de la présence suffisante d'œstrogènes.)

Des symptômes peuvent aussi être à la fois d'ordre intestinal et d'ordre sexuel. Cela s'explique par le fait que les tissus des différentes composantes du plancher pelvien ont, à l'origine, on s'en souvient, le même matériel embryonnaire, et sont œstrogéno-dépendants (illustration 11). Ainsi, les symptômes causés par un prolapsus[4] rectal seront une perte involontaire de gaz, des tachetures au niveau des sous-vêtements, une lourdeur pelvienne, de l'incontinence fécale partielle. Ce prolapsus peut également gêner ou causer de la douleur lors des relations sexuelles. On a découvert la présence de récepteurs à œstrogènes, mais également à progestérone, au niveau du sphincter anal. Cela explique qu'en carence de ces hormones on puisse retrouver tous ces symptômes (11).

Selon des statistiques assez récentes, 50 % des femmes ont de l'atrophie des muqueuses du plancher pelvien après dix ans de ménopause sans HTR systémique[5] ou locale. Et, tous symptômes confondus, les femmes hystérectomisées sont ménopausées plus tôt, et ont davantage de problèmes urogénitaux et de carence en androgènes (testostérone). Des études nous apprennent aussi que 11 % de celles qui ont une ménopause naturelle ont des problèmes du plancher pelvien, contre 30 % chez celles qui ont subi une hystérectomie. D'où l'importance pour elles surtout d'être bien informées de ce qu'il y a à faire pour ralentir le vieillissement de ces tissus par un remplacement hormonal.

Car on peut imaginer combien de tels problèmes peuvent nuire à la qualité de la vie.

Le traitement

Ainsi, un remplacement hormonal, qu'il soit local ou général, améliorera grandement toutes ces conditions qui peuvent exister au niveau du plancher pelvien.

Chez celles qui ne veulent pas d'une hormonothérapie systémique, une application locale d'œstrogènes, au niveau vaginal, à dose minime, pourra corriger la carence. Dans ce cas, la dose doit être très faible si la femme a encore son utérus. Car il ne faut pas oublier que la muqueuse vaginale absorbe le médicament, et, si la dose est trop forte, les œstrogènes seront distribués un peu partout aux autres organes et pourront causer un épaississement de l'endomètre. Or, sans progestérone, l'utérus sera à risque de développer un cancer. Ainsi, dans ce cas, si l'on prévoit un traitement local assez long, ou bien on vérifiera l'épaisseur endométriale par une échographie ou bien on ajoutera de la progestérone pendant quelque temps.

Chez d'autres qui présentent des problèmes importants au niveau vaginal ou vésical même si elles sont sous HTR, l'ajout d'une application d'œstrogène vaginal deux fois par semaine en alternance avec leur dose orale améliorera le plancher pelvien.

Et sachez, mesdames, que pour les cas plus avancés (ou celles qui ont tendance à oublier leur crème) nous avons maintenant l'anneau Estring, que l'on insère au fond du vagin (illustration 11) et qui diffuse pendant trois mois une faible quantité d'œstrogènes de façon continue. Cet anneau d'élastomer contient 2 mg de 17 bêta-œstradiol, le principal œstrogène que fabriquent nos ovaires et qui est essentiel, nous l'avons vu, pour maintenir les couches superficielles de nos parois vaginales et vésicales en santé, sous l'action du glycogène et des bacilles de Döderlein. Or, ces tissus étant très sensibles à l'œstradiol, le travail se fera localement sans distribution (ou à peine) au niveau des autres tissus ayant des récepteurs à œstradiol, dont l'utérus et les seins, et donc sans effets secondaires, la plupart du temps. Cette formule est souvent préférée à l'application locale de crème, qu'on aura tendance à oublier sur la tablette de la salle de bains ou la table de chevet. Parmi ma clientèle se trouvent plusieurs femmes qui ont fait l'essai de cet anneau et qui l'ont adopté. Le partenaire ne semble aucunement incommodé par la présence de ce corps étranger, qu'il ne sent pas, semble-t-il.

Si les muqueuses ne sont pas trop amincies, souvent nous rétablissons assez facilement l'équilibre, surtout en préménopause, avec un traitement non hormonal qui s'appelle **Replens**. Ce produit, présenté sous forme de gel, contient des substances non hormonales qui permettent une meilleure hydratation de la paroi vaginale. Le produit est composé de polycarbophile, de glycérine, d'huile minérale, d'huile de palme hydrogénée, de carbopol, d'acide sorbique et d'eau purifiée (12).

Replens restaure l'humidité naturelle du vagin, assurant le maintien de son pH normal. Il aide ainsi à prévenir la croissance désordonnée de bactéries et de champignons, qui sont naturellement présents dans cette cavité.

Ce produit sera d'ailleurs également bénéfique chez les femmes présentant de la sécheresse vaginale et qui ne peuvent suivre une hormonothérapie.

D'autre part, certains symptômes au niveau vulvaire (démangeaisons, brûlements, chatouillements) seront soulagés par une application locale d'œstrogènes ou parfois même d'androgènes (testostérone). Une plus grande prudence sera recommandée dans ce dernier cas, car une application prolongée et accidentelle sur le clitoris pourrait en augmenter le volume. Mais, en principe, cette application locale se limitera aux petites lèvres ou aux rebords du vagin.

Pour les plus jeunes femmes

Replens est également efficace dans le cas de jeunes filles sous anovulants à faible dose en œstrogènes et présentant un amincissement des muqueuses. Il serait bon cependant de remplacer la médication en cours par un contraceptif différent, pour quelque temps.

Chez certaines d'entre elles, on trouve parfois également des saignements au milieu du mois (ou par épisodes durant tout le mois) et des maux de tête importants dans la semaine d'arrêt de la pilule. Une trop faible dose d'œstrogènes en est souvent la cause.

Vous voyez donc que les pilules anticonceptionelles ne sont pas toutes identiques !

Les femmes n'ont pas toutes les mêmes besoins et ne réagissent pas toutes de la même manière. Il en est de même en hormonothérapie lors de la ménopause. Elles n'ont pas toutes besoin du même dosage et elles ne peuvent pas toutes prendre la même HTR.

* * *

Avant de terminer ce chapitre, il est important de mentionner que l'activité sexuelle entretenue régulièrement est également un excellent moyen de maintenir la santé et l'élasticité des tissus du plancher pelvien, ainsi que la santé et l'équilibre en général. Aussi, il est impérieux de traiter les problèmes que nous avons énumérés tout au long de ce chapitre pour pouvoir également maintenir des activités sexuelles régulières.

Des enquêtes menées tant en Europe qu'aux États-Unis concernant les activités sexuelles ont démontré que plusieurs personnes les délaissent en vieillissant. Une étude menée en Suède sur un groupe de 800 femmes dont 181 étaient ménopausées a établi que 52 % des femmes de 54 ans et plus connaissaient une importante baisse d'intérêt ou même n'éprouvaient plus aucun intérêt pour les relations sexuelles (13).

En Suisse, une étude de ce genre, menée chez 448 femmes de 41 à 60 ans, a révélé que la ménopause entraînait une diminution de la fréquence et de la qualité des relations sexuelles (14).

En Italie, une étude portant sur un groupe de 756 femmes a permis de constater une différence importante entre les femmes ménopausées et celles qui ne l'étaient pas. Soixante-dix-neuf pour cent des premières ont signalé une perte d'intérêt pour la sexualité. Elles attribuaient cela à des rapports moins satisfaisants et à une baisse dans la fréquence de leurs orgasmes (15).

Aux États-Unis, Kinsey a étudié l'influence de la ménopause sur un groupe de 123 femmes et a constaté que 48 % des femmes en ménopause connaissaient une diminution de la fréquence et de la qualité de leurs relations sexuelles (16).

Une autre étude sur le même continent, faite auprès de 502 sujets des deux sexes, s'avère très intéressante. On a répertorié des gens de trois groupes d'âge : 45-50, 51-55 et 56-60. L'absence d'intérêt pour la sexualité passe de 7 % pour le premier groupe à 20 % pour le deuxième et à 31 % pour le troisième. L'absence de relations sexuelles est de 14 % entre 45 et 50 ans, contre 42 % pour le groupe de 56 à 60 ans. Dans ces trois groupes, les hommes sont toujours plus intéressés aux relations sexuelles que les femmes et en ont plus souvent que celles-ci. Cette enquête révélait également que 40 % des femmes n'avaient pas de relations, contre 14 % des hommes, et que 80 % des femmes qui n'en avaient pas attribuaient cette interruption à leur compagnon (17). Celui-ci était-il parti en quête d'une femme plus jeune ? N'avait-il pas la patience, la compréhension ou la connaissance nécessaire pour permettre à sa femme ménopausée de trouver une solution à tous les symptômes d'atteinte du plancher pelvien causés par la carence hormonale de cette période de la vie ?

Nous verrons cependant, dans le chapitre sur l'andropause, que les hommes aussi se posent des questions et que la recherche d'une compagne plus jeune est parfois tout simplement un moyen de tromper leur propre état de carence hormonale qui s'installe et qu'ils ignorent souvent… ou nient.

* * *

Je ne peux terminer cette première partie traitant des œstrogènes sans vous mettre au courant des dernières nouvelles concernant ces hormones et le cancer. Je désire également vous faire connaître une autre approche qui est de plus en plus prometteuse pour le remplacement des œstrogènes chez celles qui ne peuvent ou ne veulent pas en prendre sous forme de médicaments. Vous avez deviné qu'il s'agit des phytoœstrogènes.

Le cancer et les hormones : de bonnes nouvelles !

Cancers du côlon et du rectum :

Plusieurs études menées depuis 1990 semblent prouver que les utilisatrices d'HTR ont une protection contre les cancers colorectaux. Celles qui l'ont utilisée durant un an ont un RR[6] de 0,81. Ce RR est de 0,54 pour celles qui l'utilisent depuis onze ans et plus.

Une revue de 18 études épidémiologiques faites aux États-Unis et en Europe sur les effets de l'HTR sur les taux de ces mêmes cancers chez les femmes postménopausées apporte ces conclusions : les femmes prenant régulièrement des œstrogènes ont une réduction de ce type de cancer de plus de 34 % comparativement aux femmes sans HTR. Il y aurait une réduction de 25 % des cancers du côlon et de 15 % des cancers du rectum chez les femmes qui ont déjà pris des œstrogènes (18).

On ne sait pas exactement de quelle façon les œstrogènes diminuent ce risque, mais on croit qu'il y aurait une action de ces hormones sur les récepteurs spécifiques à œstrogènes du côlon, ce qui empêcherait la croissance de cellules anormales. Mais les œstrogènes agiraient également sur la production des acides biliaires qui aident à la digestion dans le côlon (19).

Un récent article publié dans un journal de gastroentérologie rapporte que l'on a réussi à traiter des saignements gastro-intestinaux chroniques et sans cause apparente chez des personnes âgées par l'administration d'HTR à ces patientes (20).

Tout cela est extrêmement intéressant et combien encourageant !

Cancer du sein

Je sens que vous venez de redoubler d'attention, car je sais à quel point ce cancer est redouté des femmes. Tant et si bien que plusieurs d'entre elles se privent des bienfaits d'une HTR par simple crainte de développer un tel cancer en prenant des hormones, et ce malgré les études qui dissocient de plus en plus ces deux entités.

Un article paru récemment dans un journal médical (21) vous rassurera sans doute. Ce sont là les dernières recommandations de la SOGC[7] en matière d'HTR chez celles qui ont déjà eu un cancer du sein.

Sachez d'abord qu'une importante étude est actuellement en cours depuis 1996 aux États-Unis quant à l'HTR après un cancer du sein chez des femmes ayant présenté des tumeurs de stade 1 ou 2 et n'ayant pas eu de récidive depuis au moins deux ans, après une tumeur dont les récepteurs à œstrogènes étaient négatifs, ou dix ans, quand on ignore l'état des récepteurs (22).

«Les femmes ayant été traitées pour un cancer du sein n'auront pas forcément à renoncer aux bienfaits de l'HTR. Chez les femmes ne présentant pas de récidive après un traitement de cinq ans par le tamoxifène ou chez les femmes qui n'ont pas reçu de tamoxifène (parce qu'elles n'en avaient pas besoin) et qui n'ont pas eu de récidive depuis deux ans, on pourrait recourir à l'HTR (23). » Et moi, j'ajouterais : surtout si ces femmes sont symptomatiques des nombreux problèmes de carence hormonale, et plus encore si elles sont à risque ou atteintes de maladies cardiovasculaires ou d'ostéoporose. N'est-ce pas là une belle lueur d'espoir pour toutes ces femmes qu'on avait exclues jusqu'à maintenant d'une HTR ?

D'ailleurs, à la ménopause chez les femmes ne suivant pas d'HTR, l'augmentation du risque de cancer du sein ou de l'endomètre repose, selon plusieurs auteurs, sur l'augmentation des œstrogènes circulants. Ces hormones (femelles) proviendraient de la transformation des hormones mâles existant au niveau du tissu adipeux ainsi que de la diminution de la SHBG, ce qui libère, comme on l'a vu plus haut, plus d'hormones dans la circulation (24). Ainsi, ces femmes qui refusent l'HTR ne sont pas plus à l'abri de ces cancers que celles qui adoptent cette thérapie de la ménopause (illustration 7).

Mais pour vous qui, malgré tout ce que je viens de démontrer sur les bienfaits d'une HTR en ménopause, êtes encore réticentes ou malgré tout assez peu symptomatiques, vous allez découvrir dans les lignes qui suivent une nouvelle source d'œstrogènes naturels, les phytoœstrogènes.

Les phytoœstrogènes

On sait maintenant que les phytoœstrogènes peuvent soulager les symptômes de la ménopause, comme les bouffées de chaleur et la fatigue.

Ces substances sont transformées en phénols hétérocycliques par un jeu de conversions enzymatiques dans l'intestin. Et la structure de ces phénols ressemble à celle des œstrogènes (25).

On sait également que les Asiatiques, qui consomment tout au long de leur vie des phytoœstrogènes, lesquels font partie de leur alimentation ancestrale, ont très peu de symptômes à la ménopause.

Il semble que ces substances puissent protéger à long terme contre l'ostéoporose et les maladies cardiovasculaires, mais rien n'est encore prouvé à cet égard et des études sont actuellement en cours pour en venir à de telles conclusions. D'autre part, on pense que les phytoœstrogènes diminueraient le cholestérol total, le LDL, et que, s'ils sont consommés avant la puberté, ils pourraient diminuer le risque de cancer du sein (26).

On sait cependant que les phytoœstrogènes sont beaucoup moins puissants que l'œstradiol fabriqué par les ovaires.

Les phytoœstrogènes comprennent les lignanes, les isoflavones et les coumestans. Les premières se trouvent dans l'enveloppe fibreuse des céréales à grain entier, en particulier le lin, et dans certains fruits et légumes. Les deuxièmes (le genistein et le diadzein) sont présentes dans les légumineuses, surtout le soja. Il semble même que le soja puisse améliorer le taux de cholestérol en faisant baisser le C-LDL (27). Les coumestans sont le résultat de la germination (fèves germées) [28].

Les meilleures sources de phytoœstrogènes sont les haricots de soja secs, de même que tous les produits qui contiennent du soja, i.e. le tofu, le miso, le lait de soja, les noix grillées (29).

Une diète contenant 50 g de protéines de soja aurait la même action biologique que 0,3 mg d'œstrogènes conjugués (Prémarine 0,3) ou encore en équivalent d'œstrogènes naturels, 0,5 d'œstradiol (Estrace 0,5). Des diètes traditionnelles à base de phytoœstrogènes peuvent contenir de 150 à 200 g de produits issus du soja. Mais ces diètes contiennent assez peu de protéines d'autres sources.

Enfin, pour en savoir plus long sur le sujet, je vous suggère encore le merveilleux livre de Mme Louise Lambert-Lagacé, déjà cité.

Si les différentes hormones sexuelles jouent un rôle essentiel au niveau du **désir** et du **plaisir**, leur présence et leur équilibre favorisent également une meilleure qualité de vie, ce qui engendre une meilleure disposition aux jeux de l'amour.

Dans la partie suivante, je parlerai de la deuxième hormone sexuelle féminine et son rôle essentiel dans l'équilibre hormonal.

DEUXIÈME PARTIE

La progestérone, une hormone méconnue et trop ignorée

Introduction

Je vais vous raconter mon coup de foudre pour cette hormone extraordinaire et si méconnue qu'est la progestérone.

Un jour de l'hiver dernier, j'étais un peu en retard à mon bureau à cause d'un ennui mécanique de ma voiture. Je savais que ma première patiente était Mme X, très intéressante mais parfois un peu gourmande de mon temps quand elle vient en consultation.

Je la reçus donc en m'excusant de mon retard et, la salle d'attente étant déjà remplie, j'espérai qu'elle n'aurait pas trop de questions à me poser cette fois-là. Elle venait pour un suivi après avoir eu assez de mal à ajuster une HTR qui lui convenait enfin depuis quelques mois et dont elle était ravie, m'avait-elle confié lors de sa dernière visite, deux mois plus tôt.

Quelle ne fut pas ma déception (et presque ma colère) quand elle m'avoua avoir cessé son HTR pour se mettre à la progestérone naturelle sous forme de crème, me brandissant sous le nez le livre assez peu connu du docteur John R. Lee, *What Your Doctor May Not Tell You About Menopause*[1], portant en sous titre : «*The Breakthrough Book on Natural Progesterone*[2]». Elle venait me demander si j'accepterais tout de même de la suivre comme patiente et de lui ajuster la dose de progestérone dont elle aurait besoin.

Ma réaction en fut une d'ignorance et je le regrette maintenant. Je lui avouai ne pas avoir lu ce livre, ne pas être au courant de cette thérapie, et déplorai qu'elle ait cessé son HTR sans m'en avoir parlé, sachant très bien combien celle-ci était indiquée pour son ostéopénie et ses antécédents familiaux de maladies cardiovasculaires.

Elle s'empressa de me répondre que le docteur Lee affirmait que la progestérone était meilleure que les œstrogènes pour les os. Le temps passait et mon retard ainsi que mon impatience augmentaient. Je lui dis finalement que j'allais continuer de la suivre et, me levant, lui fis comprendre que le temps dont je disposais pour elle était écoulé. Je me disais qu'elle aurait vite fait de revenir à son HTR quand elle aurait passé quelques nuits à souffrir de bouffées de chaleur et d'insomnie, et quelques semaines à manquer d'énergie et à être dépressive, symptomatologie qui l'avait amenée en consultation quelques mois plus tôt.

Mais ce livre du docteur Lee occupa mon esprit, je l'avoue, une bonne partie de la journée... Puis je l'oubliai.

Quelques mois plus tard, travaillant à la préparation d'une conférence, je tentai de mettre en opposition les effets secondaires des progestatifs utilisés en HTR et ceux de la progestérone naturelle maintenant disponible en Amérique du Nord.

Chez plusieurs de mes patientes qui se plaignaient surtout de douleurs aux seins, de maux de tête, de ballonnements et d'agressivité, j'avais remplacé les progestatifs par cette progestérone naturelle (Prometrium), et elles s'étaient toutes senties soulagées rapidement de leurs symptômes. J'avais donc réalisé, par mon expérience clinique (et aussi personnelle, je l'avoue), que les effets de la progestérone naturelle étaient très différents et parfois complètement opposés à ceux des progestatifs (Provera, Megace, Micronor, Norlutate, Colprone). Les femmes qui se plaignaient de troubles du sommeil, de sécheresse vaginale ou même de baisse de libido avec les progestatifs avaient souvent corrigé leurs problèmes avec la progestérone naturelle.

J'eus alors envie de lire ce livre du docteur Lee et demandai à ma secrétaire de rappeler ma patiente pour en savoir le titre, le nom complet de l'auteur et celui de la maison d'édition. Grâce aux démarches de ma libraire, je finis par mettre la main sur ce volume, quelques jours avant mon départ pour les vacances d'été.

Cependant, comme je vis en voilier une bonne partie de l'année et que j'utilise ce temps d'arrêt pour écrire, je dois apporter toute la documentation dont j'ai besoin car les bibliothèques ne sont pas toujours situées près des ports et les livres sont souvent dans la langue du pays où l'on se trouve. Même si mon mari et moi parlons plusieurs langues, notre vie à bord nous laisse peu de temps pour séjourner dans les bibliothèques, surtout quand nous sommes en Méditerranée et que les îles à visiter sont paradisiaques. Et malgré que je m'embarque à chaque année avec le ferme propos de faire cent mille choses, je suis toujours étonnée de manquer de temps. La vie s'est donc chargée, cet été-là, de me mettre dans les conditions nécessaires pour lire ce livre que j'avais apporté avec plusieurs autres : d'abord une entorse au pied (avec rechute après deux semaines), et, quelques jours plus tard, fracture de deux côtes, la planche qui nous servait de passerelle pour monter à bord s'étant dérobée sous mes pieds... Ces événements eurent donc comme conséquence de m'immobiliser une bonne partie de l'été.

Quand je parvins à être capable, sans trop souffrir, de me tenir dans une position confortable, j'entrepris la lecture de ce livre du docteur Lee, que j'eus tôt fait de terminer puisqu'il n'est pas très volumineux.

Bien que n'étant pas tout à fait d'accord avec son opinion un peu trop négative sur les œstrogènes, je considérais que tout ce qu'il disait de positif sur la progestérone méritait qu'on s'y arrête un peu plus. Comme je prévoyais de terminer l'écriture de ce livre que vous lisez actuellement, j'avais également apporté un précis d'endocrinologie de la reproduction, une brique de plus de 1 100 pages. Je disposais donc d'un bon livre de base pour vérifier aux sources toutes les informations et affirmations du docteur Lee et pour comprendre davantage toute la biochimie de la progestérone et des progestatifs de synthèse.

J'adore l'endocrinologie et ce fut donc une belle mais également utile convalescence que je vécus, à m'instruire sur les hormones sexuelles, tantôt dans le cockpit sous la toile pour me protéger du soleil méditerranéen, tantôt dans le carré du bateau, quand il faisait trop chaud dehors, notre voilier étant ancré dans l'une des nombreuses petites baies de Majorque, de Minorque (dans les Baléares), puis ensuite en Corse et en Sardaigne. «La misère est moins pénible au soleil», dit la chanson d'Aznavour…

Je ne verrai jamais plus la progestérone de la même manière, car, de découverte en découverte, elle m'avait fascinée pendant toute cette croisière dans le monde des hormones stéroïdiennes. Je déplorais par ailleurs les trop brèves notions que j'avais reçues sur ces hormones durant mon cours de médecine, et surtout le peu qu'on enseigne encore aujourd'hui sur la progestérone, mais aussi le manque d'intérêt qu'on lui porte, si j'en juge par ce qu'on en dit (ou ce qu'on en ignore, plus précisément) dans les revues médicales spécialisées.

Férue de toutes ces nouvelles notions que j'avais acquises par mes récentes études, je relus le livre du docteur Lee avec un œil plus ouvert, moins méfiant. L'ayant terminé, je m'empressai de lui écrire pour lui faire part de l'expérience positive que, grâce à lui, je venais de vivre. J'en profitai pour commander son premier livre, publié à compte d'auteur et destiné à ses confrères, et dont, hélas, nous n'avions jamais entendu parler, sinon en quelques brèves lignes dans les dernières pages d'une revue médicale. Je me souviens d'en avoir pris connaissance, mais ça n'avait, pas plus chez moi que chez mes confrères, suscité un grand intérêt.

Peu de temps avant Noël 1997, je reçus enfin ce livre, *Natural Progesterone : the Multiple Roles of a Remarkable Hormone*[3], petite brochure d'une centaine de pages, hélas sans réponse du docteur Lee à ma lettre de l'été. Dommage ! La tradition épistolaire se perd, à l'âge de l'Internet…

Connaissant mieux les avantages de la progestérone naturelle, je me mis à interroger davantage celles de mes patientes qui étaient traitées avec celle-ci (i.e. Prometrium), et leurs dires ont confirmé à chaque fois mes intuitions face à ce produit. Le docteur Lee a raison sur un point important : la progestérone naturelle est très différente des progestatifs et vaut la peine qu'on s'y arrête et qu'on l'étudie à fond.

Aussi, avec cette progestérone naturelle (Prometrium), nous avons maintenant une expérience de trois ans, et, plus j'en parle avec mes confrères qui l'utilisent auprès de leurs patientes ou avec les femmes qui la reçoivent en HTR, plus nous réalisons que ce produit est très différent des progestatifs.

C'est pourquoi je veux à tout prix la réhabiliter à vos yeux et lui redonner ses lettres de noblesse.

Je m'en voudrais toutefois de ne pas prendre auparavant quelques lignes pour vous dire deux mots sur le docteur John Lee, qui est tout de même à l'origine de cette découverte par nous de la progestérone, et à qui nous devons aussi, grâce à ses recherches cliniques, plusieurs nouvelles notions sur cette merveilleuse hormone.

Le docteur Lee est un omnipraticien qui a fait ses études à l'université du Minnesota et complété son internat à l'hôpital général de Minneapolis. Il commença sa pratique générale en 1959 en Californie et c'est vers 1980, alors que, comme lui, sa clientèle avait vingt ans de plus, qu'il s'interrogea sur l'HTR. Comme, à cette époque, les œstrogènes étaient déjà suggérés pour empêcher le vieillissement osseux, avec le calcium, il se demanda comment on pouvait traiter ce problème chez les femmes pour qui les œstrogènes étaient contre-indiqués. Il assista alors à une conférence du docteur Ray Peat, biochimiste. Ce dernier fit un exposé sur la progestérone et ses nombreuses fonctions, y compris sa capacité de refaire la masse osseuse, soulignant alors l'ignorance de toutes ces notions par la médecine de l'époque.

Le docteur Lee commença donc à recommander l'usage de la progestérone naturelle, vendue alors aux États-Unis sous forme de crème pour hydrater la peau. Heureuse coïncidence, un autre médecin, le docteur Malcolm Powell, venait d'ouvrir un bureau non loin du sien et de se munir d'un appareil servant à faire des ostéodensitométries, i.e. à mesurer la densité osseuse et à diagnostiquer l'ostéopénie et l'ostéoporose.

À sa grande surprise, la masse osseuse de ses patientes employant de la progestérone naturelle s'améliorait, et ce sans la prise d'œstrogènes. Il nota en outre que la progestérone, en plus d'augmenter la masse osseuse, améliorait également la qualité de vie de ses patientes. Les maladies fibrokystiques du sein s'estompaient, et ceux et celles qui souffraient d'hypothyroïdie se portaient mieux et pouvaient même diminuer leur dose d'extraits thyroïdiens. Il remarqua également que les patientes qui utilisaient la progestérone naturelle avaient plus de facilité à perdre du poids.

Au gré de ses expériences cliniques avec cette hormone méconnue, il en vint à écrire un premier livre, pour en informer tous ses confrères, puis ensuite un deuxième, à l'intention du grand public.

Actuellement, le docteur Lee donne des cours dans des universités américaines pour faire partager sa connaissance et ses expériences cliniques bénéfiques sur cette hormone si longtemps méconnue et sous-estimée, la **progestérone**.

Cependant, je diffère d'opinion avec le docteur Lee sur un point : je crois qu'il est important, sinon essentiel (quand, bien sûr, il n'y a pas de contre-indications), d'associer les œstrogènes à la progestérone. Car je crois que seul l'équilibre entre les différentes hormones peut amener la qualité de vie. Nous avons d'ailleurs pu constater dans toute la première partie de ce livre combien les œstrogènes sont essentiels au **plaisir** et à sa qualité, par leur action à différents niveaux de notre corps, que ce soit pour le sommeil, l'humeur, la santé des os et du cœur, ou celle de l'alcôve de nos amours, i.e. notre plancher pelvien.

Nous parlerons d'abord de l'origine de la progestérone et de ses rôles, plus variés qu'on ne le croit à prime abord. Nous verrons ensuite ce qui la différencie des progestatifs de synthèse, puis ses bienfaits et les effets secondaires des progestatifs. Quelques histoires de cas vous permettront de mieux comprendre, rendant plus humaine et plus attrayante l'étude de cette hormone.

1

L'origine de la progestérone et ses fonctions dans notre vie

La plupart d'entre vous sont sans doute convaincues que la progestérone est une hormone qui n'est fabriquée que par les ovaires et qu'elle ne sert qu'à assurer la poursuite de la grossesse si l'ovule est fécondé. Vous savez peut-être que, sans fécondation, son niveau chutera à la fin du cycle, entraînant la menstruation. Et certaines d'entre vous sont même persuadées qu'à la ménopause il vaudrait mieux être hystérectomisée que d'avoir à consommer cette hormone qui ne sert qu'à protéger l'utérus contre le cancer si l'on décide de prendre des œstrogènes. Ainsi, ce serait plus simple !

J'ai bien l'intention de vous convaincre du contraire.

Qui fabrique la progestérone ?

La progestérone provient de deux sources : le corps jaune[1] et la surrénale.

Voyons d'abord sa première provenance. Elle est en grande partie fabriquée par l'ovaire et plus précisément par le corps jaune après l'ovulation, et sa synthèse est poursuivie durant la deuxième partie du cycle. Si l'ovule n'est pas fécondé, la fabrication de la progestérone chute à la fin du cycle. Cet épaississement, préparé par la sécrétion des œstrogènes pendant tout le cycle, a pour but de permettre la nidation de l'œuf s'il y a fécondation. Mais si cette dernière ne survient pas, la chute de la progestérone entraîne alors une desquamation de l'endomètre, qui redevient mince à la fin de la menstruation.

Vous comprenez donc ici que, si vous avez encore votre utérus et décidez, à la ménopause, de profiter des bienfaits d'une œstrogénothérapie pour vos os, vos artères, votre cœur et la qualité de vie que cette hormone procure, vous devez prendre également de la progestérone, qui, par son effet différent et à la fois complémentaire de celui des œstrogènes sur l'endomètre, préviendra un épaississement désordonné qui pourrait dégénérer en un cancer de cet organe sans la protection de la progestérone.

Il est bon que vous sachiez aussi que c'est également le corps jaune qui, pendant les premières semaines de grossesse, assure la fabrication de fortes doses de progestérone, essentielle au maintien de cette grossesse. Ensuite, le placenta prend la relève pour continuer d'assurer la présence de la progestérone et permettre de rendre le fœtus à terme. De plus, la progestérone, produite d'abord par le corps jaune puis par le placenta à doses très élevées, semble nécessaire à la tolérance immunitaire du fœtus par la mère (1). Intéressant, n'est-ce pas ? Car, sans elle, la mère pourrait développer des anticorps contre son bébé, qu'elle considérerait alors comme un corps étranger !

Arrêtons-nous un peu ici sur ce qu'on ressent dans les premiers mois de grossesse. Fortes doses de progestérone : envie de dormir partout. Plus fortes doses de progestérone, mais aussi d'œstradiol pour assurer la nidation de l'œuf : nausées. Ensuite, la progestérone atteint sa vitesse de croisière et persiste à être assez élevée dans le sang : on se sent en pleine forme, on est ravissante, on est pleine d'énergie, la libido est à son meilleur, on dort bien, on récupère bien. Bref, la vie est belle et plusieurs femmes nous confient qu'elles sont très bien quand elles sont enceintes et qu'elles préfèrent cet état, qui ne peut, hélas, être permanent. Qu'arrive-t-il dans la période qui suit l'accouchement? Il y a un sentiment de tristesse, de lassitude, de dépression même, chez certaines femmes, symptômes qu'on avait attribués à tort uniquement à la chute des œstrogènes. Celle-ci est minime par rapport à la forte chute de progestérone survenant avec la fin de la grossesse et l'accouchement.

Et en cours de route, pendant la grossesse, tant dans les premiers mois que dans les derniers, s'il y a chute de progestérone, survient alors la fausse couche ou la naissance prématurée du bébé. Chez plusieurs femmes qui ne parviennent pas à devenir enceintes et qui sont examinées pour infertilité, on trouve souvent une carence en progestérone.

Outre celle qui est fabriquée par le corps jaune ou par le placenta, il y a une certaine quantité de progestérone qui est fabriquée ailleurs dans notre corps et qui a un rôle à jouer sur notre santé.

D'où vient la progestérone?

La progestérone est fabriquée à partir du cholestérol et plus précisément du LDL (le mauvais cholestérol).

D'abord, pendant la première partie du cycle menstruel, le cortex (ou enveloppe) de la glande surrénale fabrique un peu de progestérone, de même que d'autres

La progestérone et son importance

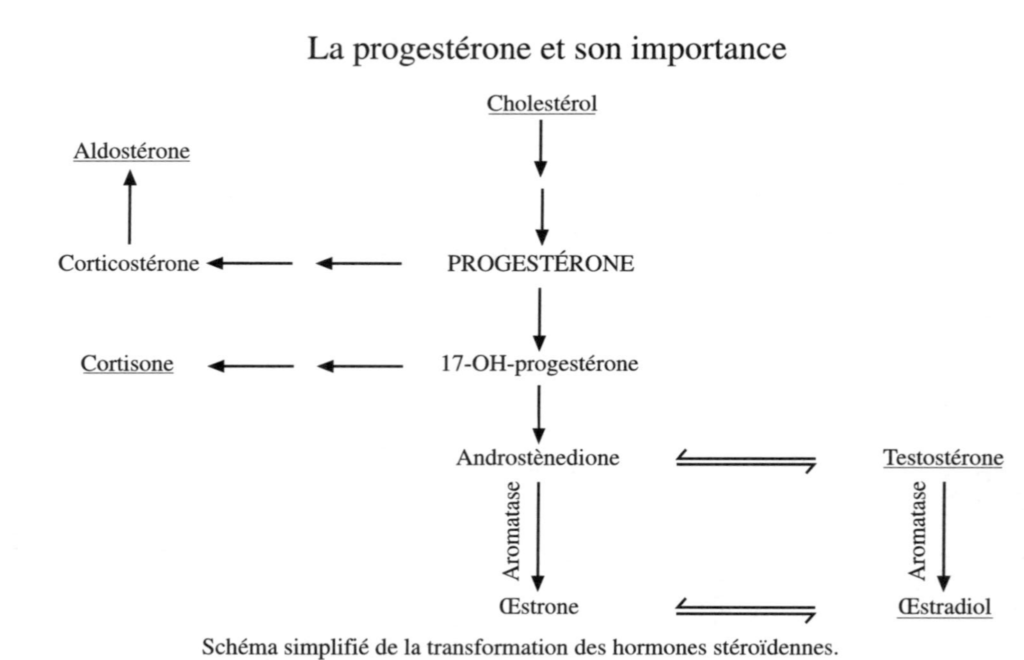

Schéma simplifié de la transformation des hormones stéroïdennes.

Illustration 14

tissus, dont le foie et les ovaires. Le cholestérol est d'abord transformé en prégnénolone dans les mitochondries[1] des cellules de ces organes, puis en progestérone (2).

Pourtant, on ne cesse d'entendre dire du mal du cholestérol ! Il faudrait même s'interroger sur un point : n'est-ce pas justement parce qu'elles sont privées d'un apport raisonnable de gras (dont le cholestérol) que des femmes suivant des régimes trop sévères, des athlètes sous entraînement draconien et les anorexiques connaissent très souvent des cycles anovulatoires avec carence en progestérone, situation qui amène hélas, chez ces groupes de femmes, une perte osseuse ? Ne sont-elles pas privées de l'élément de base pour la fabrication de leur progestérone ?

Et avons-nous tenté de comprendre pourquoi, en périménopause, le LDL augmente ? Si moins de progestérone est fabriquée, son produit de base, i.e. le LDL, se trouve en surplus dans le sang… C'est logique, il me semble !

Si l'on continue d'observer la chaîne de transformation vers le bas (voir illustration 14), on pourra encore mieux comprendre l'importance de la progestérone dans l'équilibre hormonal ainsi que sur la santé en général.

En effet, si vous regardez le tableau de l'illustration 14, vous réaliserez qu'à partir de la progestérone notre corps fabrique plusieurs autres hormones bien importantes (3). Ainsi, une partie de la progestérone servira à la fabrication des hormones corticoïdes (cortisol, corticostérone, cortisone…), qui nous permettent de réagir au stress et de nous défendre contre les agressions, comme nous l'avons mentionné dans le premier chapitre. Une autre partie de la progestérone s'unira à une molécule (la 17 alpha-hydroxy) pour fabriquer les autres hormones surrénaliennes, mais se transformera aussi en androstènedione, qui formera la testostérone mais également nos trois œstrogènes : l'œstrone, l'œstradiol et l'œstriol (4). Intéressant, n'est-ce pas?

Donc, sans corticoïdes, pas de réponse au stress, épuisement, maladies de tout genre. Sans testostérone, pas d'appétit sexuel ni de libido! Sans œstrogènes, problèmes cardiaques, vasculaires, osseux et j'en passe!

Vous voyez facilement l'importance de cette hormone qu'est la progestérone puisqu'elle est impliquée dans une partie de la fabrication de plusieurs autres hormones essentielles à la santé et à l'équilibre de la vie, donc **au plaisir**!

Saviez-vous que l'on trouve également de la progestérone chez l'homme? Bien sûr, elle y est en des quantités aussi faibles que chez la femme en début de cycle.

Chez l'homme, elle suit également la même cascade à partir du cholestérol et cette fabrication se retrouve dans les testicules de même que dans le foie ou d'autres tissus. Le LDL est par ailleurs chez lui la source la plus importante de testostérone.

> Les mitochondries des cellules de Leydig des testicules comme celles de la glande surrénale, de l'ovaire et du placenta ont la capacité unique de produire le prégnénolone et donc de la progestérone à partir du cholestérol (5).
>
> Récemment, on a découvert que certaines zones du cerveau seraient également munies de cette propriété de clivage de la chaîne de cholestérol pour en faire du prégnénolone et ensuite de la progestérone (6). Ainsi, chez l'homme, le prégnénolone est transformé en testostérone, dont 95 % proviennent des testicules (7).

Le cholestérol sert également à fabriquer les acides biliaires et la vitamine D. Cette vitamine est très importante, comme le calcium, pour la santé des os. Avouez que je vous étonne avec ces belles fonctions du cholestérol !

Nous savons maintenant d'où provient notre progestérone, et, par son implication dans la genèse des stéroïdes, nous pouvons comprendre ses différents rôles dans le corps humain en général. C'est ce à quoi nous allons nous attarder maintenant. Car son rôle, vous le verrez, dépasse de beaucoup son utilité dans la poursuite de la grossesse ou l'équilibre de l'endomètre.

Les divers rôles de la progestérone

Voyons maintenant les rôles de la progestérone et considérons l'avantage de la remplacer par de la progestérone naturelle, puisque leurs molécules sont identiques et leurs propriétés, très semblables.

La progestérone (8)...

1) **agit sur les tissus et certains organes** de la façon suivante :
   - elle normalise la coagulation sanguine
   - elle aide à transformer le gras en énergie en facilitant la perte de poids
   - elle améliore la digestion (et aide l'intestin à mieux fonctionner)
   - elle agit comme diurétique naturel

2) **agit sur l'os** de la manière suivante :
   - elle aide à prévenir et à contrôler l'ostéoporose
   - elle stimule la fonction ostéoblastique qui régénère l'os

3) **agit sur le système nerveux** de la façon suivante :
   - elle améliore l'acuité mentale
   - elle agit comme antidépresseur naturel
   - elle améliore le sommeil (et calme)

4) **agit sur le métabolisme de plusieurs hormones** de la manière suivante :
   - elle est précurseur de la corticostérone (les hormones de stress)
   - elle est précurseur des œstrogènes et de la testostérone
   - elle aide à rétablir la libido
   - elle facilite l'action de l'hormone thyroïdienne

5) **agit sur les seins et l'utérus** de la façon suivante :
   - elle protège des kystes aux seins
   - elle permet l'équilibre de l'endomètre et le protège contre le cancer
   - elle protège possiblement contre le cancer du sein.

Revoyons plus en détail chacun de ces groupes de fonctions de la progestérone.

1) Son action sur les tissus et certains organes

La progestérone a un effet contraire à celui de l'œstradiol sur les vaisseaux. Il existe, semble-t-il, des récepteurs spécifiques, tant à œstrogènes qu'à progestérone, sur la paroi veineuse. Ils sont plus abondants dans la deuxième partie du cycle, quand la progestérone augmente. Alors que les œstrogènes augmentent la rétention de l'eau et du sel, la perméabilité capillaire et la vasodilatation, la progestérone, au contraire, diminue ces trois fonctions. C'est donc l'équilibre hormonal qui permet d'éviter les désordres veineux (9). Ainsi, on sait qu'une femme qui a des varices doit surveiller l'évolution de ses jambes si elle prend des œstrogènes seuls, surtout si elle a déjà eu des phlébites. On ne peut actuellement affirmer de façon certaine que l'HTR peut augmenter ce problème. Cependant, dans le doute, on favorisera la prise transdermique d'œstrogènes, dans le cas d'antécédents de cette atteinte, évitant ainsi le premier passage hépatique de l'hormone. On sait que les facteurs de coagulation sont fabriqués dans cette usine naturelle qu'est le foie, de même que plusieurs autres substances qui circulent dans notre sang. Il semble que l'œstradiol absorbé sous forme transdermique a peu d'effets sur les facteurs de coagulation, alors que la Prémarine peut agir sur l'un d'eux, l'antithrombine III. La progestérone, pour sa part, serait responsable de la fibrinolyse[3] (10). Sa présence équilibre donc l'action de l'œstradiol, tant sur les parois que dans le sang.

L'œstradiol cause de l'œdème des tissus mais la progestérone inhibe cet effet. Ainsi, en clinique, l'œdème cyclique idiopathique (rencontré dans les cas d'anovulation ou de dysovulation, où la progestérone est souvent très faible) est un problème qui se situe au niveau de la perméabilité capillaire. On le corrige en donnant de la progestérone naturelle (11).

On explique de la même façon le ballonnement abdominal et les problèmes de constipation et de diarrhée rencontrés également en préménopause chez les femmes ayant une carence en progestérone, de même que chez celles qui souffrent de SPM[4], où une insuffisance partielle de progestérone est en cause. Or, tous ces symptômes sont corrigés et la digestion ainsi que le fonctionnement de l'intestin se trouvent améliorés avec la prise de progestérone naturelle.

S'il y a diminution de l'œdème, il y aura une plus grande facilité à perdre du poids. Il faut faire attention cependant car à trop forte dose la progestérone naturelle peut stimuler l'appétit (comme lors de la grossesse, où il y a un haut niveau de progestérone), ce qu'on rencontre plus souvent comme effet secondaire négatif, surtout lors de la prise de progestatifs. Dans les cas de boulimie (faim sans contrôle), on trouve d'ailleurs souvent une hyperœstrogénie relative (12).

D'autre part, la progestérone de notre corps agit comme diurétique naturel. Ainsi, son remplacement par la progestérone naturelle favorise également l'élimination de l'eau et du sel et diminue l'œdème, en bloquant le récepteur de l'aldostérone au niveau du rein (13). L'aldostérone est un minéralocorticoïde fabriqué par la surrénale, comme nous l'avons vu plus haut, et qui est responsable de la rétention d'eau et de sodium et de l'excrétion du potassium.

2) Son action sur les os

La progestérone stimule la formation de l'os et complète l'action des œstrogènes sur la résorption (ou remaniement cyclique). On a découvert des récepteurs à progestérone sur les ostéoblastes. Ces dernières sont les cellules de formation de l'os. Il pourrait donc y avoir une action directe spécifique de la progestérone sur la fabrication de l'os (14).

On remarque par ailleurs que la production de progestérone est élevée dans la deuxième partie du cycle (phase lutéale) et très basse dans la période de prépuberté et à la ménopause. L'absence de menstruation consécutive à une anovulation chronique présente justement une carence chronique en progestérone. Il est donc probable que même en présence d'œstrogènes la carence de progestérone cause une perte osseuse.

> Une étude faite sur des rats (Barballa) traités pendant trois mois avec de la progestérone montrait chez ces ceux-ci la même densité minérale et parfois même une densité supérieure (mesurée au DEXA) à celle du groupe traité avec des œstrogènes. On en conclut que cliniquement les œstrogènes et la progestérone semblent devoir être associés pour un meilleur traitement de prévention de l'ostéoporose (15).

Une autre étude, faite cette fois sur des femmes, est également très intéressante à cet égard. Un groupe de 66 femmes ne semblant avoir aucun problème d'ovulation furent observées pendant un an. Ces femmes étaient de poids normal, ne prenaient pas d'anovulants, avaient des cycles réguliers, d'une longueur normale et avec les caractéristiques d'une ovulation normale, i.e. phase lutéale d'au moins 10 jours.

On a réussi, malgré des cycles réguliers (3 % furent de longueur anormale), à noter que les perturbations ovulatoires étaient fréquentes. Malgré des cycles réguliers, il y avait parfois une phase lutéale courte ou absente (16). Ce n'est pas grave, me direz-vous, de ne pas ovuler de temps à autre, ce qui arrive souvent en périménopause, et même dans les premières années de menstruation.

Eh bien ! détrompez-vous ! Cette étude a prouvé que les femmes qui avaient eu absence d'ovulation durant l'année avaient perdu 4 % de la masse osseuse de leur colonne alors que celles qui avaient eu leurs ovulations

Triade de l'anorexique et de l'athlète féminine

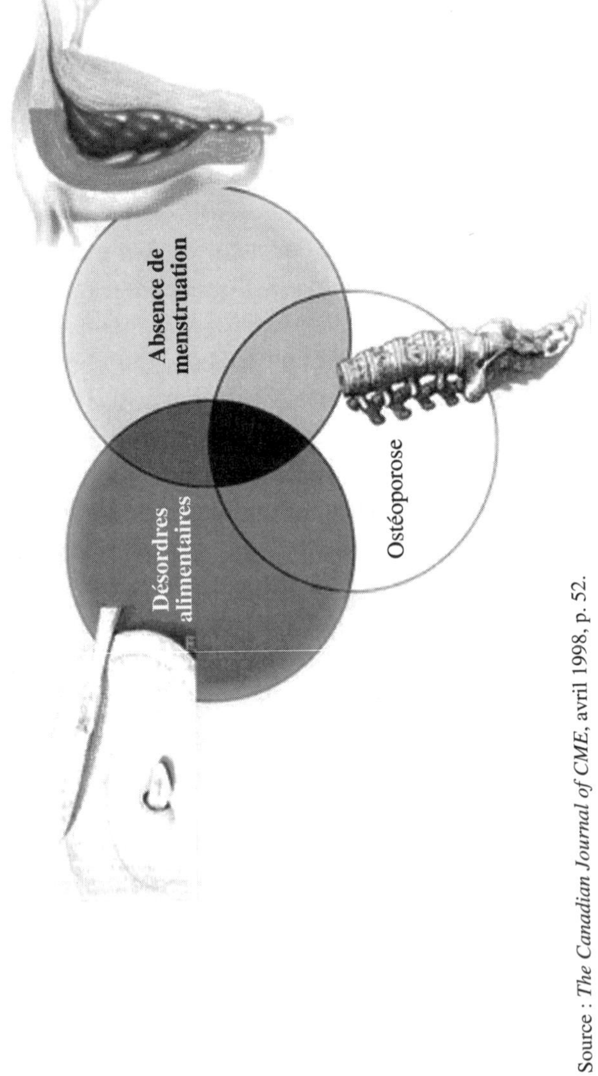

Source : *The Canadian Journal of CME*, avril 1998, p. 52.

Illustration 15

normales n'avaient pas perdu de masse osseuse et même en avaient gagné.

Il faut également être très attentif aux femmes qui n'ont pas de règles pendant plusieurs mois (les anorexiques ou les athlètes, par exemple), car la carence en progestérone (mais aussi en œstrogènes) cause également une perte osseuse chez ces femmes (voir illustration 15). Ces facteurs de risque d'ostéoporose, fréquents et trop silencieux, nous font souvent subir une perte osseuse avant même la ménopause.

Ainsi, j'ai trouvé une ostéopénie importante chez des femmes dont certaines n'avaient que 35, 37 et 41 ans. Elles présentaient parfois même de l'ostéoporose, et, chez elles, toute autre cause d'ostéoporose secondaire avait été éliminée par des bilans sanguins approfondis. La carence en progestérone s'ajoutant à un manque d'œstrogènes lors de cycles trop courts ou en l'absence de menstruation en était la cause.

D'autre part, une femme de 38 ans (ostéoporose avec un score T à -2,73) avait eu beaucoup de mal à devenir enceinte parce qu'elle présentait très souvent des cycles sans ovulation avec carence chronique en progestérone. Elle ne parvint à mener une grossesse à terme qu'à la suite de l'ablation de très gros kystes sur l'un de ses ovaires, lesquels l'empêchaient d'ovuler. Il ne lui reste d'ailleurs que des petits morceaux d'ovaire, ce qui pourrait lui causer une ménopause précoce.

Une autre dame, âgée de 42 ans, n'a jamais pu avoir d'enfant. Elle se souvient d'avoir reçu de la progestérone lors de sa seule grossesse, qu'elle ne put d'ailleurs mener à terme. Son médecin lui avait dit qu'elle manquait de progestérone de façon chronique. Elle a eu toute sa vie des cycles très courts (20-22 j.) et sans doute n'a ovulé que quelques fois. Sa carence chronique en progestérone m'explique aujourd'hui son ostéopénie (score T à -1,85).

«La progestérone est donc nécessaire pour activer le remodelage de l'os, mais aussi pour promouvoir la formation de tissu osseux (17).»

Il semble même que, chez les femmes postménopausées qui cessent de suivre leur hormonothérapie, la perte osseuse soit plus rapide chez celles qui ne prenaient que des œstrogènes, par rapport à celles qui prenaient œstrogènes et progestérone (18).

3) Son action sur le système nerveux

Un groupe de chercheurs a démontré que la progestérone a un effet calmant et a empêché les crises d'épilepsie chez des animaux chez qui on avait expérimentalement créé un foyer épileptogène[5] (19).

On a d'ailleurs démontré l'existence de récepteurs spécifiques à la progestérone dans le cerveau et l'hypothalamus du singe rhésus (20).

Une corrélation a pu être établie entre certains symptômes psychiatriques et les phases des cycles menstruels : «Backstroïn et Cartensen ont entre autres démontré que les femmes qui souffraient d'anxiété prémenstruelle avaient, en phase lutéale, une sécrétion insuffisante de progestérone (21)...»

On connaît par ailleurs l'effet sédatif de la progestérone chez la femme enceinte, qui se traduit par un rythme plus lent à l'électroencéphalogramme, en fin de grossesse (22).

Avez-vous déjà entendu parler des endorphines? Ce sont des substances opioïdes[6] du cerveau qui, un peu comme la morphine, ont un rôle calmant et analgésique sur notre corps. Elles peuvent même provoquer un état naturel d'euphorie. La plus connue est la bêta-endorphine (23). C'est son effet que recherchent les grands sportifs dans leur désir de toujours se dépasser. Cela tient au fait que les endorphines, tout comme la morphine, créent une sorte de dépendance si leur production est stimulée à l'excès. D'autre part, il semble que le «grand frisson solennel» que ressentent musiciens et mélomanes en écoutant certaines pièces de musique, cette grande exaltation, résulte de la libération d'endorphines. C'est aussi de cette façon que la musique de certains compositeurs (entre autres, Mozart) peut calmer et même endormir.

La sécrétion de bêta-endorphines est réglée par les stéroïdes de nos ovaires. Après une ovariectomie, la concentration en bêta-endorphines est à peine détectable, mais elle est rétablie après l'administration d'œstradiol et surtout avec association de progestérone. Le rôle prépondérant des bêta-endorphines en physiologie s'exerce surtout pendant la phase lutérale, i.e. la deuxième partie du cycle (donc en présence de la progestérone) [24].

La bêta-endorphine joue un rôle dans l'état de bien-être et de relaxation, en plus d'être un analgésique naturel (25). J'ai lu quelque part que c'est par la libération de cette substance extraordinaire qu'à la longue les gens qui se font torturer peuvent arriver à supporter la souffrance jusqu'à un certain point. J'ai également lu dans le même article qu'il est possible que certaines personnes se suicident à la suite d'un événement banal alors que ces mêmes personnes avaient pu jusque-là traverser des difficultés incommensurables. On pense alors que ces personnes auraient épuisé momentanément leurs réserves d'endorphines. Il semble que ces substances aient une très courte vie, soit de quelques secondes à quelques minutes.

Si la bêta-endorphine calme, il semble qu'en son absence on puisse ressentir une grande agitation et connaître de l'insomnie. D'autre part, le sourire, le toucher et les pensées positives peuvent agir sur le bien-être et les émotions en activant la libération de cette substance qui calme et détend (26). Le toucher en particulier, également nommé la vitamine «T» (27), par le jeu de substances telles l'endorphine et l'ocytocine[7], pour ne nommer que celles-là, ralentit notre pouls et notre rythme cardiaque, calme le stress et augmente le bien-être (28). Ainsi, on peut comprendre l'importance de la progestérone pour rétablir l'équilibre, même au niveau de ces substances essentielles à notre santé (29).

La progestérone, par son action sur la libération d'endorphines, serait donc tranquillisante, sédative et même anesthésique dans certains cas.

La progestérone est donc essentielle au bien-être, préambule du **désir** et du **plaisir**.

Les femmes en général ont remarqué qu'elles se sentaient davantage prêtes à foncer, à travailler sur un nouveau projet, ou ressentaient plus de créativité pendant la deuxième partie de leur cycle, sans doute parce qu'il y a présence de plus de progestérone au niveau de leur cerveau, mais aussi parce qu'elles sont plus reposées si elles dorment mieux. Certaines m'ont même parlé de l'agressivité positive qu'elles ressentaient durant cette période, et quand je leur ai demandé, les sachant sous progestérone naturelle, si elles préféraient revenir à des progestatifs, elles s'en sont bien gardées, m'avouant qu'elles étaient à présent capables de prendre leur place et ne plus se plier aux moindres caprices de leur entourage.

On a noté que certains contraceptifs pouvaient causer un déficit en vitamine B6, ce qui amène de la dépression (30). Ils peuvent également faire diminuer les niveaux endogènes de progestérone, i.e. celle qu'on fabrique, et ainsi augmenter l'anxiété et faire interférence au désir et à l'activité sexuelle (31). De la même manière, certains progestatifs augmentent le SPM, alors que la progestérone naturelle diminue la survenue de ce syndrome. C'est encore probablement au niveau de la vitamine B6 et de sa carence que se situe la cause des SPM. En préménopause, quand les femmes ressentent ces problèmes, l'association de vitamine B6 et de capsules d'huile d'onagre vient à bout de ces symptômes. La progestérone endogène, i.e. celle que notre corps fabrique, aurait-elle une interraction à ce niveau?

4) Son action sur le métabolisme des autres hormones

Comme on a pu le constater, la progestérone est impliquée dans la chaîne de la genèse des autres stéroïdes, tant ceux qui nous font réagir au stress, comme le cortisol, la noradrénaline et l'adrénaline, que ceux qui font la synthèse de la testostérone responsable de notre **désir** et de notre libido.

La progestérone est également impliquée dans l'équilibre de l'eau que contient notre corps, ainsi que des minéraux (sodium, potassium, etc), puisqu'elle est diurétique par son action sur l'aldostérone, comme on l'a mentionné plus haut (illustration 14).

Alors, on peut imaginer que, si l'on manque de progestérone ou si notre fabrication naturelle de cette hormone est grandement diminuée, on éprouvera des symptômes aussi variés que les hormones manquantes en cause. De plus, comme la progestérone a un rôle d'équilibre avec les œstrogènes, son absence entraînera des effets exagérés de la présence des œstrogènes. Les symptômes seront alors de l'enflure, du gonflement et des douleurs aux seins, des ballonnements, des troubles digestifs, de l'œdème aux jambes, des douleurs abdominales et une grande fébrilité (sorte d'énervement intérieur impossible à calmer et qui est le propre d'un surplus d'œstradiol). En donnant de la progestérone, on ramènera l'équilibre et l'on soulagera tous ces symptômes causés par un surplus d'œstrogènes.

L'action de la progestérone est également différente de celle de l'œstradiol sur le muscle utérin : elle est relaxante (32).

D'autre part, s'il y a une déficience de fabrication ou un ralentissement de synthèse des hormones de stress, la femme connaîtra un état d'épuisement, une absence de résistance à tous les microbes, bref, un mal de vivre total. Et comme à cela s'ajoute souvent la carence en testostérone, elle présentera un amincissement des cheveux, qui deviendront cassants, une peau sèche et des démangeaisons constantes que rien ne soulagera (33). Car l'effet du surplus d'œstrogènes bloque les récepteurs de la testostérone au niveau de la peau, comme nous l'avons savamment expliqué dans le premier chapitre de la première partie. (Je vous l'avais bien dit que cela servirait tout au long de ce livre!) D'autre part, la libido se verra également diminuée.

On a noté une diminution de la testostérone chez des femmes en ménopause dont l'HTR contenait certains progestatifs (34). Cela ne se produisait pas chez celles qui recevaient de la progestérone naturelle.

Par ailleurs, la présence de progestérone naturelle favorise l'action de l'hormone thyroïdienne, sans doute par son effet antiœstrogénique permettant, encore là, l'équilibre. En effet, on a remarqué que la dominance d'œstrogènes (si non opposée à la progestérone) peut nuire à l'action de l'hormone thyroïdienne dont 75 % à 80 % est liée à une protéine qui la transporte, la TBG (35). L'hormone active est, comme dans le cas des stéroïdes (œstrogènes, androgènes et progestérone), la partie libre, non liée à la protéine de transport. Or, les œstrogènes augmentent la production de TBG (vous vous souvenez de l'autobus vert?) dans le foie et élèvent ainsi le taux d'hormones liées (donc non actives) dans le sang (36). Il en résulte un état semblable à de l'hypothyroïdie, à cause de la baisse d'hormone active, avec les symptômes suivants : fatigue, prise de poids, peau sèche, etc. (37). Au contraire, la progestérone rétablit l'équilibre en facilitant l'utilisation cellulaire de l'hormone thyroïdienne (38).

En préménopause, les femmes se plaignent parfois de peau grasse et d'acné. On a vu précédemment que c'est la progestérone qui est déficiente en premier dans cette période de la vie. Or, c'est justement elle qui, quand il y a équilibre, entre en compétition avec la testostérone auprès de l'enzyme 5-alpha-réductase (39) [illustration 7]. Ainsi, sans la présence de la progestérone pour bloquer l'action de l'enzyme, la DHT s'élève dans le sang et est responsable de cette peau grasse, de cette acné et des poils que l'on voit apparaître au menton et qui nous font horreur, gâchant même parfois la vie de certaines !

5) Son action sur les seins et l'utérus

Plusieurs expériences faites sur des animaux suggèrent vivement que les œstrogènes et la progestérone agissent de façon contraire sur le sein. Les œstrogènes stimulent la formation de certaines cellules (épithéliales), mais, si cette stimulation est excessive, elle peut conduire à la formation de kystes, entraîner un œdème du tissu conjonctif et, plus tard, amener une fibrose. Le rôle de la progestérone est plus difficile à définir. Il semble qu'elle bloquerait, par son action antiœstrogénique, la prolifération des cellules et diminuerait ou permettrait d'éviter l'œdème du tissu conjonctif. Donc, si l'on associe harmonieusement ces deux hormones, on pourrait logiquement éviter l'apparition de ces problèmes de fibrose et de kystes (40).

> Ainsi, chez la rate et la chèvre castrée, de fortes doses d'œstrogènes ont provoqué la formation de kystes et de fibrose du tissu mammaire, assez semblable aux modifications observées dans la maladie fibrokystique du sein chez la femme. Cependant, si la progestérone était associée aux œstrogènes dans un rapport adéquat, on a observé au contraire chez ces animaux un développement harmonieux de la glande mammaire (41).
>
> On a également tenté de provoquer des cancers du sein chez des animaux exposés à des agents cancérigènes, en leur administrant de surcroît de fortes doses d'œstrogènes synthétiques, seuls ou associés à de la progestérone. Chez ce dernier groupe, l'administration continue de progestérone les protégeait de l'action cancérigène synergique des œstrogènes et des radiations (42).

Essayons donc de comprendre de quelle manière ces deux hormones peuvent agir sur le sein.

L'aspect du sein de la femme est lié à l'action des différentes hormones sur son tissu. La croissance de la glande commence vers l'âge de 10 ans avec l'apparition de l'activité ovarienne. Le maximum de muliplication cellulaire se situe entre 12 et 18 ans. Une grossesse menée à terme marquera la fin de la croissance du sein et permettra une différenciation cellulaire complète. En effet, après la grossesse et la lactation, le tissu a atteint sa maturité et devient moins susceptible aux agressions qui pourraient lui faire développer un cancer. En fait, le développement complet de la glande mammaire se fait sous l'exposition de trois hormones : les œstrogènes, la progestérone et la prolactine (43).

L'œstradiol est l'hormone responsable de la première phase du développement du sein. La progestérone, pour sa part, en travaillant avec l'œstradiol, organise la glande en un système sécrétoire. La formation des

Influence des hormones sur
la croissance du sein

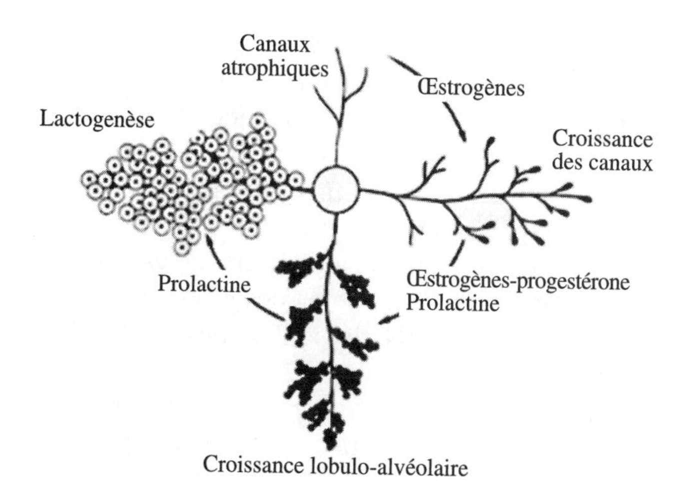

Source : *Médecine de la reproduction*, Dr P. Mauvais-Jarvis et coll., p. 126.

Illustration 16

conduits galactophores et des acini assurera la distribution du lait, fonction qui ne devient effective que lorsque la prolactine est sécrétée (44) [illustration 16]. Le taux de prolactine sanguin s'élève dès le premier trimestre de la grossesse et les taux obtenus en fin de grossesse sont dix fois supérieurs aux taux de prolactine initiaux (45).

La stimulation de la prolactine semble être réglée par la présence de l'œstradiol. Encore ici, la progestérone agirait de façon contraire car il a été démontré « sur des cellules tumorales hypophysaires de rat sécrétant de la prolactine, que le traitement simultané d'œstradiol et de progestérone diminuait de 80 % la synthèse de prolactine induite par les œstrogènes seuls (46) ».

On a fait des expériences en ce sens sur des animaux. Grubbs et son équipe ont démontré que, en administrant de l'œstradiol et de la progestérone à des rates nullipares[8] avant de les exposer à un agent cancérigène (NMU), on diminuait de façon considérable le nombre de cancers du sein par rapport aux rates nullipares n'ayant reçu aucun traitement hormonal (47).

On pouvait constater, par des études au microscope, que les rates ayant été traitées aux hormones avaient des glandes mammaires différenciées semblables à celles observées après une grossesse. C'est le travail de la progestérone qui a amené à maturité le système sécrétoire, ce qui préserve les seins des effets cancérigènes des produits auxquels ils sont exposés (48) [illustration 16].

Or, une telle séquence est observée en cas de grossesse, et plus tôt surviendra cette séquence, plus vite la différenciation cellulaire et donc la maturité du sein sera obtenue.

Par contre, en l'absence de progestérone, la prolactine pourrait augmenter la puissance de l'action de l'œstradiol sur les cellules du sein. La prolactine deviendrait en quelque sorte cancérigène en rendant le sein hypersensible à l'œstradiol puisqu'elle aurait créé une accumulation de récepteurs à œstradiol (49).

L'effet d'une grossesse menée à terme semble donc modifier l'équilibre entre les cellules immatures et celles qui sont différenciées, donc matures. Plus l'intervalle entre l'apparition des premières règles et la première grossesse à terme est court, moins les cellules immatures seront exposées aux perturbations hormonales. Cependant, une grossesse tardive, du fait de la multiplication des cellules immatures qu'elle provoque, a de plus grandes chances d'entraîner l'apparition de cellules précancéreuses (50).

On a tenté d'expliquer ce qui intervient de façon hormonale dans le développement du cancer du sein. C'est ainsi qu'on en est venu à la théorie de la **fenêtre œstrogénique,** élaborée autour des années 80. Il s'agit là, bien sûr, d'une hypothèse, mais j'avoue qu'elle me semble bien logique et vaut la peine que l'on s'y arrête. Je conviens toutefois que ce n'est là qu'une hypothèse parmi bien d'autres.

En voici l'énoncé.

D'abord,

1) le cancer est induit par un agent cancérigène (stress, mauvaise alimentation, hérédité, etc.) agissant sur une glande mammaire dite « susceptible[9] » ;
2) l'état le plus favorable de cette induction réside dans la stimulation œstrogénique, non compensée par la progestérone ;
3) la durée de l'exposition aux œstrogènes détermine le risque de cancer mammaire ;

4) il existe une longue période de latence entre la survenue de la première cellule tumorale et la survenue d'une tumeur détectable cliniquement (pouvant aller jusqu'à 8-10 ans);
5) la possibilité d'un cancer du sein d'être induit par les œstrogènes décroît avec l'apparition de cycles ovulatoires et en particulier avec la première grossesse menée à terme (car alors la différenciation cellulaire est survenue, protégeant la glande mammaire contre les agents carcinogènes) [51].

Ainsi, la **première fenêtre œstrogénique** est la période qui s'étend des premières règles à la première grossesse, qui est une phase susceptible de déséquilibre hormonal : il y a là des cycles irréguliers associés à une imprégnation d'œstradiol non compensée par la progestérone, qui est absente en cas d'anovulation, ce qui est fréquent dans les premières années de menstruation. Plus la période de cette première fenêtre sera longue, plus le sein immature sera exposé, déterminant une élévation de risque de survenue d'un cancer du sein à long terme.

Des études épidémiologiques ont confirmé ces faits, concernant l'âge des premières règles et l'âge de la première grossesse menée à terme (52). Ainsi, elles ont prouvé que l'apparition des premières règles avant l'âge de 12 ans augmente le risque de cancer du sein, et plus l'âge est précoce, plus le risque est élevé. La ménopause tardive augmente aussi le risque. L'allongement de la vie génitale en Occident entraîne une exposition plus longue aux œstrogènes et confirme la théorie de la fenêtre œstrogénique en ce sens (53).

Revenons à nos expériences antérieures.

Les rates exposées aux œstrogènes et à la progestérone résistaient mieux aux agents cancérigènes. Les femmes qui ont leur premier bébé en bas âge sont exposées plus rapidement aux trois hormones qui rendent leurs seins matures : les œstrogènes, la progestérone et la prolactine. Les cellules de leurs seins, devenant vite différenciées, résistent mieux à un agent cancérigène. La femme qui attend à 35 ans pour avoir son premier bébé vit toute cette période avec un sein immature et plus susceptible d'être exposé à des agents cancérigènes.

La femme qui n'a pas eu d'enfant reste donc toute sa vie avec un sein immature et donc plus à risque. Mais cette femme est cependant moins à risque que celle qui n'aura son premier bébé qu'à 35 ans. Pourquoi? me demanderez-vous.

Parce que cette dernière subira, pendant cette grossesse tardive, une forte inflation de ces trois hormones à laquelle sera soumis son sein immature et susceptible, et qui a longtemps été exposé aux agents cancérigènes, ce qui ouvrira la voie à une étape de stimulation de cellules précancéreuses qui sont souvent là huit à dix ans avant que le cancer ne se déclare (54).

Le même raisonnement s'applique à la période de périménopause, où il y a souvent des cycles irréguliers, avec absence de progestérone, donc une **deuxième fenêtre œstrogénique**.

En résumé, plus le sein est exposé à des œstrogènes non compensés, plus on augmenterait le risque de développer un cancer du sein, en admettant que la glande soit restée immature. Cette théorie est intéressante et pourrait en quelque sorte expliquer pourquoi l'on trouve plus de cancers du sein maintenant.

La puberté survient de plus en plus tôt et allonge la période qui va jusqu'à la ménopause. La période qui va de la puberté plus précoce maintenant à la première grossesse est également allongée. Le sein reste donc immature plus longtemps, l'achèvement de son développement ne survenant qu'avec la première grossesse. Or, on sait que cette grossesse est de plus en plus tardive, les femmes faisant maintenant de longues études et entreprenant ensuite des carrières qui leur laissent peu de temps, au début, pour songer à la maternité. La première grossesse survient donc rarement avant 35 ans et même 40 ans maintenant, dans certains cas. Cela pourrait expliquer l'accroissement des cancers du sein depuis deux ou trois décennies en Occident (55).

Va-t-on, pour en limiter l'étendue, suggérer aux femmes d'avoir leur premier enfant très tôt ? Cela pourrait être trop tôt si l'on voit l'âge où les jeunes filles commencent à prendre la pilule maintenant, soit 14, 15 ans, quand ce n'est pas avant.

D'autre part, le stress lié à l'environnement nous fait rencontrer de plus en plus de jeunes femmes souffrant de cycles perturbés, avec dysovulation ou même absence d'ovulation. Elles sont donc exposées plus longtemps aux œstrogènes seuls et cela augmente possiblement leur facteur de risque de développer un cancer du sein.

Il faudrait peut-être trouver comme solution un médicament qui mimerait l'effet d'une grossesse et assurerait la maturation du sein, qui protège des mutations éventuelles (56), le rendant plus résistant aux agents cancérigènes auxquels il est exposé, réduisant ainsi l'incidence du cancer. Voilà, en quelques mots, ce que suggèrent certains chercheurs (57).

Il faudrait au moins (et c'est plus facile à réaliser) assurer tout au long de notre vie de femme un bon équilibre entre progestérone et œstradiol, en nous efforçant d'être à l'écoute de notre corps. Car ne sommes-nous pas les premières à savoir si nous ovulons, si notre cycle est normal, régulier ou non? Cette éducation pourrait se faire très tôt en milieu scolaire, et l'écoute attentive des médecins permettrait d'intervenir rapidement et de déceler les cycles irréguliers ou absents pendant plusieurs mois, les règles bizarres, peu abondantes (quelques gouttes), ou trop abondantes avec des cycles trop courts, enfin, tous ces cas qui ne sont en somme que la conséquence d'une carence en progestérone. Or, nous l'avons vu, cette hormone est extrêmement importante non seulement pour bien vivre en général mais aussi pour prévenir un facteur de risque de cancer du sein ainsi qu'une perte osseuse prématurée.

Il faudrait davantage prendre au sérieux ces douleurs aux seins en période prémenstruelle, car elles sont souvent liées à une carence en progestérone et sont un symptôme d'hyperœstrogénie relative. Car, selon certains chercheurs, elles sont un «marqueur très spécifique de la susceptibilité du sein aux œstrogènes (58)». Russo, l'un d'entre eux, considère les maladies bénignes du sein «comme un maillon dans l'évolution du tissu vers le cancer (59)». Et c'est logique si le sein, durant tout ce temps-là, n'est pas en équilibre hormonal.

Le développement normal et la santé de la glande mammaire résulteraient donc d'un juste équilibre entre les œstrogènes et la progestérone (60).

L'exposition du sein resté immature chez les femmes qui n'ont pas eu d'enfant et qui ont subi l'ablation de leur utérus avec ou sans celle des ovaires, et qui ne prennent que des œstrogènes à la ménopause, ne seraitelle pas une **troisième fenêtre œstrogénique** à éviter?

Beaucoup d'études restent à faire sur ce sujet. Mais voici ce que je trouve en conclusion du chapitre sur l'utilisation en clinique de la progestérone naturelle et des progestatifs dans le livre d'endocrinologie intitulé *Médecine de la reproduction* (Flammarion, 1997) :

«Enfin, l'utilisation des progestatifs en association avec une œstrogénothérapie lors de la contraception ou lors des traitements de la ménopause s'est avérée capable de réduire le risque de mastopathies bénignes et même de cancer du sein (61).» Et ici l'on parle de progestatifs qui, selon les médecins américains, seraient plus à risque. Tout cela ouvre la porte à plus de réflexion et de recherches.

Vous savez qu'il y a quelques années on a retiré du marché, aux États-Unis, une progestérone assez proche de la progestérone naturelle, parce qu'elle stimulait l'apparition du cancer du sein chez le beagle (62). Mais le même chien avait aussi un cancer de l'endomètre avec la progestérone elle-même, alors qu'il est prouvé que la progestérone naturelle et même les progestatifs protègent l'endomètre contre le cancer. Le beagle est une exception et la femme n'a rien en commun avec cet animal. Puisque nous avons maintenant une progestérone naturelle, pourquoi ne pas en faire bénéficier toutes les femmes qui le désirent et chez qui elle agit favorablement?

Je me suis un peu étendue sur ce dernier point car il est capital. La peur du cancer du sein est encore la grande cause d'abandon de l'HTR ou même de son refus. Mesdames, je sais que vous aimez comprendre ce qui se passe dans votre corps et comment agissent sur votre organisme les médicaments qu'on vous fait prendre. Cela vous permet de faire un choix éclairé et je suis certaine que cela assure une bien meilleure fidélité à la prise de vos hormones.

En terminant, je n'ai pas à insister sur le rôle de la progestérone sur l'utérus, qui a été maintes fois défini :

par son action contraire à celle des œstrogènes, elle le protège contre une hyperplasie et le développement d'un cancer.

Alors, ai-je réussi à vous convaincre que la progestérone est une merveilleuse hormone? Je ne vous ai pas encore dit qu'elle agissait également au niveau de la muqueuse vaginale, pour assurer, là aussi, un équilibre dans les sécrétions.

Une femme venue à mon bureau en suivi de ménopause me confia qu'elle était ravie de retrouver enfin cette lubrification vaginale qui la faisait de nouveau se sentir femme... «Surtout, ajouta-t-elle, quand je suis dans la période où je prends ma progestérone.»

J'ai, par ailleurs, réussi à traiter des vaginites réfractaires à toute thérapie usuelle chez des femmes sous œstrogénothérapie non compensée (parce que hystérectomisées), en leur donnant pendant quelque temps de la progestérone naturelle, rééquilibrant leur flore vaginale par un effet direct de la progestérone sur les muqueuses. Car la progestérone agit en synergie avec l'œstradiol sur les couches intermédiaires de l'épithélium vaginal, mais de façon différente de l'œstradiol au niveau des couches superficielles (63) [illustration 13]. Là comme ailleurs, en effet, le surplus d'œstrogènes non compensés bloque tous les récepteurs ainsi que la SHBG, et la progestérone naturelle vient rétablir l'équilibre, comme nous l'avons constaté sur d'autres tissus.

J'ai d'ailleurs appris, lors de mes nombreux voyages en Europe (puisque notre voilier est là depuis cinq ans et que nous y allons à chaque été), que le traitement européen de la ménopause est très souvent de l'œstradiol et du Prometrium (ou parfois des progestatifs), même pour les femmes qui n'ont plus d'utérus. Quand en viendrons-nous à cette façon de faire?

Pour en revenir au travail des deux hormones, ajoutons que le même phénomène se passe au niveau de la peau. Celles qui se plaignent de démangeaisons et de peau sèche sont soulagées à plus long terme avec la prise de progestérone naturelle. Parfois cependant, ce sera de la testostérone qu'il faudra ajouter, la peau sèche pouvant être un des symptômes de carence en cette hormone. Mais ne brûlons pas d'étapes…

Et que dire des ballonnements, des douleurs aux seins, de l'enflure, des troubles digestifs, de l'agressivité, des troubles de l'humeur et du sommeil en préménopause, alors que souvent l'absence d'ovulation et la carence en progestérone en sont l'unique cause et qu'il serait si simple de remplacer cette hormone ! D'ailleurs, ne donne-t-on pas des anovulants en préménopause, même aux femmes hystérectomisées (et qui ont encore leurs ovaires), pour traiter ces problèmes de déséquilibre hormonal ?

Que dire aussi de ces saignements de la préménopause, qui commencent tôt dans le cycle et qui s'accompagnent de caillots, quand ce ne sont pas des hémorragies aux trois semaines, qui durent parfois jusqu'à dix jours et plus, laissant ces femmes épuisées, irritées et souvent anémiques ! Car, en effet, qui dit carence en fer dans le sang et anémie dit menstruation plus abondante. S'établit alors un cercle vicieux, alors que le traitement de l'anémie d'abord puis la prise de progestérone en deuxième partie du cycle suffisent souvent pour corriger tout cela. Nous pourrions ainsi éviter de l'ostéopénie et même peut-être des hystérectomies chez les femmes dans la jeune quarantaine.

Saviez-vous par ailleurs que les fibromes, si fréquents chez les femmes en périménopause (40 % à 50 %, selon certaines statistiques [64]) et qui causent des saignements très abondants, sont souvent hormonodépendants[10]? Leur croissance est alors stimulée par des œstrogènes non compensés et le fait de redonner la progestérone manquante les fait alors régresser dans certains cas précis (sous-séreux ou interstitiels) [65]. La progestérone traite ainsi l'hyperplasie de l'endomètre qui les accompagne souvent et qui cause les hémorragies (66). Cela permet là aussi, dans certains cas, d'éviter l'hystérectomie et les problèmes qu'elle peut engendrer.

> Plus récemment, on a mis au point un nouvel antiprogestérone, le mifépristone (RU 486), qui sert actuellement comme abortif avec beaucoup d'efficacité. Il n'est cependant pas encore disponible ici. Mais il semble que ce nouveau produit pourra servir éventuellement comme contraceptif postcoïtal, mais aussi, justement, comme traitement de certaines tumeurs gynécologiques, dont les fibromes. On pense même l'utiliser également dans le traitement de l'endométriose, du cancer du sein et même de la tumeur du cerveau (méningiome) [67].

Les femmes prenant de la progestérone naturelle sont souvent enchantées de la belle qualité de sommeil qu'elles ont dans cette période où le sommeil REM (ou paradoxal) est davantage présent et reconnu pour être plus réparateur. Cependant, certaines femmes m'ont rapporté qu'elles avaient dû abandonner cette progestérone à cause d'épisodes de cauchemars qui survenaient toujours dans les 14 jours de la prise de cette hormone.

Il semble toutefois que, si elle est prise à jeûn, i.e. après au moins deux heures sans nourriture dans l'estomac, et au coucher, on diminue l'incidence du problème (68).

En somme, ce qu'il faut retenir de ce chapitre est que nous devons rechercher en tout temps un équilibre hormonal entre les œstrogènes et la progestérone, pour que le mal de vivre, si fréquent à cette période de la vie qu'est la périménopause, soit corrigé et peut-être même évité. Et ainsi, finies l'angoisse et l'agressivité si caractéristiques de ce que l'on prend à tort pour un SPM, en plus de tous les autres symptômes décrits antérieurement dans ce chapitre. Et vous aurez peut-être en prime une augmentation de l'appétit sexuel. Car – l'aviez-vous deviné ? – la progestérone est l'une de nos hormones du **désir** et du **plaisir** !

2

Progestérone et progestatifs : quelle est la différence ?

La différence entre la progestérone et les progestatifs de synthèse est très grande, tant par les effets secondaires de ceux-ci que par les effets bénéfiques de celle-là.

Voyons d'abord pourquoi et comment ont été fabriqués les progestatifs, dont le plus connu est l'acétate de médroxyprogestérone (Provera) ou MPA.

Le mot «progestérone» signifie «hormone de gestation», c'est-à-dire qui favorise la grossesse. Toutefois, les molécules des progestatifs, qui doivent mimer l'action de la progestérone naturelle, i.e. celle que notre corps fabrique, ont été réalisées au contraire pour... prévenir les grossesses, ce qui est déjà une première grande différence.

Un peu d'histoire

Les hormones ovariennes ont été découvertes au tout début du siècle. En 1903, Fraenkel a établi que l'ovaire avait une fonction progestative (pour la gestation) en démontrant que l'exérèse ou la destruction du corps jaune entraînait un avortement chez la lapine.

Plus tard, en 1923, Allen et Doisy ont pu maintenir enceintes des lapines ovariectomisées en les traitant par des extraits de corps jaune, i.e. de la progestérone (1).

Puis, en 1934, grâce au travail de plusieurs chercheurs dont Butenandt, on a réussi à isoler une substance progestative à partir du corps jaune de la truie. Cette même année, la structure de la progestérone fut établie et on annonça la synthèse de cette hormone, ce qui valut à Butenandt, outre ses découvertes sur les autres hormones stéroïdiennes, le prix Nobel de chimie en 1939 (2).

Entre-temps, on avait découvert également le 17 bêta-œstradiol (comme l'œstradiol que notre ovaire fabrique). Mais, chose curieuse, administré par voie orale, cet œstrogène, de même que la progestérone, était inactif, donc inutile. Cependant, si on ajoutait un radical particulier (un éthinyl en C17[1]) à la molécule d'œstradiol, ce nouvel œstrogène devenait utilisable par voie orale.

Et, chose étrange, en ajoutant ce même radical en C17 à la molécule de... **testostérone**, on changeait complètement son activité biologique et cette nouvelle molécule devenait progestative, utilisable de surcroît par voie orale. C'est inouï, tout de même, comment se font les découvertes (3) !

Un peu plus tard, en 1950, Birch, voulant synthétiser une molécule qui n'aurait pas d'activité androgénique (i.e. masculinisante), enleva de la molécule de testostérone un groupe (le méthyl) en C19 cette fois. Ce sont ces composés qu'on appelle aujourd'hui les 19-norstéroïdes et c'est ainsi qu'on inventa le noréthynodrel, premier progestatif actif par voie orale que Pincus utilisa comme contraceptif. Ce chercheur réalisait que ce produit créait un milieu hormonal semblable à celui qu'on observait chez la femme tant en phase lutéale (deuxième partie du cycle, à cause de la progestérone) que durant une grossesse (4).

Cependant, pour réduire les saignements utérins, Pincus comprit rapidement qu'il valait mieux ajouter un œstrogène de synthèse. C'est ainsi qu'est arrivée sur le marché la première «pilule contraceptive» (ou anticonceptionnelle) [5].

Les recherches se poursuivirent car, le domaine de la contraception étant découvert, le marché allait devenir très intéressant pour l'industrie pharmaceutique.

Toutes ces découvertes rendirent disponibles différents contraceptifs plus ou moins androgéniques[2], et plus ou moins efficaces pour la contraception.

Certaines molécules, utilisées en dehors de la contraception et faisant également partie de la famille des stéroïdes progestatifs, telles les spironolactones, furent les premiers diurétiques connus; comme la progestérone, ceux-ci agissent par compétition avec l'aldostérone au niveau des récepteurs à aldostérone du rein.

Si l'on continue l'inventaire de ces hormones, on rencontre également l'acétate de cyprotérone, connue comme antiandrogène mais qui est un progestatif puissant ayant une forte activité antiandrogénique au niveau des récepteurs des hormones mâles. Ce produit est connu ici sous le nom d'Androcur et ça me rappelle une anecdote qui vous reposera un peu de toutes ces notions sans doute par moments un peu ardues, même si elles sont très captivantes.

Je mangeais au restaurant avec une copine et je lui parlais de ce livre que j'étais en train d'écrire et qui me permettait de belles découvertes au sujet de l'hormone du désir. M'écoutant attentivement, elle me demanda soudain si je connaissais Androcur. Ce médicament étant assez peu employé généralement, sinon par des endocrinologues et certains gynécologues très spécialisés, je lui avouai que je ne le connaissais que de nom et que j'allais me renseigner. Elle me confia que, quoique ce médicament l'eût très vite débarrassée de sa peau grasse, de son acné et d'un duvet qui apparaissait à son menton, elle avait l'impression que sa libido était à zéro depuis qu'elle l'utilisait.

Arrivée à la maison, poussée par une curiosité tant scientifique que féminine, je me précipitai sur mon CPS (le gros bouquin bleu des médecins, contenant les notes pharmacologiques de tous les médicaments sur le marché au Canada) et je découvris qu'Androcur était justement un produit fortement antiandrogénique. Pas surprenant que sa libido s'en soit ressentie !

Je l'appelai donc le lendemain pour la mettre au courant de mes nouvelles connaissances au sujet de son médicament, lui recommandant de revoir son médecin, qui modifierait sans aucun doute la dose de sa médication.

Peu de temps après, elle me confia avoir fait la conquête d'un jeune amant. Il semble donc que son médicament n'ait pas eu d'effets négatifs à long terme sur sa libido !

Mais cette histoire m'ouvrit les yeux sur ce produit et me permit de régler un problème majeur chez une de mes patientes. Cette pauvre petite dame ne savait plus à quel saint se vouer parce que aucun médecin, pas même les spécialistes, n'arrivait à trouver une solution au cauchemar qu'elle vivait depuis quelques années. Je pense que son histoire vous intéressera.

Quand cette dame de 48 ans vint à mon bureau, je vis dans ses yeux que sa situation était dramatique. Elle s'assit, nerveuse, sur le bout de la chaise et, d'une voix tremblante, un peu paniquée, commença à me raconter son histoire. Elle ne s'arrêta de parler qu'après une bonne demi-heure. Je levai alors les yeux des deux pages que je venais de noircir dans ce dossier vierge. Elle était essoufflée. Une larme coula sur sa joue.

– Ensuite ? lui dis-je.

– Voilà, docteur. J'ai lu votre livre[3] et j'ai pensé que vous pourriez peut-être m'aider…

Je lui dis alors que je ferais venir les résumés de ses dossiers des différents hôpitaux où elle avait été examinée, d'abord pour savoir à quelles analyses elle avait été soumise, mais également pour en connaître les résultats, de même que ceux des radiographies et échographies qu'elle avait passées.

Cette patiente qui présentait tous les symptômes de la ménopause ne semblait tolérer aucune hormone. Plutôt que la soulager, les HTR usuels lui créaient, comme effets secondaires, une pilosité très importante avec de gros poils qui poussaient drus, une peau grasse, de l'acné et de l'agressivité. Quand elle arrêtait de prendre les hormones, elle se mettait à perdre ses cils, ses sourcils, ses cheveux et ses poils pubiens, et elle ressentait une grande fatigue ainsi que des douleurs aux articulations. Elle avait d'ailleurs connu la même symptomatologie durant une bonne partie de sa vie. En effet, quand elle prenait des anovulants, elle vivait le même scénario qu'avec l'HTR, et quand elle avait des périodes sans menstruation, elle perdait beaucoup de cheveux de même que son duvet et ses poils.

Pensant à une quelconque tumeur de la surrénale, j'attendis avec impatience tous ses résumés de dossiers. Puis, déçue car je ne trouvai rien pour confirmer mon impression, et constatant par ailleurs, à la lecture de tous ses résumés de dossiers, qu'elle avait passé à peu près tous les examens possibles pour tenter d'expliquer sa condition, je la fis revenir à mon bureau et lui suggérai de la faire voir en endocrinologie dans un grand hôpital universitaire. Je lui préparai une lettre d'introduction ainsi qu'une compilation de tous ses dossiers, pour éviter au médecin qui la recevrait de recommencer toute l'investigation, lui permettant ainsi de gagner du temps pour en venir à un bon diagnostic.

Quelques mois plus tard, elle revint en larmes à mon bureau. Devant les résultats de ses FSH et LH, l'endocrinologue avait insisté pour qu'elle reprenne son HTR malgré les effets néfastes que cela lui faisait subir.

Ayant appris entre-temps l'existence d'Androcur, et connaissant un gynécologue qui avait reçu sa formation en France, où l'on utilise beaucoup plus ce produit, et le sachant habile à manier ce médicament, je suggérai à ma patiente d'aller le rencontrer. Vous imaginez bien qu'elle était réticente à se rendre une fois de plus à Montréal, vu les expériences négatives qu'elle y avait connues à chaque fois.

Cependant, elle accepta, puisque je ne pouvais rien lui offrir d'autre, et elle obtint un rendez-vous assez rapidement.

Quelques semaines plus tard, je reçus un magnifique bouquet de fleurs. J'ouvris l'enveloppe qui l'accompagnait et pus lire ceci : «Merci pour votre patience. Le docteur X m'a très bien reçue et m'a prescrit le médicament dont vous m'aviez parlé. Je vais déjà beaucoup mieux.» À la signature, je reconnus le nom de ma patiente. Le médecin me fit parvenir une réponse à ma consultation ainsi que des conseils pour modifier les doses au besoin, évitant ainsi à ma patiente d'avoir à retourner à Montréal à chaque fois. Je pourrais ainsi continuer de la suivre et enrichir du même coup mes connaissances sur un cas spécial et sur la façon de le traiter.

Peu de médecins connaissent vraiment ce produit puisqu'il n'est employé que dans des cas particuliers. Mais je me demande ce qui serait arrivé à ma patiente dont la vie était déjà gâchée depuis plusieurs années, si je n'avais pas dîné avec ma copine à qui l'on avait prescrit ce même médicament. Comme j'étais heureuse d'avoir trouvé quelqu'un qui avait su l'aider!

Il existe par ailleurs un autre produit, disponible ici mais non accepté en France, le flutamide (Euflex). Il s'agit d'un antiandrogène non stéroïdien, utilisé pour traiter le cancer de la prostate, mais pouvant également servir dans des cas comme celui que je viens de citer (6).

Il y a maintenant sur le marché un contraceptif (Diane-35) contenant l'acétate de cyprotérone (comme Androcur), qui offre, outre la contraception, un traitement contre l'acné, par l'action antiandrogénique de ce progestatif. Ce qui est intéressant avec ce produit, c'est qu'il semble traiter à long terme ce problème de la peau. Donc, à l'arrêt de ce contraceptif, l'acné ne revient pas (90 % de succès après un an de traitement). N'est-ce pas là une belle façon d'améliorer la qualité de vie de ces femmes qui sont très complexées à cause de leur visage? Encore une fois, c'est à une hormone que nous devons le **plaisir** de vivre!

Cependant, ne soyez pas surprise si, pendant que vous prenez ce contraceptif, vous subissez des effets secondaires... comme une légère baisse de libido. N'oubliez pas qu'il s'agit là d'un antiandrogène! Rien n'est parfait... mais c'est un inconvénient temporaire et la libido redeviendra comme avant à l'arrêt du contraceptif.

Quelques-unes de mes patientes en préménopause qui suivent ce traitement pour leur acné m'ont signalé, comme autre effet secondaire, un peu plus de sécheresse vaginale. Ce phénomène est également temporaire et peut se corriger avec Replens, dont nous avons parlé au chapitre du plancher pelvien.

Mais revenons à nos moutons... ou plutôt à notre progestérone !

Comme vous avez pu le constater, on a tenté d'isoler la progestérone naturelle et l'on a créé plusieurs molécules progestatives qui ont des effets souvent contraires à ceux de la progestérone elle-même.

La progestérone naturelle

Nous disposons enfin de la progestérone naturelle (Prometrium), qui est maintenant disponible par voie orale car les recherches ont fini par mettre en évidence la meilleure façon de la maintenir active tout en la rendant accessible par cette voie. La progestérone étant un produit liposoluble, elle existe sous forme micronisée dans de l'huile d'arachide. Ce qui est malheureux, c'est que les femmes qui sont allergiques aux arachides ne peuvent l'employer. Heureusement, peu de gens le sont, si l'on en juge par la forte consommation de beurre d'arachide qui a lieu en Amérique du Nord !

Cette forme micronisée a donc été isolée à partir du *Dioscorea villosa*, ou igname sauvage. Aux États-Unis, cette forme micronisée sous forme orale (Prometrium) n'est disponible que depuis très peu de temps. Cependant, les Américaines peuvent trouver depuis assez longtemps, en vente libre en pharmacie, de la progestérone naturelle sous forme de crème hydratante, active puisque mélangée à un corps gras, et c'est la même progestérone extraite de l'igname sauvage.

À celles qui la font venir des États-Unis (je crois même qu'elle est maintenant disponible dans les magasins de produits naturels), je dis cependant ceci : *cessez de croire que vous traitez votre ménopause de façon plus naturelle que votre voisine qui prend des comprimés (Prometrium); ce que votre peau absorbe, c'est la même hormone que reçoit la femme qui prend le Prometrium par voie orale.*

Ce n'est cependant pas parce que nous avons maintenant la progestérone naturelle qu'il faut proscrire tous les progestatifs, car il peut y avoir des cas où il est préférable de donner des progestatifs qui ont certains effets contraires à ceux de la progestérone naturelle et qui correspondent au traitement que l'on recherche, ou, par exemple, une action antiandrogénique, comme dans les deux cas que j'ai mentionnés plus haut. N'oubliez pas que la biodisponibilité d'une hormone peut également varier d'une personne à l'autre.

Ce n'est donc pas parce que nous disposons de la progestérone naturelle qu'elle va nécessairement convenir à toutes les femmes, justement à cause de la sensibilité de chacune ainsi que de celle des récepteurs à progestérone. Malgré tous ses effets positifs, j'ai connu des femmes qui étaient incapables de la prendre car elle leur causait des effets secondaires souvent imputables... aux progestatifs. Allez donc y comprendre quelque chose! Cela prouve une fois de plus que ce qui est parfois bon pour votre voisine peut ne pas vous convenir du tout. Le corps a ses raisons...

Les effets indésirables des progestatifs et les indications de la progestérone naturelle

Je vais dresser ici une liste des **effets indésirables** souvent rencontrés avec les progestatifs de synthèse et qui engendrent **des indications** à essayer la progestérone naturelle :

- douleurs aux seins, œdème, prise de poids, rétention, sensibilité de la peau, démangeaisons, allergies (de mineure à sévère), acné, hirsutisme, perte de cheveux;
- à cause de la rétention : migraine, troubles visuels, asthme et problèmes rénaux;
- modifications des sécrétions du col;
- lenteur digestive, effets sur le foie, jaunisse si maladie hépatique, nausées;
- diarrhée, ballonnements, douleurs abdominales;
- dépression, insomnie, fatigue;
- augmentation des symptômes de type SPM;
- thrombophlébite, embolie pulmonaire (7);
- diminution de la tolérance au glucose, donc attention si vous êtes diabétique.

Souvenez-vous effectivement que la progestérone naturelle aide au métabolisme des sucres, alors que certains progestatifs en diminuent la tolérance, ce qui engendre souvent une augmentation de formation de graisse avec ces derniers. Pour celles qui souffrent de diabète, la progestérone naturelle pourrait être favorable à cause de son action directe sur l'insuline. En effet, elle en stimule la sécrétion par les cellules bêta du pancréas (8).

D'autre part, par leur effet antiandrogénique, certains progestatifs sont responsables de la sécheresse de la peau, des démangeaisons, de la perte de cheveux et de la baisse de libido. Ils peuvent également entrer en compétition avec l'hormone thyroïdienne, engendrant une hypothyroïdie relative, ce qui amène œdème, prise de poids, peau sensible, manque d'énergie et tristesse (9).

Si certains de ces progestatifs peuvent changer les sécrétions au niveau du col et y causer une érosion, on comprendra mieux ces vaginites à répétition rencontrées chez les femmes qui en prennent, alors que celles qui sont sous progestérone naturelle jouissent d'une bonne lubrification vaginale comme à vingt ans (10)!

Mais un facteur important qui fait choisir la progestérone naturelle pour celles qui étaient traitées avec des progestatifs au préalable est la douleur aux seins, parfois absolument insupportable — et ce n'est pas peu dire quand ça dure 14 jours par mois et force ces femmes à dormir avec leur soutien-gorge.

Les autres raisons qui font abandonner les progestatifs et opter pour la progestérone naturelle, ce sont les maux de tête, les douleurs aux jambes, la tristesse, l'insomnie et l'agressivité.

Il est toutefois important de mentionner que beaucoup de femmes sont sous progestatifs depuis plusieurs années et n'ont jamais éprouvé aucun de ces effets indésirables. Il faut également dire que les doses des progestatifs ont beaucoup changé, ces dernières années. Il y a également des femmes qui tolèrent mieux les progestatifs que la progestérone naturelle.

Mais certaines femmes ne peuvent absolument pas supporter aucune progestérone, même naturelle, ni aucun progestatif, quelle qu'en soit la dose. Elles sont souvent prêtes à abandonner l'HTR si elles doivent continuer de prendre de la progestérone, quelle qu'en soit la forme. Cependant, on adopte de plus en plus la forme vaginale d'administration des gélules de Prometrium, quand les femmes présentent des problèmes de digestion ou qu'on doit éviter le premier passage hépatique des médicaments. C'est une nouvelle solution à ces problèmes.

Cependant, comme il est reconnu que l'ovaire continue de fabriquer des androgènes en postménopause et que la surrénale demeure impliquée dans la cascade de transformation du cholestérol jusqu'à la fabrication de la progestérone, il peut demeurer chez plusieurs femmes un équilibre hormonal que nous ne pouvons pas toujours expliquer.

Certaines femmes ayant encore leur utérus et ne pouvant tolérer aucune progestérone ont continué de ne prendre que des œstrogènes. Elles passent une échographie annuelle pour surveiller leur endomètre et ne présentent aucune hyperplasie : l'endomètre reste à 4 mm. C'est sans doute à cause de cette activité, si minime soit-elle, au niveau de leurs ovaires ménopausés, de même que de la production extraovarienne de progestérone suffisante, qu'elles maintiennent ainsi leur équilibre hormonal.

On ne peut tout expliquer et je pense que, pour cette raison, il est inacceptable qu'on puisse répondre à quelqu'un qui ne réagit pas comme les autres à un médicament : «C'est impossible… !» C'est à l'écoute des patientes et de leurs «exceptions» que les médecins chercheront davantage et trouveront de nouvelles formules, faisant ainsi, jour après jour, avancer la médecine, qui est, après tout, une science humaine.

3

Les formes de progestatifs disponibles sur le marché et les indications de la progestérone naturelle ou des progestatifs

J'ai jugé bon de vous présenter ici les différentes formes de progestatifs disponibles sur le marché au Canada, d'une part pour rassurer celles qui, ne prenant pas de la progestérone naturelle ou du Provera, s'inquiètent de ce qu'elles ont reçu en prescription pour accompagner leurs œstrogènes, et d'autre part pour que vous puissiez, si vous n'êtes pas confortable avec ce que vous prenez, demander à votre médecin de tenter de vous donner autre chose plutôt que d'abandonner votre HTR et tous ses bienfaits tant pour vos os que pour vos artères, votre cœur, votre mémoire et votre bien-être.

En tête de liste des progestatifs se trouve l'acétate de médroxyprogestérone (Provera), le plus connu, je crois, et le plus prescrit en Amérique du Nord, à cause de ses propriétés qui le rapprochent de la progestérone naturelle. Ce progestatif existe en plusieurs dosages, i.e. 2,5 mg, 5 mg et 10 mg. Il existe même, aux États-Unis, en combinaison avec de la Prémarine, le tout dans un seul comprimé (Prempro).

Viennent ensuite d'autres progestatifs un peu moins employés et qui sont également disponibles en Europe : Megace (acétate de mégestrol), Norlutate (acétate de noréthindrone), Micronor (noréthindrone) et Colprone (médrogestrone). Il y a également ce progestatif anti-androgénique déjà mentionné plus haut et généralement réservé aux cas où l'on doit lutter contre de l'hirsutisme et de l'acné, l'acétate de cyprotérone (Androcur). Assez peu employé ici, il entre pourtant, en France, dans la composition d'une HTR, le Climène, en association fixe avec le 17 bêta-œstradiol, sur une base séquentielle.

Il existe également en Europe plusieurs autres produits qu'on définit comme des progestatifs purs, i.e. qui sont très semblables à la progestérone que notre corps fabrique, même s'il ne s'agit pas là de progestérone naturelle mais bien de progestatifs de synthèse.

Voyons maintenant dans quels cas, **en dehors de la ménopause**, nous pouvons employer le Prometrium, i.e. la progestérone naturelle.

Une femme présentant des cycles courts et des anovulations fréquentes pourrait bénéficier du remplacement de l'hormone qui lui manque, i.e. la progestérone. Cette femme présentera comme symptômes des douleurs aux seins et de l'œdème au ventre, aux jambes ainsi qu'aux seins.

Si à ces symptômes s'ajoute l'anxiété prémenstruelle, elle se sentira vite soulagée avec la progestérone naturelle. Et n'oublions pas qu'en comblant cette carence en progestérone elle évitera une perte osseuse et rétablira son équilibre hormonal. Elle évitera également l'exposition de ses seins à des œstrogènes sans progestérone, ce qui pourrait être, comme nous l'avons vu antérieurement, une cause de l'augmentation de risque de cancer de cette glande, selon certains chercheurs.

Très souvent, la correction d'une carence en progestérone vient à bout de vaginites à répétition par rééquilibre des muqueuses vaginales (1).

Les femmes souffrant d'œdème cyclique idiopathique (causé par un surplus d'œstrogènes) bénéficieront également de la progestérone naturelle car il y aura chez elles un rétablissement de l'équilibre de l'eau et du sodium, à cause de l'effet natriurétique[1] de la progestérone (2).

Les poussées d'acné que l'on rencontre dans la trentaine avancée ou la jeune quarantaine sont souvent dues à la dysovulation causée par la sécrétion insuffisante de progestérone. Celle-ci ne peut, par son action antiandrogénique sur la peau, freiner les glandes sébacées, qui consomment alors de façon excessive la testostérone à laquelles elles sont exposées par ce déséquilibre hormonal (3).

D'autre part, pour rendre possible, après fécondation de l'ovule, la nidation de l'œuf, il faut un certain taux sanguin de progestérone, car toute implantation de l'œuf est impossible autrement. Il semble que 35 % des avortements spontanés se produisent à cause d'un déficit en progestérone (4). Le docteur H. Jones, un chercheur, améliorait la fertilité de ses patientes à 60 % après six mois d'utilisation de progestérone naturelle (5).

Les progestatifs

Mais si l'on se penche maintenant sur les progestatifs, nous verrons que, par leurs différentes fonctions, ils peuvent agir davantage contre certains effets des œstrogènes ou des androgènes. Ils pourront donc être utiles pour tel ou tel problème.

Ainsi, si vous souffrez d'endométriose, plus le progestatif qu'on vous donnera sera antiœstrogénique, plus il sera capable d'amincir votre endomètre et de rendre ainsi atrophiques toutes les lésions d'endométriose de vos ovaires ou de votre ventre, car ces lésions sont de petites greffes d'endomètre hors de votre utérus (6).

Dans les cas de problèmes aux seins, on corrigera l'insuffisance de progestérone souvent constatée dans de tels cas en utilisant des progestatifs à titre de prévention chez les femmes à risque (celles qui présentent des mastopathies bénignes). Ce traitement agit comme antiœstrogène sur le sein, et certains progestatifs (dérivés de la 19-nortestostérone) [7] ont même démontré leur capacité significative à diminuer le risque de cancer du sein. Il serait donc peut-être possible de prévenir cette atteinte, selon certaines études (8). Hélas ! ces produits sont très androgéniques. Les femmes les refuseraient donc à long terme, car ils amènent des effets secondaires tels que la prise de poids et l'acné (9).

Un progestatif très antiandrogénique (tel Androcur) sera indiqué, comme nous l'avons vu plus haut, chez la femme qui souffre d'acné, de séborrhée importante ou d'une forte pilosité d'origine ovarienne (10).

Dans les cas d'hyperplasie endométriale (où l'endomètre est trop épais), on aura besoin d'un progestatif très antiœstrogénique pour rendre l'endomètre atrophique le plus vite possible. On a d'ailleurs prouvé que l'on réduisait l'incidence du cancer de l'endomètre chez les femmes ménopausées prenant de l'œstrogène en y ajoutant de la progestérone pendant au moins 10 jours par mois, l'idéal étant atteint, semble-t-il, si on l'administre de 12 à 14 jours, suivant les plus récentes études. Mais il est par ailleurs admis que la progestérone naturelle, prise 14 jours par mois, offre la même protection.

Quand, d'autre part, les œstrogènes sont contre-indiqués, certains cliniciens prétendent qu'avec des progestatifs seuls on pourrait venir à bout des bouffées de chaleur (11). Bien que mal documentée, cette thérapie semblerait utile à condition de la prescrire sur une base continue et sur une plus longue période. Les effets bénéfiques des progestatifs sur les os pourraient en effet être un argument important en faveur de leur utilisation chez celles qui ont une perte osseuse et ne peuvent prendre d'œstrogènes. Mais comme il n'y a pas encore de consensus international sur l'utilisation à long terme d'un progestatif et le risque de cancer du sein, personne ne semble vouloir prendre position (12).

Comme, par ailleurs, nous avons maintenant à notre disposition des médicaments plus spécifiques pour traiter l'ostéoporose et l'ostéopénie, tels les biphosphonates, nous pouvons heureusement traiter la perte osseuse chez ces femmes. Le raloxifène (Evista), dont j'ai fait mention plus haut, est également indiqué pour prévenir la perte osseuse.

Une nouvelle contraception... pour celles qui en ont encore besoin !

Vous savez qu'à l'aube du XXIe siècle on offre maintenant aux femmes une nouvelle forme de contraception. Car, bien que l'on fasse des recherches pour passer un peu le flambeau au sexe opposé, il semble que la contraception masculine ne soit pas encore au point.

Figurez-vous que cette nouvelle contraception offerte aux femmes ne contiendrait plus d'œstrogènes, mais seulement de la progestérone à effet retard.

Il y a quelque temps, on a pensé que les implants de progestérone (Norplant) seraient la solution à tous les problèmes de contraception et de fidélité dans la prise du médicament. Cependant, le coût assez élevé de ces implants et l'intervention à subir pour faire installer ces petits bâtonnets (six) sous la peau du bras ont freiné l'étendue de ce nouveau marché de la contraception.

Il y a quelques années, une compagnie pharmaceutique avait mis au point un progestatif à effet retard, administré à ce moment-là sous forme d'injection aux trois mois, pour les femmes vivant en institution, permettant ainsi de limiter les grossesses non désirées chez ces femmes non autonomes et souvent incapables d'être soumises à des anovulants sous forme orale qu'elles oubliaient de prendre.

Ce même progestatif injectable était également utilisé dans le traitement de l'endométriose et comme traitement palliatif de cancer récidivant ou métastatique de l'endomètre, du rein ou du sein.

Cependant, ce produit eut du mal à être accepté par la FDA (Food and Drug Administration), l'organisme américain qui contrôle l'acceptation des nouveaux médicaments aux États-Unis. La raison en est que, quelques années auparavant, l'administration de contraceptifs contenant ce progestatif à un beagle lui avait causé des tumeurs aux seins. Après plusieurs années, on a compris que si ce produit est métabolisé en œstrogène chez le beagle, il n'en est pas tout à fait de même chez l'humain, comme je l'ai souligné plus haut (13).

C'est donc après des études épidémiologiques montrant que le Depo-Provera n'augmentait pas les risques de cancer du sein chez l'humain que cette substance fut approuvée aux États-Unis comme moyen contraceptif, et elle est également offerte ici depuis peu (14).

Ayant donc étudié ce produit, son mode d'action, ses bienfaits et ses effets secondaires, je ne pouvais passer sous silence tout ce que j'ai découvert et qui renforce mon opinion positive quant à la progestérone, même si, dans ce cas, il s'agit d'un progestatif de synthèse, qui est tout de même, comme nous l'avons vu précédemment, un progestatif très près de la progestérone que notre corps fabrique.

Mode d'action :

Ce produit, qui s'injecte toutes les 13 semaines, agit à trois niveaux différents. Il empêche l'ovulation par non-maturation de l'ovule, qui ne peut alors être fécondé par le spermatozoïde. L'endomètre, par l'action de ce produit, devient non réceptif à l'implantation d'un ovule fécondé. Enfin, c'est en rendant plus épaisses les sécrétions du col de l'utérus qu'il rend difficile le passage du sperme dans l'utérus.

Les bienfaits du Depo-Provera

Mais quels sont les bienfaits du Depo-Provera, outre la contraception ?

Ce produit cause à long terme une atrophie de l'endomètre qui se manifestera par l'arrêt des règles, ce que beaucoup de femmes apprécient. Mais, avant d'en arriver là, elles connaîtront des saignements quelque peu désordonnés, quoique réduits en débit, pendant quelques mois. Cependant, c'est là un excellent moyen à long terme de supprimer et même de corriger l'anémie causée par des saignements trop abondants.

Pour la même raison, les femmes souffrant d'endométriose seront soulagées, puisque c'était là la première indication de cette médication.

Celles qui souffraient de douleurs menstruelles n'en auront plus puisque, sans ovulation, il y a absence de libération de prostaglandines F2a, lesquelles sont responsables de ces douleurs (15). [On comprend donc pourquoi les antiprostaglandines (comme Anaprox, Ponstan) sont efficaces pour ce genre de douleurs.]

S'il n'y a pas d'ovulation, il n'y a pas de formation de kystes ovariens, autre avantage pour celles qui souffrent de ce problème.

Cette forme de contraception sans œstrogènes est également fortement recommandée chez les femmes qui doivent éviter les œstrogènes des anovulants, i.e. celles qui sont à risque de maladies cardiovasculaires (16), les hypertensives chroniques, celles qui fument et ont plus de 35 ans ou qui ont des antécédents personnels ou familiaux de thrombophlébites ou d'embolies (17).

Je rappelle ici que les œstrogènes qui composent en partie (avec les progestatifs) les anovulants sont très différents de ceux que l'on trouve dans l'HTR, tant par leur composition chimique que par leur dosage et leurs indications. Ce sont deux types d'œstrogènes qui ne se comparent pas et souvent les contre-indications des uns seront les indications des autres. Ainsi, les anovulants ne sont pas indiqués chez une femme qui présente une maladie cardiovasculaire, alors que, comme nous l'avons vu précédemment, l'HTR est indiquée pour aider à prévenir ou diminuer les maladies cardiovasculaires ou leurs complications. De la même manière, on sait que les anovulants, comme l'indique leur nom, empêchent l'ovulation, alors que les œstrogènes contenus dans l'HTR n'altèrent aucunement l'ovulation. Les anovulants présentent des doses d'œstrogènes de beaucoup supérieures à celles de l'HTR, puisque le rôle des premiers est d'empêcher l'ovulation alors que la seconde ne tente que de faire du remplacement hormonal à des doses subphysiologiques.

Les femmes qui souffrent de diabète, d'épilepsie ou de lupus érythémateux sauront également trouver dans cette médication sans œstrogènes qu'est le Depo-Provera un bon moyen de contraception (18).

Si on lui reconnaît un rôle de protection contre le cancer de l'endomètre à cause de son effet antiœstrogénique, il n'a cependant pas de rôle protecteur contre le cancer des ovaires comme les contraceptifs contenant les deux hormones, qui, pour leur part, réduisent ce risque de 50 % chez celles qui les ont utilisés pendant cinq ans et plus (19). Mais le Depo-Provera n'augmente cependant pas le risque de développer ce cancer. Et comme ce produit a longtemps été employé pour traiter (ou comme palliatif) le cancer du sein, de l'utérus et de l'ovaire, il va sans dire qu'il est sûrement protecteur contre le développement de ces cancers (20).

Autre fait important à noter : les femmes qui l'emploient à long terme comme contraceptif se plaignent moins de vulvovaginites à candida[2] que celles qui utilisent les anovulants contenant les deux hormones. On remarque d'ailleurs moins de vulvovaginites chez celles qui en souffraient de façon chronique ou récidivante, quand elles adoptent cette contraception où seulement un progestatif est présent (21).

Il semble cependant, selon de récentes études, que l'on pourrait noter une perte osseuse à long terme chez les utilisatrices de ce produit. On a mentionné déjà que, pour une bonne santé osseuse, les œstrogènes autant que la progestérone ont leur rôle à jouer. Ainsi, il faudra surveiller la masse osseuse chez celles qui adopteront cette contraception sur une longue période. Cependant, l'étude souligne qu'à l'arrêt du contraceptif la masse osseuse se rétablit rapidement.

Sachez aussi que ce produit est utilisé à très fortes doses et avec beaucoup de succès pour traiter les hommes souffrant de déviations sexuelles (22). Incroyable, ce que l'on peut faire avec des hormones !

La monographie du Depo-Provera mentionne que ce produit pourrait causer de l'acné, et cela s'explique encore ici par l'interaction de la SHBG et des hormones. Ce progestatif cause une baisse relative d'œstrogènes et le foie produit donc moins de SHBG, laissant de ce fait plus d'androgènes libres (dont la testostérone fait partie), ce qui amène une stimulation des glandes sébacées et, en conséquence, de l'acné (23).

En opposition, nous trouvons là la raison pour laquelle les femmes hystérectomisées (et ne prenant donc que des œstrogènes) souffrent tant de démangeaisons et de peau sèche. Sans équilibre avec la progestérone, leurs œstrogènes bloquent les effets bénéfiques de leur testostérone sur leur peau, qu'elle rendrait plus douce et huileuse. La SHBG, plus abondante à cause de la stimulation des œstrogènes, se lie également à la testostérone en circulation, ainsi qu'à plus d'œstrogènes utilisables. Il reste donc moins de ces deux hormones à l'état libre, i.e. capables de remplir leurs fonctions respectives.

C'est sans doute en constatant tous ces faits que les Américains, chez qui l'on compte un grand nombre de femmes hystérectomisées, ont mis sur le marché de nouvelles hormonothérapies contenant des œstrogènes et des androgènes, sous les noms d'Estratest (œstradiol et testostérone), de Prémarine et de méthyltestostérone.

Nous nous souvenons en effet que, contrairement aux œstrogènes, qui augmentent la SHBG, les androgènes diminuent la concentration de cette protéine de liaison, et il y a donc plus de testostérone et d'œstrogènes libres et utiles grâce à cette association d'hormones.

Nous reviendrons sur ce point dans la troisième partie de ce livre, qui traite des androgènes.

Mes conclusions

Ainsi, toutes ces constatations sur ce nouveau produit viennent renforcer mon opinion sur la progestérone. Les conclusions auxquelles j'en viens sont les suivantes.

Avec la progestérone naturelle (et aussi, pour certaines, avec ce progestatif qu'est le Depo-Provera), il y aurait :

- diminution des risques chez les patientes atteintes ou à risque de maladies importantes (hypertension, maladies cardiovasculaires, diabète);
- diminution et traitement des vulvovaginites chroniques ou récidivantes;
- diminution de l'anémie, des kystes ovariens, des douleurs menstruelles;
- diminution possible des cancers gynécologiques (et même du rein) [24].

Il y a vraisemblablement dans ces avantages quelques points dont pourraient bénéficier trois ou quatre groupes de femmes :

- les femmes présentant des dysovulations et/ou qui souffrent de SPM, de vaginite chronique, de douleurs menstruelles et de kystes ovariens;
- les femmes en périménopause (pour les mêmes raisons);
- et possiblement les femmes hystérectomisées et ovariectomisées qui ne prennent que des œstrogènes depuis plusieurs années. Dans ces cas, je favoriserais chez elles l'emploi de la progestérone naturelle, **sans cependant cesser l'association des œstrogènes**, bien sûr! D'ailleurs, plusieurs médecins font une telle pratique, plus particulièrement en France;
- et peut-être également les femmes chez qui les œstrogènes sont contre-indiqués. La progestérone

naturelle pourrait, encore là, être à l'étude. C'est d'ailleurs ce point qui avait poussé le docteur John Lee à faire ses recherches sur la progestérone en général, puis sur la progestérone naturelle.

En résumé

On a vu que les œstrogènes sont transportés vers les sites récepteurs des différents organes ou tissus par une protéine de liaison nommée SHBG (l'autobus jaune).

On sait également que plus l'on donne d'œstrogènes, plus l'on stimule la concentration de SHBG.

On sait par ailleurs que c'est la fraction libre de l'hormone qui va jouer un rôle utile au niveau des récepteurs des tissus cibles.

Ainsi, plus on augmente la dose d'une hormone sans la mettre en équilibre avec un antagoniste, plus on augmente la SHBG, donc moins l'hormone devient efficace car plus elle est liée à la SHBG, réduisant ainsi la fraction libre.

On sait aussi que la SHBG se lie également à la testostérone. Ce qui explique que plus les femmes prennent de fortes doses d'œstrogènes non compensées par la progestérone, plus la libido baisse, car il y a alors moins de testostérone libre, donc efficace.

Or, j'ai fait une expérience clinique auprès de mes patientes hystérectomisées qui présentaient des problèmes de déséquilibre hormonal : si j'ajoute de la progestérone à leurs œstrogènes (dont je réduis aussi parfois la dose), je viens plus facilement à bout de leur vaginite chronique et de leur sécheresse vaginale, amenant très souvent en prime une amélioration de leur appétit sexuel; il y a moins d'œstrogènes et de testostérone captifs de la SHBG, donc plus d'œstrogènes et de testostérone libres pour aller remplir leurs fonctions sur les sites récepteurs qui leur sont propres.

Je pense donc que des études approfondies devraient être faites dans ce domaine, pour permettre une meilleure qualité de vie à ce groupe de femmes.

À ce propos, je vais vous raconter un autre de mes cas cliniques.

Je me souviens d'une patiente que j'avais suivie plusieurs années auparavant en clinique d'obésité et que j'avais perdue de vue quand ma pratique avait changé d'orientation. Quelle ne fut pas ma surprise, il y a trois ans à peine, de l'apercevoir un beau matin dans ma salle d'attente. Son tour venu, je l'accueillis avec joie, et, après nous être entretenues pendant quelques minutes de choses et d'autres, elle en vint à la raison de sa consultation. Elle avait récemment lu mon livre, *La Ménopause et le Remplacement hormonal*, et voulait mon opinion sur un problème qu'elle vivait depuis quelque temps.

Hystérectomisée et ovariectomisée depuis assez longtemps, elle avait, pendant plusieurs années et sous la recommandation de son gynécologue, pris Prémarine 1,25 et Provera 5 mg de façon continue.

Mais, lors de sa dernière visite chez le spécialiste, deux ans plus tôt, celui-ci lui avait retiré ses Provera, lui disant que ce progestatif n'était pas indiqué puisqu'elle n'avait plus d'utérus et que rien ne prouvait qu'il la protégeait contre le cancer du sein. Il y a plusieurs années, on donnait en fait les deux hormones ci-haut mentionnées, même aux femmes qui n'avaient plus d'utérus. Or, par la suite, on découvrit que l'étude qui suggérait aux gynécologues une telle pratique avait été mal menée, peu sérieuse, et les conclusions en furent rejetées.

On retira donc à ces femmes le progestatif qu'on leur faisait prendre jusqu'alors avec leurs œstrogènes. L'histoire du beagle avait sans doute quelque chose à voir là-dedans.

Or, ma patiente était devenue très symptomatique, sous œstrogènes seuls : elle avait des bouffées de chaleur, était dépressive, dormait mal, faisait des vaginites, manquait d'énergie... et de libido !

J'étais très sceptique... car j'ignorais encore à l'époque tous les bienfaits de la progestérone et l'importance de l'équilibre hormonal. J'essayai, en l'interrogeant, de trouver d'autres causes à ses malaises, mais, je dois l'avouer, sans succès. Comme elle me suppliait de lui redonner ses Provera (juste pour voir) ou alors de lui donner des antidépresseurs, je cédai à sa première demande, et ce pour une période d'essai de trois mois. Quand elle revint à mon bureau, la période de sa prescription écoulée, je la trouvai radieuse. Elle m'avoua qu'avec ses Provera tous ses symptômes avaient disparu et qu'elle se sentait de nouveau comme avant.

Je m'interrogeai sur l'effet placebo de cette médication et surtout sur le bien-fondé de ma prescription, qui allait contre les recommandations scientifiques nouvellement établies dans cette matière. Mais notre rôle de médecin n'est-il pas de choisir le meilleur pour nos patients, à condition de ne pas nuire à leur santé ? Et, à long terme, des antidépresseurs n'eussent-ils pas été plus nuisibles ?

Je lui dis cependant que nous allions diminuer graduellement la dose de Provera pour faire de même avec les œstrogènes, dont la dose était un peu trop élevée à long terme. Mais nous tenterions toutefois de respecter son bien-être, la dose pouvant beaucoup varier selon les individus.

Je réalise aujourd'hui qu'elle avait raison, et toutes ces lectures et recherches que j'ai dû faire pour en venir à cette constatation me font penser de plus en plus que peut-être un jour, après que de sérieuses études auront été faites sur ce sujet, nous reviendrons peut-être à cette pratique de donner, même aux femmes hystérectomisées, de la progestérone en association avec les œstrogènes, pour une HTR de la ménopause. Pourquoi ? Pour un meilleur équilibre au niveau de tous les tissus, puisque non seulement l'utérus et le sein mais plusieurs autres organes sont munis de récepteurs à œstrogènes, à progestérone et à androgènes. C'est donc là un beau projet de recherches !

Même si le nom de la progestérone (*pro gestare :* «pour la gestation») porte à croire qu'elle n'a qu'une fonction, tous ses rôles que je vous ai énumérés dans les pages précédentes vous prouvent que c'est une hormone mal nommée, puisque très polyvalente. Le nom *probenvivere* («pour bien vivre») ne lui conviendrait-il pas mieux ?

Après tout, n'est-elle pas également sécrétée chez l'homme dans ses testicules et le cortex de ses surrénales, où elle sert d'intermédiaire à la biosynthèse des androgènes (ses hormones mâles) et des corticoïdes (25) ?

En terminant, je tiens à répéter que toutes les femmes sont différentes et que plusieurs répondront différemment à un même médicament, même la progestérone naturelle. Ainsi, quand une femme arrive à mon bureau en révélant des effets contraires à ceux qu'elle aurait dû ressentir, je l'écoute et me garde bien de lui dire que c'est impossible. Il y a une raison à tout, et c'est à moi de la découvrir. C'est comme cela que la science peut avancer. Il faut sans cesse garder l'esprit ouvert : c'est ainsi qu'il s'enrichit des expériences de tous et chacun. C'est également ce qui différencie le vrai chercheur de celui qui n'a d'autre but que les lauriers que lui apportent ses découvertes.

Il reste donc beaucoup à découvrir sur la progestérone, mais je crois bien avoir ouvert pour vous une fenêtre sur cette facette de l'hormonothérapie encore trop mal connue et trop mal documentée jusqu'à présent.

Il y a maintenant huit ans que je me renseigne et étudie sur l'HTR, et je constate que les journaux médicaux débordent depuis environ trois ans d'articles concernant les effets bénéfiques des œstrogènes sur les os, sur le cœur et les artères, sur les articulations, sur le cerveau et la mémoire, alors qu'au début je devais scruter à la loupe les mêmes publications pour trouver un petit coin où l'on parlait d'HTR.

Étant donné le nombre de femmes qui ont apprécié mon premier livre parlant d'HTR, et leurs commentaires tant à mon bureau que lors des séances de signature des nombreux salons du livre auxquels j'ai participé depuis que ce livre a paru, je crois avoir atteint mon premier but, qui était de bien les informer pour leur permettre un choix éclairé de l'HTR.

J'ose espérer que dans le même laps de temps, soit trois ans, si je m'attable de nouveau devant un grand cahier blanc pour le noircir des dernières découvertes sur l'HTR, je pourrai vous dire au début du XXIe siècle que oui, la progestérone est enfin reconnue pour tous ses mérites, comme l'ont été les œstrogènes ces dernières années. Et peut-être l'aura-t-on renommée «*probenvivere*» !

* * *

Retenez cependant de cette deuxième partie les faits suivants :

- la progestérone naturelle et les progestatifs sont des produits très différents;
- la progestérone naturelle est maintenant disponible ici de même qu'aux États-Unis (elle l'est en Europe depuis près de quinze ans !);
- je crois que l'équilibre hormonal entre les œstrogènes et la progestérone est essentiel pour une belle qualité de vie.

Et n'oubliez pas que la progestérone naturelle :

- améliore le sommeil et calme;
- stimule l'agressivité positive et la créativité;
- aide à perdre du poids en corrigeant l'œdème;
- rééquilibre la muqueuse vaginale;
- aide à maintenir la santé des os;
- ne nuit pas à l'action des œstrogènes sur l'équilibre de nos lipides;
- peut améliorer ou rétablir la libido chez celles qui ont encore leurs ovaires;
- avec elle, maux de seins, de ventre ou migraine sont plus rares.

Un effet secondaire à noter cependant, quelques heures après sa prise, chez quelques femmes, à cause d'une biodisponibilité variable chez chacune : de légers étourdissements. Mais, comme on doit la prendre le soir au coucher, ces symptômes se perdent dans le sommeil réparateur qu'elle procure.

Celles qui ont des antécédents hépatiques (hépatite, cirrhose) pourront difficilement bénéficier d'une hormonothérapie avec de la progestérone naturelle car elles y découvriront souvent une intolérance, à cause peut-être de sa présentation dans de l'huile d'arachide, qui rend sa digestion plus difficile. Dans ce cas, certains chercheurs en ont suggéré l'emploi par voie vaginale. Elle est ainsi très bien absorbée, à dose moindre, et l'on évite alors le premier passage hépatique (26).

En conclusion, cessez s'il vous plaît de rejeter la progestérone en la confondant avec les progestatifs! N'écoutez plus vos amies qui mélangent tout et vous disent qu'elles préfèrent l'hystérectomie plutôt que de prendre de la progestérone. Car, même en préménopause, où l'on doit souvent remplacer la progestérone, qui se dérobe la première, plusieurs de mes patientes savent apprécier la qualité de vie que leur procure cet équilibre hormonal. Quand on ajoute cette «petite pilule miracle», comme l'une d'elles l'a nommée, elles ne ressentent plus l'agressivité si caractéristique de l'hyperœstrogénisme relatif. Elles n'ont plus ces règles si abondantes et longues qui les prenaient souvent par surprise, bien avant leur date (causées par un manque de progestérone), ni tant d'autres symptômes qui se sont envolés.

* * *

Je crois avoir réussi à démontrer dans les deux premières parties de ce livre que les hormones (surtout sexuelles) sont très étroitement liées à tout ce qui nous procure notre qualité de vie. Et si l'on parlait enfin de cette troisième hormone sexuelle, l'«**hormone du désir**», que j'ai gardée pour le dessert? Car non seulement cette hormone est responsable de notre libido et de notre **désir** de l'autre, mais elle est également, vous le verrez, notre hormone du **désir** de vivre, de jouir de tout, d'entreprendre et de réaliser des projets.

Et le **désir** n'est-il pas la première étape de tout **plaisir**?

Faites une pause de quelques minutes pour aller vous chercher un jus, un verre d'eau fraîche, un café ou un digestif, selon vos goûts, car je crois que vous n'aurez plus envie de quitter votre coin de lecture quand vous aurez abordé les pages qui suivent....

TROISIÈME PARTIE

À quelle hormone devons-nous notre désir?

Introduction

Il n'est pas facile de trouver de la documentation sur les androgènes (surtout pour la femme), car ce sujet est encore trop peu étudié et, quand il l'est, les chercheurs publient peu.

J'ai donc dû demander à mon conjoint de me trouver, grâce à l'Internet, de la documentation sur les androgènes et plus particulièrement sur la testostérone.

Le premier article que j'ai trouvé sur mon bureau portait le titre suivant : «La testostérone, l'hormone de vie!», et en sous-titre : «La testostérone : nécessaire pour bâtir les muscles, et hormone de soutien pour les hommes et les femmes.»

Cet article provenant d'un médecin du Michigan, le docteur Edward M. Lichten, commençait ainsi : «Y a-t-il une ménopause mâle?» Il poursuivait en disant qu'il faudrait plutôt dire «viropause» (pour virilité) et qu'en fait cela existait!

Je sens ici deux possibilités : ou bien je viens de perdre plusieurs lecteurs, ou bien, concernés, intéressés ou curieux, ils iront se faire un café, s'installeront bien confortablement et s'attaqueront aux pages qui suivent, bien décidés à venir à bout de cette question tant de fois débattue.

C'est en fait de son propre cas que le docteur Lichten nous entretient dans cet article. Il avait effectivement lu plusieurs livres traitant de l'andropause et qui mentionnaient le déficit en testostérone chez l'homme avançant en âge. Mais dans l'ensemble et surtout entre hommes, ce sujet restait tabou, et, selon ces mêmes livres, on persistait à croire que l'andropause n'existait pas. Il poursuivait ainsi : «Quand j'ai commencé, à 48 ans, à avoir des sueurs nocturnes, me réveillant avec le pyjama tout mouillé, j'ai fait faire mon dosage hormonal et il était au plus bas de la normale : 350 ng par ml, la normale étant de 350 à 1 200 ng par ml. Je me suis alors mis à prendre de la testostérone et, à ma grande surprise, je n'ai pas seulement réglé mon problème de sueurs nocturnes mais j'ai également retrouvé mon énergie et ma vigueur sexuelle (1).»

Il rapportait ensuite que des études faites en 1940 révélaient des normales de testostérone supérieures de plus de 300 ng par rapport à celles d'aujourd'hui. À cette période-là, des valeurs aussi basses que 250 ng par ml ne se trouvaient que chez des hommes de 80 ans, alors que maintenant on les trouve fréquemment chez l'homme d'âge moyen. Nous reviendrons plus loin sur la liste des symptômes qu'il énumérait pour mettre les hommes en face du problème réel, ainsi que sur le traitement qu'il préconisait (2).

Le deuxième article fourni par un ami était le résumé d'une conférence donnée à Puerto Vallarta par deux médecins et dont le titre était : «Thérapie androgénique : une prescription de passion!»

Cette étude contenait en conclusion la suggestion très convaincante de faire chez les femmes ménopausées le remplacement de la testostérone pour améliorer, tant du point de vue physique que psychologique, leur qualité de vie. On y soulignait également le fait que, chez les femmes sous ETR (i.e. celles qui, sans utérus, ne prennent que des œstrogènes sans progestérone), la protéine de transport dont nous avons parlé plus haut, la SHBG, qui lie les œstrogènes et la testostérone, est assez élevée. La testostérone libre, donc active, étant abaissée dans ces conditions, on trouve une déficience androgénique chez ces femmes, qui ont alors des problèmes d'appétit sexuel et de satisfaction (3).

Un troisième article, venu de France, d'un congrès médical tenu en 1997, portait le titre suivant : «La ménopause et la sexualité à l'heure de la THS (ou HTR) : une épreuve pour l'homme !» Le docteur S. Mimoun y souligne que l'HTR amène la mésentente dans les couples. En effet, la femme, après avoir connu les affres des carences hormonales de la ménopause, retrouve, avec l'HTR, une seconde jeunesse et une nouvelle vigueur, tant générale que sexuelle, alors que souvent l'homme, qui commence «à ressentir un "sommeil sexuel", avec parfois érection instable, insuffisante ou capricieuse, se sent laissé pour compte. Alors, lui aussi se sent obligé de consulter, persuadé pourtant que l'andropause, ça n'existe pas, ou tout au plus pour 10 % à 20 % des hommes (4)».

Interrogeons-nous ! Ce faible pourcentage d'hommes qui consultent tient peut-être au fait que seulement ce petit groupe accepte de voir un spécialiste, alors que le reste préfère ignorer, taire le problème, nier la «triste» réalité !

«Du fait d'une trop grande demande sexuelle, du fait du "réveil" de leur sexualité par l'HTR chez les femmes, pour stimulante qu'elle soit au début, elle peut devenir inquiétante pour l'homme anxieux, qui se sent moins sûr de ses performances à cet âge», souligne plus loin le docteur Mimoun (5).

Nous pourrions continuer ainsi d'éplucher tous ces articles, plus passionnants les uns que les autres, sur

cette hormone du désir ! Mais nous allons faire mieux. Nous allons carrément aborder le sujet, le définir, le détailler, l'étudier, le démystifier, et nous assurer ainsi des années de bonheur, de satisfaction sexuelle et d'équilibre pour l'avenir.

Je sens que nous allons bientôt atteindre notre but ultime, dans ce long voyage dans le monde des hormones : comprendre le **désir** pour atteindre le **plaisir** !

1

La testostérone est également une hormone de femme!

L'HORMONE DU DÉSIR! Quel beau nom, n'est-ce pas? C'est là le pseudonyme de la testostérone.

La sexualité fait partie de la vie… Elle assure même la vie et la survie de l'espèce. **ELLE FAIT PARTIE DE LA QUALITÉ DE LA VIE.**

Si quelqu'un n'a plus faim, on s'inquiète. Il est sûrement malade. S'il ne ressent **plus aucun appétit sexuel**, on pense que c'est normal, en vieillissant, tout comme l'incontinence urinaire. Et vous appelez cela qualité de la vie?

Nous, les *baby-boomers*, sommes peut-être moins résignées que nos mères à laisser s'endormir notre plaisir pour toujours, sans tenter de faire quelque chose.

Si l'on considère l'espérance de vie, ne nous reste-t-il pas encore une bonne trentaine d'années à vivre, en ménopause?

Voyons donc ce que l'on peut faire pour sauvegarder cet équilibre de vie et cette assurance de sérénité qu'est une vie sexuelle accomplie.

Voyons quelles hormones sont impliquées dans l'acte sexuel et de quelle manière.

Que signifie le mot «androgène»?

Du grec *andros*, «mâle», et *genno*, «produire», ces hormones seraient responsables de la masculinisation. Cependant, comme elles existent chez la femme comme chez l'homme, je crois que cette appellation est erronée. En effet, les ovaires comme les testicules produisent des androgènes et des œstrogènes, de même que les surrénales. C'est la quantité de chacune de ces hormones qui diffère, plus que leur qualité, chez les deux sexes. Ce sont les tissus cibles où se retrouvent ces hormones qui en déterminent le rôle, car ils sont munis d'enzymes nécessaires à la transformation des androgènes en œstrogènes, ou d'un androgène en un autre plus actif ou plus masculinisant. Ainsi, l'androstènedione, un androgène produit dans l'ovaire, sera converti en un œstrogène, l'œstrone, et la testostérone sera convertie en œstradiol (1) [illustration 14].

La testostérone est produite chez la femme par les ovaires (25 %), par les surrénales (25 %) et par les autres tissus (50 %) par conversion périphérique. Ainsi, la testostérone est transformée en œstrogènes dans les graisses, ce qui explique pourquoi les femmes obèses semblent avoir moins de problèmes à la ménopause.

Chez la femme, c'est la testostérone qui est l'hormone active et en circulation (2), alors que chez l'homme la testostérone est transformée en produits actifs dans différents organes. Ainsi, elle se transforme en œstradiol dans le cerveau et dans le tissu graisseux. Dans la prostate, elle est active sous la forme de 5a-dihydrotestostérone, alors qu'elle garde sa forme initiale au niveau des muscles (3).

C'est la présence de la **testostérone** au niveau des récepteurs du cerveau qui engendre le **désir**, la libido, la décision mentale de l'appétit sexuel, de même que l'attraction vers telle personne plutôt qu'une autre, avec l'aide, bien sûr, comme nous l'avons mentionné plus haut, des **phéromones**, qui nous permettent de «tomber amoureux». Attardons-nous donc un peu sur ces substances fort intéressantes.

Les phéromones

Saviez-vous que nous devons l'attirance sexuelle en partie aux arômes sexuels que, grâce à notre nez, nous pouvons flairer chez le sexe opposé? Et quels sont ces arômes? Les phéromones, justement!

Sécrétées par un animal, elles provoquent des changements de comportement chez l'animal du sexe opposé. Chez les animaux, les phéromones peuvent provoquer une rencontre entre les deux sexes, exerçant leur pouvoir à distance.

Ainsi, l'animal mâle est attiré par la femelle en rut justement parce que, pendant cette période, ses hormones lui font sécréter des substances qui suscitent l'attirance, soit les **phéromones**. Celles-ci seraient sécrétées et libérées chez la femelle grâce aux œstrogènes.

C'est en 1959 qu'Adolf Budenandt, qui avait mis en lumière, vingt-cinq ans plus tôt, la synthèse des hormones sexuelles, découvrit ces substances qu'il nomma «phéromones». Ce mot provient de deux mots grecs : *pherein*, «porter», et *hormôn*, «exciter». Après les avoir mises en évidence chez la femelle du ver à soie puis chez la guenon, on en constata la présence chez la femme avec des pointes justement à l'ovulation. La nature étant bien faite, les phéromones, qui ont pour but d'attirer et d'exciter le mâle en vue du coït, sont justement à leur plus fort à l'ovulation, quand la femme est le plus fertile, assurant ainsi la survie de la race.

Chez la femme, les phéromones seraient sous le contrôle des œstrogènes, et il semble qu'à partir du moment où ceux-ci augmentent dans le sang à la puberté, ils commandent la production et la libération des phéromones, signes extérieurs de la maturité et de la disponibilité sexuelles.

De son côté, la testostérone agit de la même manière chez l'homme en libérant l'androsténone et l'androsténol, deux phéromones qui sont des stimulants sexuels puissants (4). Ils seraient en effet responsables des odeurs spéciales au niveau des aisselles et du scrotum et seraient également libérées dans l'urine et la salive. L'androsténone donne une odeur caractéristique à l'urine mâle et c'est ce que détecte la truie quand elle cherche les truffes, qui ont justement cette odeur spéciale. Ce champignon serait d'ailleurs, semble-t-il, un aphrodisiaque (5), tout comme les phéromones qui favorisent l'accouplement (6).

Les phéromones sont spécifiques à chacun et à chaque espèce, comme des empreintes digitales. Elles existent chez tous les animaux, y compris les insectes, chez les humains, et elles seraient même présentes dans le milieu aquatique. Un document de Ressources naturelles Canada nous renseigne sur l'utilisation des phéromones dans la lutte contre les ravageurs forestiers. Intéressant, n'est-ce pas (7) ?

Mais, me direz-vous, quel est **le site d'action** des phéromones ?

Nous aurions, semble-t-il, au niveau du système olfactif, un organe spécial à cette fin, **l'organe voméronasal**. Il aurait été mis en évidence en 1993. Situé dans le nez, il aurait 400 um de diamètre et serait tapissé d'un épithélium différent de celui du reste du système olfactif. Le conduit se termine en cul-de-sac de forme ovoïde. Identifié chez l'humain par Monti-Block, cet organe serait anatomiquement et physiologiquement différent du système nerveux olfactif principal. Il transmet à l'hypothalamus un message chimique **d'attirance sexuelle** (8). Le parcours entre l'organe voméronasal (VNO) et l'hypothalamus a même pu être identifié à l'aide d'un appareil à résonance magnétique, cet instrument dont on se sert en médecine pour certains examens qui nécessitent une grande précision diagnostique.

Cet organe (VNO) nous permet donc de détecter les phéromones de façon inconsciente (9).

Chez les animaux, on a établi que l'organe voméronasal était impliqué dans la réception du message des phéromones. On le trouve par ailleurs chez tous les humains, à moins d'une pathologie (10).

Des études scientifiques ont été menées dans le but de savoir comment les phéromones pouvaient influencer hommes et femmes. On avait déjà constaté chez les animaux que, si elles proviennent du même sexe, elles peuvent provoquer de l'agressivité. Cependant, provenant du sexe opposé, elles occasionnent un comportement de copulation. Cela inclut les attentions du mâle auprès de sa femelle jusqu'à ce qu'elle soit sexuellement prête (11).

Ainsi, chez les humains, lors d'une étude sur les phéromones, des femmes exposées à des phéromones femelles ont eu leur menstruation en même temps, après quelques mois. Cela confirme un phénomène observé depuis longtemps : des femmes qui vivent ensemble, comme, par exemple, des religieuses, ont souvent leur menstruation à la même période, à cause de leurs phéromones, qui influencent le comportement de façon inconsciente (12).

Deux études à double insu avec contrôle par placebo ont par ailleurs été menées sur le sujet dans la communauté scientifique.

Pour la première, on a exposé des femmes matures sexuellement et au cycle régulier à des excrétions axillaires non odorantes collectées chez des donneurs féminins ayant un cycle menstruel normal. On a constaté une augmentation de l'incidence du comportement sexuel hebdomadaire du groupe expérimental de femmes par rapport au groupe exposé au placebo. Cette étude fut d'une durée de 14 semaines. Les extraits avaient été dissous dans de l'éthanol et appliqués sur la lèvre supérieure (donc sous le nez) des participantes, trois fois par semaine.

Cette augmentation d'activité sexuelle a suggéré aux chercheurs que l'«essence femelle» pouvait agir en augmentant le désir de contact sexuel, soit en rendant les femmes exposées plus réceptives aux avances des partenaires mâles, soit en les rendant plus attrayantes sexuellement pour leurs partenaires (13).

La deuxième étude, publiée en 1998 et menée par un groupe de médecins, en arriva à la conclusion que l'exposition aux phéromones favorise dans 75 % des cas l'attraction sexuelle entre personnes de sexes opposés. Ainsi, cette autre étude à double insu avec contrôle placebo a été tenue auprès de 38 hommes hétérosexuels, qui ont été exposés à une version de phéromones humaines synthétisée en laboratoire (14). Cette étude d'une durée de six semaines a démontré une augmentation statistiquement significative de leur comportement sexuel dans la période de deux semaines qui suivait une nouvelle rencontre sexuelle. Il y avait une accentuation du

> comportement affectueux, du désir de dormir avec la femme rencontrée et de la revoir, chez le groupe d'hommes qui avaient utilisé les phéromones, par rapport au groupe sous placebo. Cette amplification de leur attention romantique auprès des femmes n'était pas accompagnée d'une hausse de fréquence de la masturbation, ce qui signifie que l'effet des phéromones n'était pas une simple augmentation de la libido mais bien une amplification de l'attrait sexuel de l'homme auprès de la femme. On conclut donc de ces deux études que les phéromones existent chez l'humain et sont de nature apocrine[1] (15).

Des laboratoires ont maintenant synthétisé des phéromones et l'on peut facilement s'en procurer... en les faisant tout simplement venir par la poste. L'emballage doit évidemment être adéquat sinon le facteur pourrait être trop bien intentionné lors de la livraison du précieux colis !

On pense qu'à l'andropause la baisse de testostérone et donc de phéromones pourrait être en cause dans le fait que l'homme se sent moins attirant. Possiblement pour la même raison, la femme en ménopause aura, comme l'homme, une diminution du **désir**. Il y a là un champ de recherches tout à fait passionnant pour qui veut s'y hasarder. Car on n'a pas encore fait d'études pour préciser si le remplacement hormonal ravive les phéromones, tant chez l'homme que chez la femme. C'est un sujet à suivre...

Revenons maintenant à nos androgènes.

Les androgènes augmentent durant le cycle menstruel, atteignant leur pic durant la fin de la phase folliculaire et tôt en phase lutéale, soit entre le 11e et le 18e jour, dans un cycle de 28 jours (16).

N'est-ce pas bien organisé, tout cela? Cette hausse de testostérone survient justement durant la période où l'on a besoin de plus d'appétit sexuel pour assurer la survie de l'espèce, i.e. justement autour de la période de l'ovulation!

Des chercheurs (Bancroft et son équipe) ont démontré que la testostérone était responsable de la motivation et du désir sexuels, en injectant cette hormone à des femmes sexuellement «éteintes». Ces injections de testostérone furent faites justement à ce moment du mois qui correspondait à la période fertile. Ces femmes ont subséquemment éprouvé une augmentation du plaisir durant leurs relations sexuelles, tant dans leurs pensées que dans leurs sensations libidinales, dans la fréquence de leurs orgasmes et dans la qualité de leur lubrification vaginale (17).

L'embryologie des organes génitaux

Parlons un peu maintenant de l'embryologie des organes génitaux.

Tous les embryons sont d'abord féminins. Un gène SRY qui transporte le gène Y est responsable de la **masculinisation** du bébé. C'est le père qui fournit ce gène Y qui déterminera le sexe du bébé (18). Certaines cellules deviennent alors des testicules au lieu des ovaires et pendant quelque temps sécrètent de la **testostérone**, qui commande aux cellules intéressées la masculinisation du bébé. Très tôt, en effet, dans le développement embryonnaire, le fœtus XY (mâle) sécrète de la testostérone, ce qui entraîne le développement des organes mâles reproducteurs et la masculinisation du cerveau.

Le tout se passe en 48 heures (19). En l'**absence** de la testostérone, les fœtus XX (destinés à être femelles) ainsi que les fœtus XY (destinés à devenir mâles) se développeront en femelles (organes génitaux, cerveau, comportement) [20].

Il semble qu'une action réciproque des deux hormones, mâle et femelle, soit nécessaire au développement d'un mâle normal. Ainsi, le cerveau serait hormonalement programmé pour fonctionner suivant des modèles phénotypiques[2] particuliers à chaque sexe.

> Des études sur les animaux ont en effet démontré que les toutes premières hormones gonadiques auxquelles le fœtus est exposé ont des effets permanents sur la différenciation sexuelle du cerveau et du comportement, y compris les capacités d'apprentissage. Ces différences sexuelles, issues de l'action des hormones gonadiques, laissent des traces sur le développement prénatal et postnatal, mais aussi sur le comportement à la puberté et même dans la vie adulte. Par exemple, l'administration d'œstrogènes à des animaux améliore leur mémoire spatiale (21).

Ainsi, les femmes réaliseraient de meilleures performances en habileté verbale, en vitesse de perception et en raffinement moteur et de précision, à cause des œstrogènes. On sait par ailleurs que la prise d'œstrogènes à la ménopause continue d'influencer de façon positive leur fonction cognitive. Par contre, l'exposition du cerveau aux androgènes améliore le raisonnement mathématique (22).

Des études faites chez les humains ont aussi démontré que des fœtus exposés à moins d'androgènes libres ou actifs chez des mères qui avaient des niveaux élevés de SHBG (notre agent de liaison!), surtout durant le deuxième trimestre de la grossesse, avaient, au cours de leur vie, des comportements de type féminin. Et vice versa : plus le fœtus est exposé à des androgènes libres, plus son comportement sera de type masculin, durant toute sa vie (23).

Mais chacun des embryons normalement développés, qu'il soit mâle ou femelle à la naissance, conservera un ensemble de récepteurs à testostérone et à œstradiol. Toute leur vie, l'homme et la femme auront dans leur sang une certaine concentration de ces deux hormones, qui ont chacune un rôle à jouer chez chacun de nous.

Ainsi, tant chez la femme que chez l'homme, c'est la **testostérone** qui amorce l'appétit sexuel et qui est nécessaire pour expérimenter l'amour romantique (24).

On va même jusqu'à penser que si certaines personnes n'ont jamais vécu d'expériences amoureuses de leur vie, c'est sans doute parce que leur concentration de testostérone au niveau du cerveau n'a jamais été assez élevée (25). C'est l'œstradiol qui rend la femme attrayante pour l'homme. Mais c'est la **testostérone** qui les rend tous deux sexuellement réceptifs (en activant leurs centres cérébraux).

À l'adolescence, c'est la **testostérone** et non pas l'œstradiol qui est responsable de la maturation et du raffinement de la sensibilité érotique du clitoris, des seins et des mamelons, de l'éveil de la libido et de la réponse à la stimulation sexuelle.

Donc, tant chez la femme que chez l'homme, l'hormone responsable de la libido, l'hormone du désir, c'est la **testostérone** (26).

Les autres fonctions de la testostérone

Voyons maintenant les autres fonctions de la testostérone.

Il est important de savoir que la testostérone n'est pas impliquée seulement dans le **désir** ou l'**appétit sexuel**, mais qu'elle remplit plusieurs autres fonctions que nous allons définir ici et qui déterminent le **désir** de vivre et de jouir de la vie.

En effet, la testostérone est également responsable de l'énergie, de la vitalité, du bien-être et de l'aptitude à régler des problèmes psychologiques. On lui doit notre comportement positif. De plus, elle est antidépressive. Elle agit également au niveau de la vigueur, de la résistance physique et du tonus musculaire.

La pilosité pubienne, la croissance linéaire du corps, l'absorption du calcium par les os et la production des globules rouges par la moelle osseuse, autant chez la femme que chez l'homme, font aussi partie de ses fonctions.

> La testostérone serait également antiathérogénique sur le cœur et les vaisseaux, tout comme les œstrogènes. Elle aurait également des fonctions anticoagulantes. Je rappelle qu'elle potentialise l'action de la leptine contre l'obésité.
>
> La testostérone agirait même sur le système immunitaire en augmentant le nombre des lymphocytes T (lequel est réduit par le sida, par exemple). Elle serait responsable également de la production de certaines substances (dont l'interféron) qui nous permettent de réagir contre certaines maladies; elle jouerait même un rôle dans la lutte contre la dégénérescence cancéreuse des cellules.

La tendance sera de plus en plus de doser la concentration de testostérone chez la femme en préménopause, pour savoir quelles sont ses valeurs de base, qui peuvent également varier selon les laboratoires. Les valeurs de l'homme seront, il faut s'en souvenir, presque dix fois supérieures à celles de la femme.

Il est fréquent de trouver une testostérone totale abaissée, quelques années avant la ménopause, quand il commence à y avoir un déséquilibre hormonal (27). Et cela, comme l'ostéoporose, on ne le trouvera pas si l'on ne le cherche pas.

En 1987, le docteur Robert B. Greenblatt soulignait, dans un article d'un journal de médecine américain, qu'en somme la femme en ménopause est dans un état de catabolisme, i.e. de métabolisme négatif, où la peau s'amincit, la masse musculaire diminue, la densité osseuse se résorbe, la tension artérielle monte, le métabolisme des sucres est au ralenti, la masse graisseuse augmente, et qu'ajouter des androgènes aurait un effet anabolisant qui rétablirait l'équilibre, tant du point de vue physiologique que psychologique (28).

Nous pouvons donc constater que les androgènes doivent être étudiés de plus près. Car si nous avons, grâce à ces hormones, le secret du bien-vivre, il n'est pas inutile de nous y attarder et de comprendre ce qui peut en causer une carence. C'est ce que nous allons voir dans le prochain chapitre.

2

Les causes et les conséquences des carences androgéniques

Au tout début, nous avons mentionné que les ovaires, comme les testicules, produisent des œstrogènes et des androgènes. On sait que les androgènes peuvent être les précurseurs des œstrogènes puisque des enzymes permettent la transformation de la testostérone en œstradiol et que l'androstènedione de l'ovaire et de la surrénale est convertie en œstrone (1) [illustration 14].

Chez certaines femmes, il y a un changement plus important d'androgènes en œstrogènes par conversion périphérique et, de ce fait, cet équilibre hormonal leur permet d'éviter des problèmes d'ordre sexuel, de même que plusieurs symptômes de la ménopause.

Après la ménopause, les androgènes fournis par les ovaires, soit le tiers de la production en circulation, sont l'androstènedione et la testostérone. Mais le reste de la production d'androgènes provient des surrénales et des tissus périphériques, soit le foie, les muscles, la graisse. Ces androgènes sont l'androstènedione (provenant du sulfate de déhydroépiandrostérone ou DHEAS) et la testostérone, qui est fabriquée en bout de chaîne. La testostérone, bien que provenant, pour 50 %, de la surrénale, doit l'autre moitié de sa concentration plasmatique en partie à l'ovaire, mais aussi à la conversion périphérique de l'androstènedione dans le muscle et le tissu adipeux, comme nous venons de le mentionner (2).

Donc, après la ménopause, les ovaires fabriquent quand même de la testostérone chez au moins la moitié des femmes, comme avant la ménopause.

Cependant, les femmes plus maigres ont une conversion insuffisante en testostérone, due à un manque de cellules adipeuses (3). Pourquoi ? C'est que, sans le tissu graisseux essentiel à une bonne partie de la conversion périphérique, la testostérone n'est alors fournie en majeure partie que par la surrénale.

Les causes de carence

Quelles sont les causes de carence en testostérone ?

L'arrêt ou le ralentissement de production par l'ovaire est l'une des causes. D'autre part, le vieillissement des récepteurs à testostérone pourrait également expliquer une baisse de leur sensibilité, de même que la diminution de la fonction des enzymes impliqués.

C'est souvent à cause d'un niveau trop bas de testostérone en périménopause que certaines femmes se sentent moins attirées par leurs maris, quand elles ne ressentent pas carrément de la répulsion à leur égard.

« Quand il m'approche, j'ai envie de me sauver. »

« Je l'aime, mais ça m'énerve quand il me touche. Il va finir par se lasser. »

D'autre part, nous savons qu'il y a des récepteurs à testostérone dans certaines zones du cerveau, ainsi que dans les mamelons, le clitoris et plusieurs autres régions du corps.

Il est cependant possible que la testostérone soit en quantité suffisante au niveau des récepteurs cérébraux mais qu'il en manque au niveau des récepteurs spécifiques à testostérone des organes génitaux. Il en découle une **absence de réponse à la stimulation**, pouvant aller jusqu'à l'irritation, et cela même si le désir est toujours présent.

N'oublions pas non plus la présence et le rôle de la SHBG, cette protéine de transport (illustration 5). Nous avons vu que les œstrogènes et la testostérone (des stéroïdes) étaient transportés par la SHBG et que si l'on a donné des doses trop élevées d'œstrogènes, on a augmenté la SHBG, risquant de diminuer la testostérone libre, donc efficace. Si l'on ajoute de la testostérone, on rétablit l'équilibre et il y a alors davantage de testostérone et d'œstrogènes libres, donc actifs.

Si, d'autre part, s'ajoute à cela une carence en œstrogènes et en progestérone aux sites récepteurs génitaux, surviennent alors une irritation accentuée, un manque de lubrification, une douleur à la pénétration, une absence d'irrigation des organes génitaux, y compris l'utérus et son col, et, par conséquent, l'impossibilité d'atteindre l'orgasme.

Les femmes ovariectomisées

Pourquoi les femmes ovariectomisées risquent-elles d'avoir plus de problèmes ?

Une expérience a démontré qu'on rencontre chez les femmes ovariectomisées plus de cas de baisse de l'appétit sexuel et du plaisir. Pourquoi ?

Il y a deux raisons à cela. D'une part, l'utérus fabrique des prostaglandines, ces substances qui sont responsables de la stimulation cyclique des ovaires, assurant ainsi leur production de testostérone. D'autre part, c'est la circulation ovarienne qui assure une bonne lubrification vaginale et une réponse favorable à la stimulation sexuelle. Donc, sans utérus ni ovaires, ces femmes sont doublement perdantes.

Si l'on ajoute de la testostérone à leurs œstrogènes, elles pourront jouir de nouveau ou davantage.

Outre ces femmes castrées chirurgicalement ou qui ont subi une chimiothérapie ou une radiothérapie, il y a un grand nombre d'autres cas où l'on trouve une testostérone abaissée, comme chez celles qui prennent certains médicaments qui interfèrent avec la biodisponibilité de la testostérone, tel le tamoxifène (contre le cancer du sein). Certains anovulants peuvent agir de la même façon que certains progestatifs de synthèse, en diminuant également le **désir** et le **plaisir** (4).

D'autre part, des maladies débilitantes ou certains états comme l'alcoolisme ou l'abus de drogues (cocaïne, narcotiques) diminuent également la libido. Quelques maladies de la thyroïde ou de l'hypophyse (prolactinome) sont associées à une perte totale de désir sexuel. Certains phénothiazines peuvent causer la même perte en agissant comme le prolactinome.

Des médicaments peuvent mimer les effets d'une carence androgénique et retarder ou abolir l'orgasme, tels certains neuroleptiques (Haldol, Mellaril) et les benzodiazépines (Dalmane, Halcion) [5, 6].

Quelques agents psychotropes, tels certains anxiolytiques (Serax) ou certains antidépresseurs (Prozac, Zoloft, Paxil), affectent également le désir (7, 8) [illustration 8].

À quoi est liée l'inappétence sexuelle?

L'atrophie de l'appareil génital et les symptômes qui en découlent sont liés au manque d'œstrogènes, de même que la difficulté à atteindre l'orgasme, à cause de la diminution de la congestion vasculaire pelvienne au niveau des organes génitaux lors de l'excitation, comme nous l'avons expliqué dans la physiologie de l'orgasme.

Quant au désir sexuel, il dépend de la testostérone, et sa carence amène une diminution de la libido et des réponses aux excitations mentales (9).

Si, chez les femmes sous HTR (même chez celles qui ont conservé leurs ovaires), on ajoute de la testostérone aux œstrogènes, il y aura généralement une amélioration du désir, de meilleurs orgasmes et une augmentation de l'activité sexuelle (10).

Dans des études faites sur des rats, on a conclu que l'œstradiol et le dihydrotestostérone étaient essentiels pour l'expression du **désir sexuel**, plus que la testostérone seule. En effet, si l'on bloquait la transformation de l'androgène en œstradiol, le comportement sexuel du rat était inhibé (11).

Enfin, il est donc important d'être à l'écoute de ces femmes qui souffrent d'absence de désir, car il s'agit souvent d'une carence hormonale que l'on peut corriger.

La déficience en œstrogènes semble être plus fréquente que la déficience en androgènes. Elle causera souvent une irritation de la vulve en réponse à une stimulation, plutôt que du plaisir, ou parfois même un impérieux besoin d'uriner (12).

En l'absence d'œstrogènes, le pH vaginal est plus élevé. Cela affaiblit la croissance des lactobacilles et favorise donc celle des autres bactéries présentes, causant des pertes vaginales importantes, de la douleur lors de la pénétration et, bien souvent, des vaginites (13).

Ces symptômes diminuent ou disparaissent si l'on traite la carence en donnant des œstrogènes, soit localement, soit de façon systémique. Il y aura alors également une amélioration de la lubrification vaginale, surtout si, en dernier essor, on ajoute de la progestérone naturelle.

Il faut cependant souvent joindre à une HTR orale une application subthérapeutique d'œstrogène vaginal. La Prémarine 0,625 sous forme orale serait souvent insuffisante dans le cas d'une mauvaise absorption au niveau digestif, et l'on peut alors suggérer l'essai de timbres d'Estraderm 50 ou leur équivalent transdermique (14). Il y a maintenant le gel (Estrogel) qui pourrait également remplir ce rôle.

Ainsi, je vous rappelle de ne pas oublier les problèmes d'absorption si vous n'êtes pas soulagée de vos symptômes lors d'une HTR. Si, d'autre part, votre ostéoporose s'accentue malgré cette médication, il peut également y avoir un problème d'absorption chez celles qui ont des troubles de l'estomac, des intestins ou du foie. Pour celles qui ont la peau irritée, trop épaisse ou couverte d'un peu trop de tissu adipeux, il est possible que la voie transdermique ne soit pas la meilleure présentation hormonale.

Le rôle de chacune des hormones dans le désir et le plaisir

Nous le verrons plus clairement si nous résumons les conséquences de leur carence.

La carence en **œstrogènes** cause des douleurs lors des relations sexuelles, par sécheresse vaginale, par amincissement des tissus et par augmentation du pH vaginal. Il en découle donc davantage de vaginites à entérobacilles[1]. Cette carence œstrogénique amène également une réduction de la fréquence des relations sexuelles, une augmentation des douleurs et une diminution du plaisir. Il y aura aussi une baisse de la qualité et de la quantité d'orgasmes, par amoindrissement de la vaso-congestion pelvienne en réponse à la stimulation sexuelle.

La carence en **progestérone** est responsable d'une diminution de la lubrification vaginale, d'une tension des muscles pelviens et d'un œdème des tissus périphériques.

Enfin, une carence en **androgènes** entraîne une baisse du désir sexuel, des fantasmes, de la motivation et de l'intensité de l'orgasme, mais aussi du désir de vivre et d'en jouir.

Alors, vous voyez ici que le **désir**, qui est du ressort de la testostérone, et le **plaisir**, qui relève des œstrogènes et de la progestérone, sont liés à la présence et à l'équilibre de ces hormones stéroïdiennes. On peut donc comprendre que chaque hormone a un rôle important à jouer et que, si l'on veut rétablir l'équilibre, il faudrait peut-être, idéalement, faire ce triple remplacement, surtout chez les femmes qui n'ont plus d'ovaires.

Cela m'amène à me poser la question suivante : devrait-on continuer d'enlever les ovaires en même temps que l'utérus, à la ménopause, quand l'hystérectomie est indiquée mais que les ovaires sont encore sains ? Cette intervention est souvent effectuée pour prévenir le cancer de l'ovaire, dont l'incidence n'est pourtant que de 2 %. Or, on sait maintenant que, même à la ménopause, un ovaire continue de fabriquer de la testostérone et même des œstrogènes, quoique en faible quantité, et ce jusqu'à dix ans après la ménopause (15).

D'autre part, une étude très intéressante menée par le docteur Adelson, à Syracuse, N.Y., en 1987,

portant sur l'âge de la survenue des cancers de l'ovaire, démontrait que 64 % de ceux-ci surviennent entre 41 et 60 ans. On sait que l'ovaire fabrique des androgènes et que sa production chute considérablement après la ménopause. Or, l'étude a démontré que l'exposition in vitro de cellules cancéreuses de tissu ovarien à des androgènes, i.e. androstènedione et testostérone (donc les androgènes que l'ovaire fabrique habituellement), a inhibé la prolifération des cellules cancéreuses. Ainsi, la diminution de fabrication d'androgènes par l'ovaire en postménopause pourrait être une des causes du développement du cancer de cet organe à cet âge. Ajouter des androgènes à l'HTR pourrait peut-être diminuer l'incidence des cancers de l'ovaire (16).

Les signes et les symptômes de carence en testostérone

Considérons maintenant les signes et les symptômes de carence en testostérone.

Ils sont présents à trois niveaux.

Sexuel : perte du désir sexuel, difficulté à atteindre l'orgasme et/ou baisse de sa qualité, diminution des fantasmes, perte de sensibilité du clitoris et des mamelons.

Comportemental : diminution de l'énergie et de la vitalité, baisse de sensation de bien-être, d'estime de soi, de désir d'entreprendre quelque chose, de réaliser des nouveaux projets, diminution de la joie de vivre et, souvent, sentiment de dépression.

Physique : raréfaction et même chute des poils pubiens, diminution du tonus musculaire, augmentation de la masse graisseuse, cheveux devenant de plus en plus ternes, sécheresse de la peau, douleurs ostéoarticulaires et, au pire, une atrophie génitale résistant au traitement d'œstrogènes (17). Il faut souvent, dans ce cas, appliquer de la testostérone localement sur les organes génitaux externes, sous forme de crème, pour améliorer ce grave état de carence.

Vous voyez bien que, sans cette hormone, le **désir** et le **plaisir de vivre** sont sérieusement affectés.

3

On remplace la testostérone, oui ou non ?

Partout dans les revues, les livres et les articles publiés sur l'Internet où l'on traite des problèmes de carence androgénique, on déplore que le monde médical prête si peu attention aux symptômes de cette condition et à son traitement.

L'opinion des chercheurs

Le docteur Isaac Schiff, professeur de gynécologie à l'université Harvard, à Cambridge, au Massachusetts, pense qu'on devrait enseigner aux médecins les problèmes causés par la carence en androgènes chez la femme, pour pouvoir mieux la soigner (1).

Pour d'autres médecins œuvrant dans ce domaine, il est grand temps, avec une population vieillissante, de prendre en considération tout ce qu'on peut faire pour améliorer la qualité de la vie. Au même titre que l'on s'efforce de traiter l'ostéoporose ou les maladies cardiovasculaires en mettant les femmes ménopausées sous HTR, il serait également temps que l'on considère la carence érotosexuelle avec autant d'attention et que l'on ajoute des androgènes au traitement (2).

D'ailleurs, comme le proclamait le docteur Florence Haseltine, du NIH (National Institute of Health), lors d'un symposium sur la santé des femmes, «tout traitement devrait être basé sur la compréhension du problème sous-jacent et la sensibilité aux besoins et aux préoccupations de la patiente (3)».

Un chercheur et clinicien de l'Hôpital général juif de Montréal, le docteur Morrie Gelfand, a consacré toute sa carrière à des recherches cliniques concernant le remplacement des androgènes chez la femme.

J'ai en main un article qu'il publiait en France en 1996 dans la revue *Reproduction humaine et Hormones*. Dans cet article intitulé «Ménopause et vieillissement», le docteur Gelfand prônait le remplacement œstro-androgénique pour une meilleure qualité de la vie à la ménopause. Il le présentait aux Françaises en disant que la production d'œstrogènes diminuait de 66 % et celle des androgènes d'au moins 50 % à ce moment de leur vie. Une HTR (avec œstrogènes et androgènes) améliorerait, selon lui, les «paramètres de qualité de vie tels la sensation de bien-être, la sexualité, l'énergie et la libido», en ajoutant, bien sûr, de la progestérone pour celles qui ont encore leur utérus. Et, outre tous ces bienfaits, les androgènes feraient équipe avec les œstrogènes et la progestérone dans la lutte contre l'ostéoporose.

Mais ce qui rend cet article encore plus intéressant, c'est le «scoop» qu'il contient (4) : la testostérone aurait sur le sein, à la manière du tamoxifène, un effet de protection contre le cancer. Le docteur Gelfand fait référence à une diminution relative importante de ces cancers chez les patientes qu'il traite depuis au-delà de trente ans, par rapport à la population des femmes en général. Mais il cite également une publication récente de Lovell qui a rapporté, chez 4 000 patientes traitées par voie subdermique (implants d'œstrogènes et de testostérone) ou par injection de la même combinaison hormonale, une diminution importante et statistiquement significative du cancer du sein, en comparaison de la population en général.

On s'est cependant inquiété d'un effet possiblement négatif des androgènes sur le taux des lipides : on pourrait augmenter par cet ajout de testostérone les risques de maladies cardiovasculaires. Or, le docteur Gelfand a mesuré régulièrement les taux sériques de lipides chez ses patientes et il n'a noté pendant tout ce temps aucune augmentation des fractions LDL et HDL-cholestérol, ni des triglycérides ou du cholestérol total.

D'ailleurs, réfléchissons un peu : chez la femme, on rencontre plus de maladies cardiovasculaires après la ménopause sans HTR. Mais à quel âge les hommes commencent-ils à souffrir des mêmes maladies ? On peut trouver des maladies cardiovasculaires à compter de la cinquantaine et parfois même vers la quarantaine chez les familles à risque. Comme on l'a noté antérieurement, la testostérone diminue plus tôt qu'auparavant chez les hommes qui avancent en âge. Le docteur Maurice Lesser avait, en 1946, fait une étude démontrant qu'un groupe de patients souffrant d'angine avaient été traités avec des injections de testostérone et que 91 % d'entre eux avaient vu leur état s'améliorer (5).

Des chercheurs de l'école Columbia ont démontré plus récemment (1994) que, chez les hommes ayant un plus haut niveau de testostérone circulante, il y avait une meilleure vascularisation cardiaque et des HDL (le bon cholestérol) plus élevés. Les sujets qui avaient une plus faible concentration de testostérone avaient une incidence accrue de maladies coronariennes et des niveaux plus bas de HDL (6).

Dans le *Journal d'endocrinologie et de métabolisme* de 1996, on publiait une étude faite au centre de santé de l'université du Connecticut, comparant les effets des œstrogènes seuls avec ceux des œstrogènes associés à la testostérone sur la formation et la résorption de l'os chez la femme en ménopause. On en est venu à la conclusion que l'association de ces deux hormones est plus bénéfique que la prise d'œstrogènes seuls (7).

Action des stéroïdes sur l'os

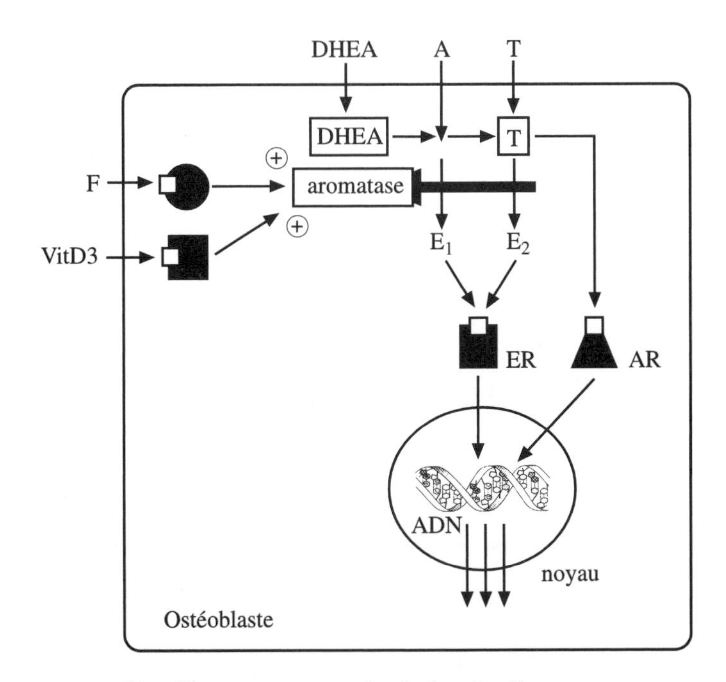

E_1	Œstrone	A	Androstènedione
E_2	Œstradiol	ER	Récepteur à E_1 E_2
T	Testostérone	AR	Récepteur à androgènes

Source : *Aromatase in Bone Cell*, J. Skroid, biochimiste, *Molec. Biol*, vol. 53, nos 1-6, p. 172.

Illustration 17

Selon un autre article obtenu sur Medline, d'une étude japonaise publiée en 1987, l'ostéoblaste (une cellule de l'os) serait munie non seulement de récepteurs à œstrogènes et à androgènes, mais aussi d'aromatase, cette enzyme qui transforme les androgènes en œstrogènes. Sur l'illustration 17, vous constaterez que l'on y trouve la présence et l'activité des œstrogènes (œstradiol et oestrone), de l'androstènedione et de la testostérone.

Une autre étude publiée en avril 1995 par Watts et son équipe sur l'effet des œstrogènes et des androgènes sur la ménopause concluait que les œstrogènes préviennent la perte osseuse mais que l'association des œstrogènes et des androgènes produit une augmentation importante de la masse osseuse après 12 à 24 mois de traitement (8).

Si l'on donne des œstrogènes et de la testostérone à des femmes pendant quatre ans et qu'on arrête ensuite le traitement, l'effet positif sur l'os dure plus longtemps que si l'on ne donne que des œstrogènes.

Il semblerait également que les androgènes se joignent aux œstrogènes dans leurs effets positifs pour retarder l'apparition de la maladie d'Alzheimer et son évolution, si l'on se fie aux études qui se font de plus en plus nombreuses sur le sujet (9).

Alors, après toutes ces conclusions sur les bienfaits des androgènes, doit-on traiter une carence en testostérone ?

Les indications

On traitera surtout les femmes qui n'ont plus leurs ovaires et qui se plaignent de telles carences, bien sûr, mais parfois également celles qui ont subi une simple hystérectomie sans ovariectomie, surtout avant 40 ans. Pourquoi ?

Il semblerait, je le rappelle, que l'artère utérine soit la source de plus des deux tiers de la circulation ovarienne. De plus, comme on l'a mentionné plus haut, l'utérus fabrique les prostaglandines qui assurent une stimulation cyclique des ovaires, et leur absence engendre une ménopause plus précoce ainsi qu'un déficit en testostérone plus rapide (10).

Les patientes plus maigres sont également plus à risque, à cause d'une conversion périphérique amoindrie, comme nous l'avons mentionné plus haut.

Les femmes qui n'arrivent pas à retrouver leur vitalité ou leur appétit sexuel malgré une HTR qui semble adéquate pourraient être traitées si l'on trouve chez elles une présence trop faible de testostérone, ce qui n'est pas rare.

Voyons donc comment il est possible de retrouver **désir** et **plaisir.**

4

Comment rétablir l'équilibre et retrouver le désir et le plaisir ?

Dans ces conditions, on donne quoi ?

On a essayé plusieurs traitements depuis de nombreuses années pour rétablir cet équilibre en s'efforçant d'obtenir le moins d'effets secondaires possible.

Plus on acquiert d'expérience clinique dans ce domaine, plus on réalise que, si l'on s'en tient à des doses « féminines » de testostérone dans le remplacement hormonal chez la femme, on annule ces effets indésirables que l'on avait connus dans les débuts de l'androgénothérapie, où l'on utilisait de plus fortes doses.

D'ailleurs, n'avons-nous pas fait la même expérience avec la pilule anticonceptionnelle, alors qu'à ses débuts elle était beaucoup plus forte que maintenant ? Il n'était pas facile, a priori, de trouver la dose qui soit efficace pour une contraception mais qui ne soit pas nuisible par ses effets secondaires. Ainsi, depuis ce temps, nous avons découvert des progestatifs de deuxième puis de troisième génération, moins androgéniques, donc causant moins d'acné ou de prise de poids. Ils nécessitent l'association de doses moins fortes d'œstrogènes de synthèse et sont donc moins nuisibles pour les veines, les artères et le cœur.

Il en est de même pour les androgènes : plus ils seront utilisés chez la femme en carence, plus nous connaîtrons les doses qui sont utiles sans être nocives. Cela permettra de mettre au point de nouvelles molécules qui auront les propriétés androgéniques physiologiques qui répondent aux besoins sans avoir d'effets indésirables.

Avant d'aborder l'androgénothérapie, j'ai cru bon d'inclure ici un organigramme présenté par le docteur Gelfand dans un livre publié en 1992 (1). Il a été repris et traduit en français en 1996 dans la revue *Reproduction humaine et Hormones*, publiée en France. Il permet un survol rapide et pratique des différentes possibilités qui existent actuellement en HTR, de leurs bienfaits et de leurs effets secondaires possibles.

On y présente les formules suivantes : œstrogènes seuls, œstrogènes et androgènes, œstrogènes et progestérone, et, enfin, œstrogènes, androgènes et progestérone (illustration 18).

Le traitement

Parlons donc maintenant des traitements actuellement disponibles sur le marché.

Les règles de base sont les suivantes, si l'on décide d'ajouter de la testostérone aux autres hormones.

1) Il ne faut pas oublier qu'une partie de cette testostérone sera **transformée en œstrogènes**.
2) Il ne faut pas oublier non plus **d'ajuster la progestérone** si la femme qui en reçoit a encore son utérus. Car, dans ces conditions, la testostérone qui sera convertie en œstrogènes ira s'ajouter aux œstrogènes qu'elle prend déjà, quant à leur effet

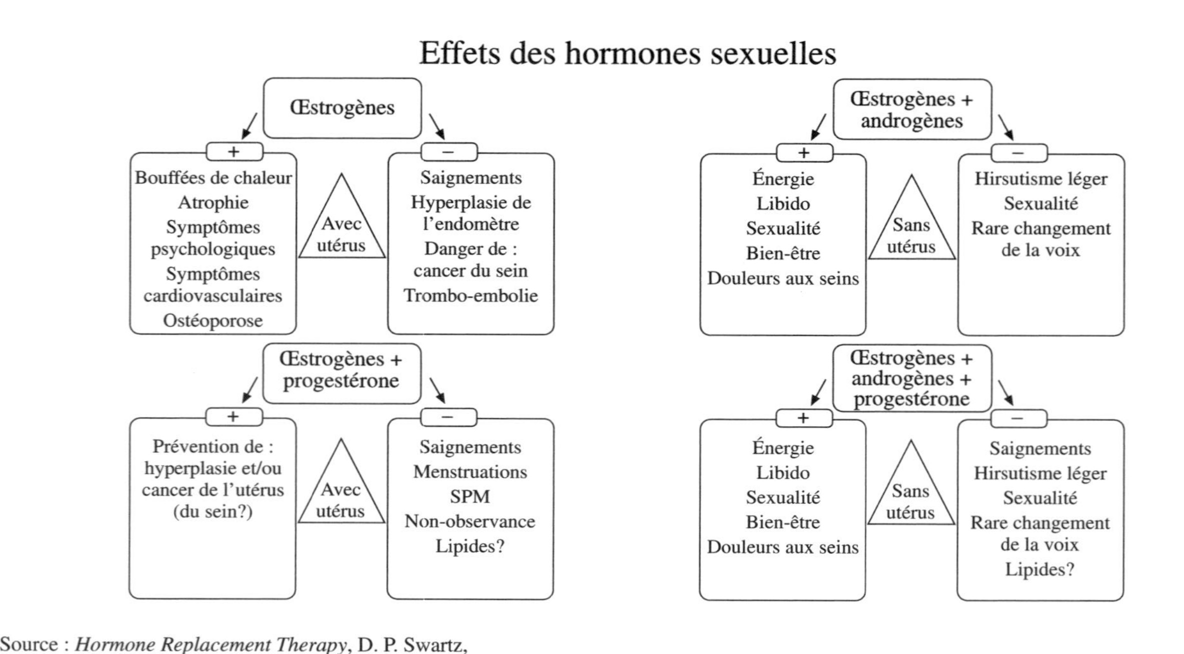

Source : *Hormone Replacement Therapy*, D. P. Swartz, Dr M. Gelfand, *Estrogen-Androgen*, ch. 10.

Illustration 18

au niveau de l'endomètre. Il faudra donc une plus grosse dose de progestérone pour éviter que ne se produise une hyperplasie de l'endomètre.

Pour améliorer l'appétit sexuel

La première étape pourrait être, avant d'ajouter de la testostérone chez la femme qui a encore son utérus et ses ovaires, de choisir **Prometrium**, la nouvelle progestérone naturelle, dont nous avons étudié tous les avantages antérieurement.

Bien sûr, ce n'est pas dès le premier mois que l'effet positif sur le désir sexuel sera remarqué, mais très rapidement les femmes apprécieront les bienfaits de cette hormone sur la muqueuse vaginale, dont une meilleure lubrification et moins de douleurs à la pénétration.

Dans les semaines suivantes, si le cas n'est pas trop «désespéré», il y aura une amélioration du désir et de la réponse à la stimulation sexuelle.

Si cela ne fonctionne pas chez les patientes qui doivent prendre tout de même de la progestérone car elles ont un utérus, je suggère une progestérone **plus androgénisante**, telle la noréthindrone (**Micronor**).

La noréthindrone (qui en Europe porte le nom de noréthistérone) est très fréquemment employée en France en association avec les œstrogènes en HTR, sans doute pour cette raison. Cependant, ses effets pourraient être négatifs sur le profil lipidique. Donc, la prudence est recommandée à celles qui ont des antécédents d'hyperlipidémie[1].

Mais si, après quelques semaines, voire quelques mois, il n'y a pas d'amélioration, je fais d'abord faire le dosage de la testostérone, qui s'avère la plupart du temps assez basse ou carrément sous la normale.

C'est alors qu'il faut choisir d'ajouter la testostérone à l'HTR.

L'expérience clinique la plus importante jusqu'ici dans ce domaine a été effectuée plutôt avec la testostérone sous forme injectable.

Différentes formules existent (Climacteron, Neo-Pause, Delalestryl) où elle est associée à de l'œstrogène, les produits et les dosages variant selon les compagnies pharmaceutiques qui les fabriquent et les médecins qui les utilisent chez leurs patientes. Chacun a sa petite recette, quoique les grandes lignes des dosages les plus utilisés ont d'abord été publiées dans un journal médical par l'équipe Gelfand et Sherwin (2). Cependant, sous cette forme, l'association qui semble la mieux documentée serait celle de l'énanthate de testostérone et de valérate d'œstradiol, à une fréquence de 4 à 6 semaines (3).

Le docteur Helen S. Kaplan, dont on trouve souvent le nom dans des publications traitant de ce sujet, avait publié en 1993, sous le titre *The Female Androgen Deficiency Syndrome*, le rapport de ses recherches sur le sujet, confirmant par la même occasion celles qui avaient été réalisées par Waxenberg et son équipe en 1959 (4). Ce n'est donc pas d'hier que se font des études pour solutionner les problèmes de carence en testostérone chez la femme. Alors, pourquoi en parle-t-on si peu ? Pourquoi laisse-t-on depuis si longtemps les femmes privées de plaisir sans tenter d'en trouver la cause et sans les informer de cette carence possible en testostérone ? Combien de couples auraient-ils pu être sauvés de la rupture si le voile avait été levé plus tôt sur ce problème ?

Or, toutes ces études sur les formes injectables de testostérone en arrivent à la même conclusion : avec ces produits, les femmes retrouvent rapidement leur désir, leur appétit sexuel, leur imagerie mentale et leurs fantasmes sexuels, leur plaisir lors des relations, une réponse rapide à la stimulation sexuelle, et en prime leur énergie et leur vitalité.

On doit noter qu'à des doses physiologiques (donc, dans l'ensemble, la moitié de ce qu'on suggérait jusqu'à il y a peu de temps) ces formes injectables, quoique possiblement plus androgénisantes que d'autres formes, sont plus rapidement efficaces et causent malgré tout peu d'effets indésirables. Mais, là encore, comme pour toute hormone, la dose peut varier d'une personne à une autre et telle forme sera plus efficace qu'une autre chez des individus différents, sans doute à cause de la sensibilité des récepteurs à tel ou tel produit.

Assez récemment (1996), une autre femme a voulu lever un coin du voile pour remédier à l'ignorance populaire en matière de remplacement de la testostérone. Le docteur Susan Rako, qui avait souffert elle-même de cette carence, a eu le courage d'écrire un livre dans lequel elle raconte le long parcours qu'elle a dû faire pour enfin comprendre le problème et offrir ces solutions qu'elle a trouvées elle-même après plusieurs années de recherches. Psychiatre de profession, elle déplorait le peu de renseignements ou d'aide qu'elle a pu obtenir de la part des médecins, ce sujet semblant dans l'ensemble les ennuyer ou tout simplement ne pas les intéresser. Ce qu'elle nous offre est un véritable livre de recettes détaillant tous les produits disponibles aux États-Unis pour combler cette carence en testostérone[2]. Elle passe en revue tout ce qui existe, tant sous forme de comprimés que d'injections ou même de crème applicable sur la peau et qui serait plus rapidement absorbée. Hélas, nombre de ces produits ne sont pas encore disponibles partout.

Il existe cependant au Canada une testostérone mise sur le marché il y a quelques années par la compagnie Organon et dont l'indication première était pour les hommes en carence androgénique… (Tiens, tiens, ça existe ?) Il s'agit de l'undécanoate de testostérone (ou Andriol).

Heureusement, on commence à voir paraître dans les revues médicales des communications scientifiques sur l'utilisation de ce produit pour traiter la carence androgénique… chez les femmes ! Enfin, il y a des médecins curieux, ou plus humains, ou, en tout cas, plus courageux.

De l'Andriol à faible dose (40 mg par jour ou aux deux jours), qui ne cause aucun effet secondaire (donc pas de phénomène lié au fait que ce soit une hormone androgénique), corrigera cette carence en testostérone. Ce produit permet des doses « féminines » de testostérone.

En d'autres termes, ce produit ne cause pas d'acné, ni de poils au menton, ni de changement de voix, ni d'augmentation de la musculature, ni d'augmentation de volume du clitoris, ni de changement dans le profil lipidique. Avec cette médication, le pic sanguin est atteint quatre à six heures après l'ingestion et il n'y a jamais eu de niveau au-dessus de la normale féminine (5).

Cependant, il est très important de savoir que l'Andriol, qui se présente sous forme de gélules brunes, ne se conserve que durant trois mois. La fiole doit être froide quand vous allez chercher le médicament à la pharmacie, car, pour que ce produit demeure inactif et se conserve jusqu'à son utilisation, le pharmacien doit le garder au refrigérateur. Mais quand on va le chercher, on doit ensuite le laisser à la température de la pièce pour qu'il devienne actif et il ne sera bon que durant trois mois à compter de ce moment-là. Donc, n'en faites pas provision pour toute l'année, même si vous êtes comblée par ses bienfaits.

Sûreté du traitement

Des recherches ont prouvé qu'en donnant de l'undécanoate de testostérone (Andriol) à une dose de 40 mg aux deux jours pendant trois mois pour commencer et ensuite à chaque jour si besoin est, on améliore l'appétit sexuel chez la patiente sans porter atteinte à son profil lipidique et sans causer d'effets secondaires (6). Selon ces études, il n'y a pas eu de perturbations hépatiques après utilisation à long terme de l'Andriol (même chez l'homme, avec quatre à six comprimés par jour). Il n'y a pas eu de changement au niveau du LDL et du HDL chez les femmes recevant de l'Andriol à raison de 40 mg par jour (7).

Même chez les hommes recevant de quatre à six comprimés par jour d'Andriol et chez qui la médication était très efficace, causant un retour normal de la réponse sexuelle, les niveaux sanguins normaux de testostérone n'ont pas souvent été atteints (8). C'est dire que même une dose subphysiologique peut suffire à améliorer le déficit en testostérone.

Dans cet article cité antérieurement, *Androgen Therapy : Prescription for Passion*, les docteurs Thompson et Boroditsky rapportent avoir fait pendant trois mois l'essai d'Andriol chez un groupe de femmes dont le niveau de testostérone était au plus bas de la normale. Comme ce produit avait été utilisé chez les hommes, mais à des doses six fois plus grandes, sans aucune toxicité pour le foie ni changement dans leur profil lipidique (HDL, LDL et cholestérol total), les femmes

se sentaient en toute sécurité pour ex
médicament.

Pendant toute la durée du traitemen
secondaire (attribuable en principe à de
physiologiques) n'a été noté avec cet andr
dose.

Dans l'ensemble, les résultats furent trè
car les femmes ressentirent une amélior
réponse aux stimuli érotiques, qu'ils soient mentaux, verbaux, visuels ou même tactiles. Il y eut cependant beaucoup de variations quant à la rapidité du retour du désir et l'on attribue ce fait aux différences de sensibilité des récepteurs. D'ailleurs, vous avez pu remarquer, tout au long de cet ouvrage, combien, en matière d'hormones, les réponses peuvent être variables d'un produit à un autre et d'une personne à une autre.

De plus en plus de médecins ont ajouté ce produit à leur arsenal thérapeutique en matière d'HTR, mais, hélas, peu d'entre eux publient leurs observations.

Le docteur M. Gelfand a, pour sa part, étudié les effets de l'Andriol chez un grand nombre de ses patientes pendant quelque temps et en a fait une présentation scientifique au congrès de la FIGO (Fédération internationale des gynécologues et obstétriciens) à Copenhague en juillet 1997.

Je suis récemment allée passer une journée d'étude à sa clinique de ménopause de l'Hôpital général juif de Montréal et il m'a rassurée sur l'avenir de l'Andriol car il le trouve efficace, à condition de bien suivre les femmes sous ce traitement, d'augmenter la dose de progestérone si elles ont encore leur utérus (car une partie de la testostérone est transformée en œstrogènes, ce qui crée un plus grand besoin de progestérone pour protéger l'utérus, comme je l'ai expliqué plus haut) et de surveiller les lipides (les cholestérols), au cas où.... Mais, sur ce dernier point, les lipides semblent rester stables, même sous androgènes.

Lors de ma visite à sa clinique, je fus d'ailleurs très étonnée d'entendre ces femmes ayant une carence en testostérone, et qui consultaient pour la première fois, se plaindre surtout d'une diminution de leur énergie, de leur audace et de leur ambition. Elles disaient se sentir «différentes», afficher un certain je-m'en-foutisme devant l'avenir, avoir l'impression de baisser les bras. Pourtant, toutes, femmes d'affaires ou de carrière, avouaient que, depuis quelque temps, la seule chose qui les intéressait était de demeurer chez elles, de ne plus se maquiller, de rester en pyjama et d'attendre que la vie passe.

Si alors on les interrogeait sur leur appétit sexuel, elles avouaient que cela était «endormi» depuis pas mal de temps. Ce n'était donc pas, malgré tout, le premier symptôme qui les avait amenées là!

Quelques cas

Pour ma part, j'utilise également l'Andriol auprès de quelques-unes de mes patientes en carence androgénique. Voyons quelques cas pour avoir une meilleure idée du profil de cette carence et de son traitement.

Cas numéro 1

Une dame de 54 ans qui n'a plus ni utérus ni ovaires depuis l'âge de 42 ans se plaignait de ne plus ressentir aucune attirance sexuelle. Ni son mari ni aucun autre homme ne suscitaient chez elle de désir physique. Ce phénomène existait maintenant depuis plusieurs années et, comme son mari ne semblait pas trop en souffrir, elle ne s'en était pas inquiétée jusque-là. C'est en parlant avec une de ses amies de son manque d'intérêt pour le sexe qu'elle avait appris qu'il y avait peut-être quelque chose à faire pour corriger la situation. Elle prenait des œstrogènes depuis sa castration mais cela n'avait pas empêché sa libido de s'éteindre.

Une analyse sanguine révéla chez elle une testostérone sous la limite inférieure de la normale. Je lui parlai de l'Andriol, qui pourrait améliorer son appétit sexuel, tout en corrigeant, conjointement avec ses œstrogènes, une ostéopénie découverte par DEXA.

Cette dame accepta l'essai de cette médication et, après quelques semaines, non seulement constata-t-elle une amélioration de son énergie et de sa joie de vivre, mais elle réalisa que le timbre de sa voix s'était embelli. Cette dame faisait partie d'une importante chorale et le chant occupait beaucoup de son temps.

Quand je l'interrogeai sur sa vie sexuelle, elle m'avoua que, sans ressentir une libido accrue, elle répondait plus volontiers aux avances de son mari. Qui plus est, sa réponse à la stimulation sexuelle s'était grandement améliorée.

Cas numéro 2

Cette dame âgée de 52 ans, ayant encore son utérus et ses ovaires et chez qui la ménopause était survenue à 49 ans sans trop de problèmes, présentait depuis plus d'un an une grande fatigue, un sentiment de dépression, et n'avait aucune envie de réagir à la torpeur qui s'emparait d'elle de plus en plus. Elle prenait pourtant régulièrement des hormones depuis le début de sa ménopause car on avait découvert chez elle une ostéopénie importante. Sa mère avait d'ailleurs souffert d'ostéoporose.

Une analyse révéla également chez elle une carence en testostérone.

Je lui fis donc prendre pendant quelques semaines de l'undécanoate de testostérone (Andriol), à la dose d'un comprimé aux deux jours.

Quand je la revis, elle était splendide. Elle avait fait teindre ses cheveux, dont elle avait changé la coiffure, était toute bien maquillée et m'avoua se sentir pleine d'énergie, «comme avant». En prime, sa libido, endormie depuis quelque temps, s'était réveillée, à sa grande surprise! Elle resta donc sous cette médication pendant un certain temps. Mais, comme elle avait encore ses ovaires, j'escomptais que cette mise au repos leur permettrait de se «réveiller» ensuite.

Après quelques semaines, je suggérai donc de réduire la dose progressivement. Elle acquiesça et le sevrage se fit sans problème. Après quelques mois, elle a conservé son énergie et sa joie de vivre, et je crois que oui, nous avons peut-être réveillé ses ovaires et ses surrénales, qui se sont sans doute remis à fabriquer de la testostérone, puisque les dernières analyses sanguines après six mois sans médication (si ce n'est son HTR habituelle) montrent une testostérone qui se maintient dans la normalité.

Cas numéro 3

Cette patiente âgée de 45 ans avait subi dès l'âge de 35 ans une ablation de tous ses organes. La raison de sa première consultation était une incroyable sécheresse vaginale. Même la marche lui causait des douleurs vulvaires. Nous avons assez rapidement corrigé ce problème grâce à l'insertion vaginale de l'anneau Estring, qui libère localement une faible dose d'œstradiol.

Enchantée de connaître de nouveau une lubrification vaginale qui lui permettait des relations sexuelles moins douloureuses, elle en vint à me parler de son inappétence sexuelle.

«Je suis encore bien jeune, me dit-elle, et j'aime mon mari, mais je risque de le perdre si je refuse constamment ses avances. J'avais depuis quelque temps le prétexte de ma sécheresse vaginale, mais, maintenant qu'elle est corrigée, je réalise que c'est l'envie qui me manque pour les relations, et ce depuis plusieurs années. Que faire?»

Je demandai une analyse de sa testostérone, qui se révéla bien inférieure à la normale. Il est bon de souligner ici que cette dame, qui souffrait également d'une ostéopénie importante, prenait des Prémarine 1,25, ce qui n'est pas une petite dose. Cependant, à cause de son ostéopénie et de ses bouffées de chaleur (dès qu'elle tentait de réduire cette dose), il valait mieux lui laisser ce dosage.

Je lui parlai alors des androgènes, qui, tout en réveillant un peu son désir, pourraient également améliorer sa masse osseuse.

Après quelques semaines de traitement, cette dame se sent plus énergique et son imagerie mentale sexuelle s'est améliorée. Elle répond mieux à la stimulation sexuelle et a moins de difficulté à atteindre l'orgasme.

Cas numéro 4

Cette patiente âgée de 54 ans n'avait plus d'utérus depuis l'âge de 43 ans et avait connu une ménopause très symptomatique deux ans après sa chirurgie. Elle prenait depuis ce temps des œstrogènes à dose moyenne tous les jours. Elle se plaignait d'une perte totale de son appétit sexuel depuis l'âge de 48 ans. Son médecin avait augmenté sa dose d'œstrogènes, en avait changé la sorte, les lui avait même donnés sous forme transdermique, tout cela sans succès. Nous savons que le problème n'était pas là. Un dosage de sa testostérone s'avéra, bien sûr, en dessous de la limite inférieure de la normale.

Je la mis sous Andriol, aux deux jours. Après quelques semaines, quoique se sentant plus énergique, elle n'avait noté aucune amélioration de son désir ou de sa libido. Je lui suggérai d'augmenter la médication à une dose quotidienne pour quelque temps.

Quand je la revis, un mois plus tard, sa libido était toujours absente et, comme elle s'était sentie un peu surexcitée et que sa peau était devenue plus grasse, elle avait réduit sa dose aux deux jours après trois semaines, suivant les recommandations que je lui avais faites au préalable, au cas où ces symptômes surviendraient avant qu'elle me revoie. Elle continua donc à prendre pendant quelque temps la dose aux deux jours. Mais, comme rien ne s'améliorait du côté sexuel, elle accepta, sous ma recommandation, d'aller rencontrer le docteur Morrie Gelfand, ce spécialiste des androgènes chez la femme, dont je vous ai parlé plus haut.

Après quelques mois, je la revis et elle était enchantée de m'annoncer qu'elle avait enfin trouvé la solution à son problème. Elle recevait aux six semaines des injections d'androgènes et d'œstrogènes, et elle avait ainsi retrouvé son appétit sexuel, la satisfaction lors de ses relations, des orgasmes de qualité et, en prime, beaucoup d'énergie et de vitalité.

Ce dernier cas prouve une fois de plus que les médicaments peuvent agir très différemment chez des individus différents et qu'il faut s'interroger, aller voir plus loin et essayer autre chose quand les résultats attendus ne sont pas obtenus.

Vous aurez aussi compris que les femmes qui suivent une thérapie aux androgènes doivent accepter de se soumettre régulièrement à des analyses sanguines pour surveiller les valeurs de testostérone, mais également à des analyses des lipides et à quelques autres examens, pour éviter tout problème que peuvent amener de longues thérapies. Comme le remplacement de la testostérone n'est pas encore largement répandu dans la pratique médicale, il est recommandé d'agir prudemment quand on a des patientes sous un tel traitement.

Ainsi, vous pouvez constater que, même si l'amélioration de leur libido n'a pas toujours été aussi rapide qu'elles le désiraient, ces femmes ont ressenti très rapidement une augmentation de leur énergie, de leur vitalité et même, j'ai oublié de le mentionner, une amélioration de l'état de leur peau, laquelle devenait plus douce et moins sèche. Certaines se disaient heureuses d'avoir retrouvé une certaine agressivité positive et plus de créativité.

Aucune d'entre elles ne s'est plainte d'une augmentation de sa pilosité, ni au visage ni ailleurs sur le corps. Une seule a ressenti une fébrilité difficile à contrôler et a fait un peu d'acné, mais, quand j'ai réduit sa dose de moitié, tout est rentré dans l'ordre.

Je tiens à mentionner que, dans toutes les études où l'on parle de remplacement de la testostérone, on insiste sur le fait qu'il faut éviter la méthyltestostérone, qui est toxique pour le foie et donne des niveaux sanguins irréguliers de testostérone (9).

Il faut également éviter certaines combinaisons œstrogènes-androgènes où les doses en testostérone sont trop fortes et amènent un taux sanguin de testostérone trop élevé, lequel pourrait alors porter atteinte au profil lipidique (10).

J'ouvre ici une toute petite parenthèse pour signaler aux jeunes filles et femmes qui prennent des anovulants (la pilule anticonceptionnelle) que ceux-ci ne sont pas tous pareils.

Il y en a qui contiennent des progestatifs plus androgénisants. Donc, si vous êtes portée, depuis que vous prenez la «pilule», à engraisser ou à faire de l'acné, consultez votre médecin, qui vous prescrira plutôt un progestatif de troisième génération, donc moins androgénique. N'oubliez pas que Diane-35, ce contraceptif indiqué dans les gros cas d'acné et contenant comme progestatif de l'acétate de cyprotérone, est maintenant disponible en pharmacie, sur ordonnance médicale, bien sûr.

D'autre part, si vous avez remarqué que, depuis que vous prenez la «pilule», votre appétit sexuel a passablement diminué ou que vos orgasmes sont plus lents à venir, demandez que l'on vous donne un anovulant un peu plus androgénique.

J'oubliais presque de mentionner qu'il existe quelques cas où il n'y a pas de carence en testostérone à la périménopause, mais un excès d'androgènes, ce qui se traduit souvent, non pas par l'apparition de poils au menton ou d'acné au visage, mais par une boulimie sexuelle!

J'ai donc rencontré en consultation des femmes qui ressentaient une hypersexualité à cette étape de leur vie. Un partenaire ne leur suffisait plus! Une sorte de fringale sexuelle s'était emparée d'elles et, dans certains cas, ce problème hormonal avait mis leur couple en péril.

Alors, le démon de midi existe donc au féminin ?

* * *

À quand donc le timbre contenant de la testostérone, que l'on pourra discrètement coller à côté de celui qui, sur notre fesse, assure le remplacement des œstrogènes ?

Moi, j'aime bien les cartes postales avec de beaux timbres. Pourquoi ne pas lancer un concours auprès des artistes québécois, qui sont si avant-gardistes, pour que nos timbres d'HTR soient de jolies fleurs et nos éventuels timbres de testostérone, de gentils colibris qui, avec leur long bec, viendraient butiner les fleurs d'œstrogènes... ? Vous voyez d'ici le tableau... érotique ! Quel beau stimulant visuel pour l'homme qui approche la fesse si joliment décorée de sa femme ou de sa maîtresse ! Mais que celles qui décideraient de faire du nudisme ou de porter des maillots un peu osés avec de tels apparats soient prudentes !

Nous verrons d'ailleurs, dans le chapitre qui suit, que les timbres contenant de la testostérone existent déjà pour les hommes. Alors, attention, messieurs : mettez-les en sécurité si vous ne voulez pas vous les faire prendre par votre femme, qui vient d'en apprendre pas mal sur les bienfaits de cette hormone !

5

Les hommes peuvent-ils aussi manquer de testostérone ? L'andropause est-elle une réalité ?

Le climatère mâle...

Voilà le titre de l'article que j'ai sous les yeux, écrit par un éminent endocrinologue, spécialiste de la ménopause et de l'andropause, le docteur A. Vermeulen, de Belgique. Il s'est d'ailleurs récemment prononcé, au dernier congrès de la FIGO (Copenhague), sur l'indication très positive de l'androgénothérapie chez la femme en carence. Le mot «climatère» vient du grec *klimaktêr*, qui signifie : échelon, étape. Est-ce là synonyme de déclin ou simplement de changement ?

Voyons d'abord comment le docteur Vermeulen traite ce sujet de l'**andropause** :

«Bien sûr, les testicules, différemment des ovaires, continuent de fonctionner durant toute la vie de l'homme. Cependant, le rôle hormonal des testicules diminue avec l'âge. Et les symptômes que cause ce ralentissement de la fonction endocrinienne sont sensiblement les mêmes que ceux de la ménopause chez la femme. Ces signes et symptômes sont les suivants : une diminution de la pilosité en général, une diminution de la force et de la masse musculaires, une diminution de la vigueur et de la libido. À cela s'ajoutent de la nervosité, de l'insomnie et de la dépression (1). »

Selon le docteur Vermeulen, il faut s'interroger sur les causes de ces problèmes. Y a-t-il des changements dans les niveaux hormonaux chez l'homme qui vieillit ?

En 1958, Hollander et Hollander ont rapporté une diminution de la concentration de testostérone dans le sang de la veine testiculaire chez l'homme âgé (2). En vieillissant, il y a également une augmentation de la SHBG, amenant par le fait même une diminution de la testostérone libre (comme on l'a déjà expliqué plus haut). Il faut cependant souligner que certains hommes âgés ont les mêmes valeurs de testostérone libre que les jeunes hommes. Alors, comme certaines femmes n'ont pas de gros problèmes à la ménopause parce que leurs surrénales et leur graisse s'occupent, entre autres, de faire du remplacement hormonal quand l'ovaire ne fonctionne plus, certains hommes âgés n'ont pas de problèmes de carence androgénique, sans doute parce que leurs testicules remplissent encore bien leur fonction hormonale, de même que leurs surrénales et leurs tissus périphériques.

Avant d'aller plus loin, je crois qu'il faut insister ici sur la définition de la testostérone libre. Il s'agit là de la fraction non liée aux protéines de transport que sont la SHBG et l'albumine. De la fraction de 98 % qui est liée, une fraction de 30 % à 40 % l'est à l'albumine et est donc facilement dissociable pour devenir active, et la fraction de 40 % à 60 % restante est liée à la SHBG et est donc inactive.

Quand on parle de testostérone biodisponible, i.e. celle qu'il faut mesurer pour savoir s'il y a carence en androgènes, il s'agit de la testostérone libre et de celle qui est liée à l'albumine (3). Ce détail technique est important pour bien comprendre le diagnostic et le suivi de l'andropause.

Plus près de nous, voyons maintenant comment l'on considère cette étape de la vie de l'homme. En mars 1998, alors que je feuilletais *Actualité médicale*, mes yeux s'arrêtèrent sur le titre d'un carnet spécial dont le sujet diffère d'une semaine à l'autre. Ce titre était : «L'andropause, questions et réponses».

Un dialogue s'y établissait entre deux médecins, où dix questions étaient débattues sur cette entité médicale sur laquelle les médecins sont loin d'être unanimes. Les médecins étaient le docteur Roland R. Tremblay, endocrinologue et andrologue travaillant en recherche dans ces domaines au CHUL de Québec, et le docteur Tibor Harmathy, d'Orilla, en Ontario, généraliste s'intéressant au plus haut point à l'andropause. Je tiens à préciser ici que le docteur Tremblay est également président et fondateur de la Société canadienne de l'andropause.

Dans un premier point, on y définissait l'andropause comme «un état clinique caractérisé par un déficit partiel d'androgènes dans le sang [voir illustration 19] ou par une baisse de la sensibilité génomique[1] à la testostérone ou à ses métabolites actifs dans les tissus cibles. Cet état d'hypogonadisme se traduit par une baisse d'énergie physique, une altération du bien-être, un dysfonctionnement sexuel et diverses modifications métaboliques (4)».

On ajoute à cette définition que «cela peut avoir un effet délétère sur la masse musculaire, la densité osseuse, le profil lipidique et finalement sur les fonctions cognitives (5)». Tout cela ressemble aux symptômes de la ménopause chez la femme, ne trouvez-vous pas?

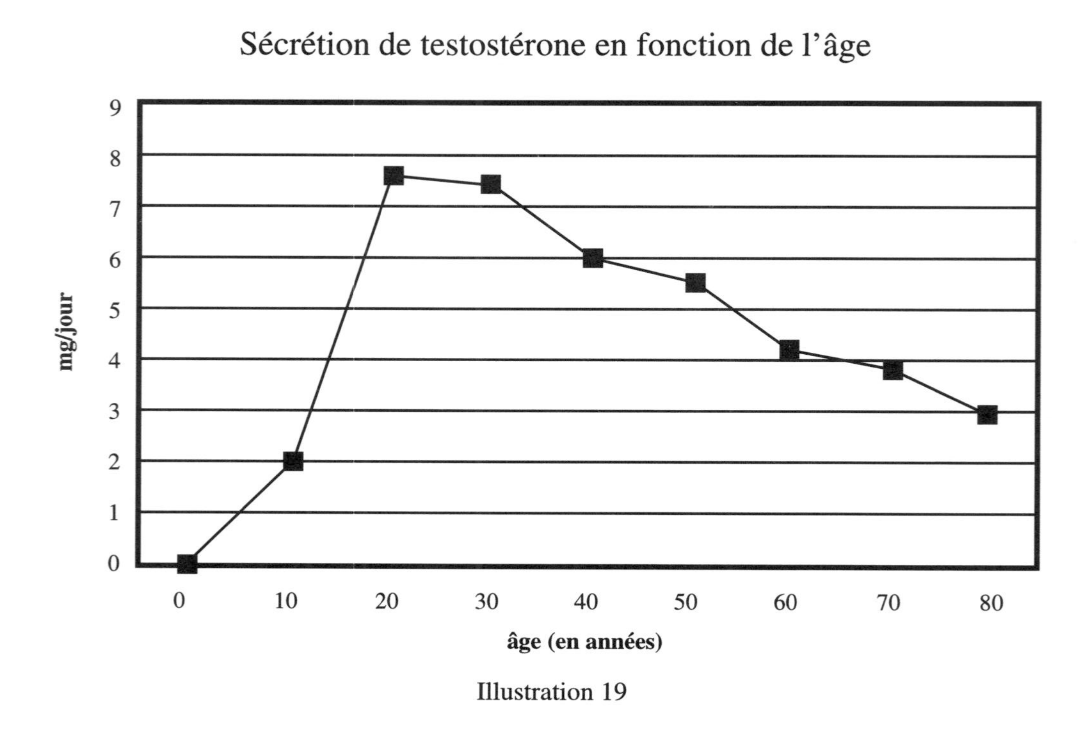

Illustration 19

Dans l'ensemble, il est maintenant reconnu que chez la plupart des hommes survient avec le vieillissement une diminution de la testostérone libre (illustration 19), même chez les hommes âgés en parfaite santé, selon plusieurs spécialistes. Et, bien sûr, chez les hommes comme chez les femmes, l'hérédité pourra jouer un rôle favorable, de même que l'état de santé dont ils auront joui tout au long de leur vie.

Certaines femmes traversent leur ménopause sans aucun symptôme et vivent jusqu'à un âge assez avancé, en parfaite forme et sans HTR. De la même manière, certains hommes se rendent à 80 ans et plus sans symptômes de carence hormonale. Dans les deux cas, la surrénale et les tissus périphériques (où se forment également ces hormones) jouent leur rôle pour faire en sorte que le déclin hormonal se fasse en douceur.

Mais sur ce point, le docteur Tremblay a une explication plus précise : «Chez certains individus, il peut y avoir une désorganisation des récepteurs aux androgènes (6)», ou, pour vulgariser, disons que les récepteurs peuvent vieillir, se raréfier, et que si, par exemple, il manque de récepteurs pour recevoir la testostérone au niveau du muscle, même si la concentration de testostérone est adéquate, il y aura malgré tout une fonte musculaire, un des signes de carence androgénique. La même chose peut se produire au niveau des récepteurs des os, amenant chez certains de l'ostéoporose.

Il semble que chez l'homme «le déclin progressif de la fonction testiculaire, en vieillissant, est associé au nombre décroissant des cellules de Leydig, à la diminution de la perfusion testiculaire et à la diminution de la biosynthèse des stéroïdes (7)».

Quelques explications s'imposent ici. Pour mieux comprendre, parlons un peu de **l'anatomie et du fonctionnement des testicules**.

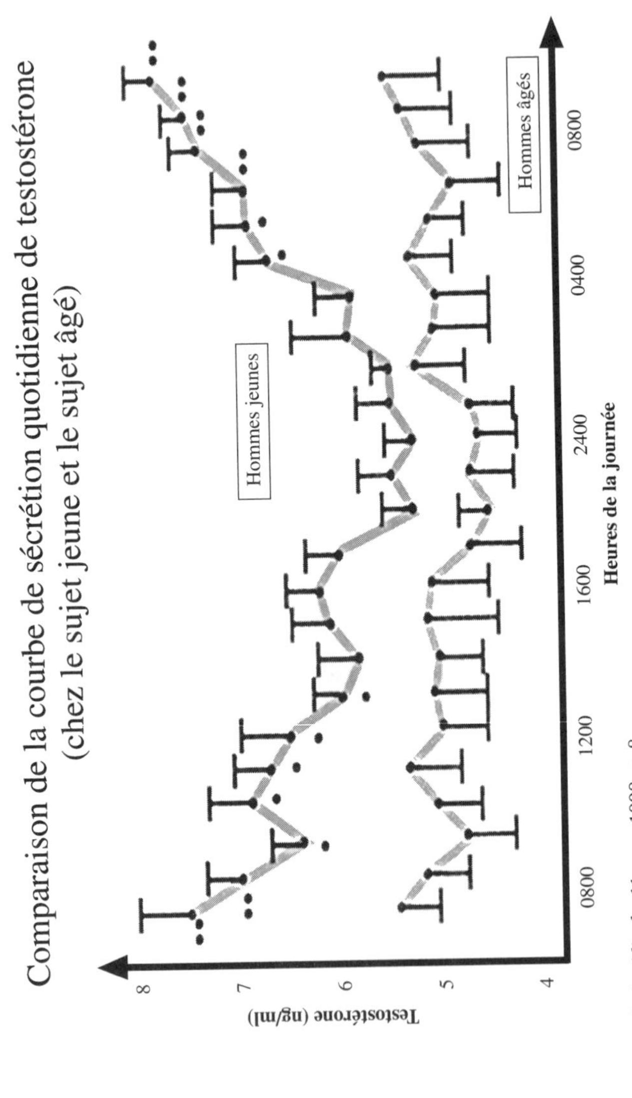

Source : *Actualité médicale*, 11 mars 1998, p. 8.

Illustration 20

Le testicule est constitué de cellules de Leydig, qui sont au nombre de 500 millions, et de cellules de Sertoli. Les premières sont responsables de 95 % de la production de testostérone, le reste provenant des glandes surrénales. La fabrication des spermatozoïdes et leur renouvellement relèvent de la fonction des cellules de Sertoli. Dans le testicule vieillissant, il y a une diminution du nombre des cellules de Leydig, tout comme chez la femme il y a une diminution du nombre de follicules dans l'ovaire.

La fabrication des spermatozoïdes diminue avec l'âge, même si certains hommes peuvent encore devenir pères, et ce même à 80 ans. Nous savons que la qualité du sperme diminue également, surtout pour ce qui est de la motilité des spermatozoïdes. Eux aussi sont moins fringants que chez l'homme de 20 ans.

D'autre part, le testicule vieillit à cause d'une diminution progressive de sa circulation, les vaisseaux impliqués se détériorant avec le temps.

«Il est évident, affirme enfin le docteur Vermeulen, que dans leur cas [il parle des hommes], autant que chez les femmes de cet âge, il y a également une perturbation de l'axe hypothalamo-hypophyso-gonadique, car il y a une disparition des variations nycthémérales[2] de niveau de la testostérone (8).» La testostérone n'est effectivement pas sécrétée de façon égale toute la journée chez les jeunes hommes. Sa sécrétion maximale survient entre 4 h et 8 h du matin (voir le graphique de l'illustration 20). C'est pourquoi l'on parle de variations nycthémérales. Chez l'homme âgé, au contraire, la secrétion sera plus uniforme et sans vraiment de pics. Pour mieux comprendre ce dernier point, voyons un peu le processus de production de la testostérone.

La production de la testostérone

La commande de synthèse de cette hormone se fait dans la glande hypophyse, comme chez la femme, et le chef d'orchestre est le même : l'hypothalamus. Les hormones qui en remplissent la fonction, comme chez la femme, sont la FSH et la LH. Chez l'homme, la FSH commande la production des spermatozoïdes et la LH assure la synthèse de la testostérone par les testicules. Mais des recherches récentes suggèrent qu'il y a sans doute des interactions entre ces hormones.

Le produit de base à partir duquel est fabriquée la testostérone est le cholestérol (revoir illustration 14) comme ce fut démontré par un groupe de chercheurs finlandais en 1984 (9), mais, avant eux, par Butenandt et Rubicka (1939). J'en profite pour faire ici une petite parenthèse à ce sujet : on a donc constaté, après cette découverte, qu'il faut considérer les différents cholestérols, qui ont chacun leur rôle spécifique à jouer dans le corps. Certains chercheurs s'interrogent même sur la hausse des suicides chez des hommes justement traités avec des médicaments destinés à faire baisser leur taux de cholestérol. Ne les a-t-on pas mis en état d'andropause avec diminution de fabrication de testostérone, puisque le produit de base de cette fabrication s'est trouvé diminué (10) ?

Pour en revenir à la production de l'hormone qui nous intéresse, on comprend mieux que si la plus grande partie de la testostérone est fabriquée par les cellules de Leydig des testicules, celles-ci, en vieillissant, peuvent être moins performantes, comme on l'a vu plus haut. Ainsi, chez l'homme, on pourra remarquer que la FSH et la LH augmentent un peu à cause de la diminution des fonctions des cellules de Leydig. De même chez la femme, comme nous l'avons vu précédemment, la FSH et la LH augmentent quand les ovaires sont en baisse de fonction.

En vieillissant, il y aura également des modifications des niveaux de testostérone libre et de SHBG, bien que la baisse des androgènes puisse se faire différemment de celle des œstrogènes, qui chutent dramatiquement chez la femme, à la ménopause.

Historique de la testostérone et évolution clinique vers le concept d'andropause

Avant d'aller plus loin, je crois qu'il serait bon de connaître un peu l'historique de la recherche sur la testostérone et sur l'andropause.

La testostérone fut isolée, à partir de testicules de bœuf, par un chercheur travaillant avec son équipe pour la compagnie pharmaceutique Organon, le 27 mai 1935. Ce chercheur se nommait Ernst Laqueur. Il publia alors un article intitulé : «Sur l'hormone mâle cristallisée tirée des testicules». Il appela cette hormone «testostérone» (11). Le 24 août de la même année, le docteur Adolf Butenandt (les phéromones, vous vous souvenez?), qui travaillait pour la compagnie Schering, de Berlin, réussit à produire de la testostérone de la même manière que le corps, i.e. à partir du cholestérol. Il expliqua donc dans *German Journal of Physiological Chemistry* la façon dont il avait procédé pour faire cette découverte. Il y définit également la structure chimique de la testostérone (12).

Une semaine plus tard, Leopold Ruzicka, un chimiste d'origine tchèque travaillant pour la compagnie Ciba, de Zurich, annonçait dans un journal suisse qu'il détenait le brevet pour la production de testostérone à partir du cholestérol. Ruzicka et Butenandt reçurent en

1939 le prix Nobel de chimie pour cette découverte. Dans les deux années qui suivirent, une variété de préparations de testostérone furent mises sur le marché pour usage clinique, avec comme indication l'insuffisance testiculaire.

Entre 1930 et 1940, l'étude de ce produit sur les patients révéla plusieurs bienfaits sur des conditions médicales très sérieuses, dont les maladies cardiaques et circulatoires, incluant même la gangrène (13).

En 1944, un article publié dans le prestigieux *Journal of the American Medical Association* sous le titre *The Male Climacteric* définissait les symptômes et le traitement de l'andropause, affirmant enfin que de toute évidence cette entité clinique existait et que l'utilisation de la testostérone comme traitement ainsi que son succès en étaient la preuve (14). Cet article historique était signé par les docteurs C.G. Heller et G.B. Myers.

Puis le docteur Tibérus Reiter, un médecin allemand ayant étudié tant dans son pays qu'en Angleterre, ouvrit un bureau de pratique privée à Londres, où il utilisait des implants de testostérone chez les hommes de 40, 50, 60 et même 70 ans pour traiter ce qu'il nommait le «IDUT syndrome». Les initiales de ce syndrome indiquaient les grandes lignes de cette condition : **I**mpuissance, **D**épression, troubles **U**rinaires et hyperactivité **T**hyroïdienne. Cette dernière causait de l'irritabilité, des maux de tête, des crises de tachycardie[3], surtout le soir. C'était là, en quelque sorte, l'image typique de la ménopause mâle et Reiter attribuait tous ces symptômes au déficit en testostérone (15). Pendant plus de vingt ans, il traita près de 350 patients avec beaucoup de succès. Il publia plusieurs articles sur le sujet, dont trois plus importants dans *The Journal of American Geriatrics Society* entre 1963 et 1965.

Un autre grand pionnier du traitement à la testostérone fut le docteur Jens Moller, du Danemark. Cependant, il dut se battre pendant plus de trente ans contre l'establishment médical de son pays et même de l'Europe. Cet homme extraordinaire quitta la maison de ses parents à 16 ans et devint, par son travail et son caractère, un entrepreneur très prolifique travaillant à Paris, à Londres et à Berlin. Après la Deuxième Guerre mondiale, las de ce travail qu'il connaissait trop bien et qui ne lui offrait plus aucun défi, il s'inscrivit à la faculté de médecine, et, cinq ans plus tard, i.e. à 50 ans, il devint médecin et commença à pratiquer. Le hasard le conduisit à travailler avec le docteur Tvedegaard, une figure médicale déjà très controversée au Danemark à cause de son utilisation de la testostérone pour traiter les maladies artérielles sévères, surtout des jambes. Il en avait étudié l'usage auprès de médecins allemands et avait constaté les très bons résultats obtenus avec ce produit dans des cas aussi sévères que la gangrène (16).

Mais tant le docteur Tvedegaard que le docteur Moller durent se battre pendant une bonne partie de leur carrière contre le gouvernement du Danemark, qui s'opposait à cette pratique et qui leur fit même des procès. Le docteur Tvedegaard en tomba même très malade et c'est le docteur Moller qui, continuant de relever le défi, parvint à faire accepter le produit par les autorités. Il eut par la suite une pratique très florissante dans ce domaine, des médecins de tous les pays d'Europe et même d'Amérique se rendant à sa clinique pour le voir travailler (17).

Puis, vers les années 1977-78, le docteur Malcolm Carruthers eut l'occasion d'aller œuvrer auprès du docteur Moller, ce qui lui permit de constater lui-même les bienfaits étonnants de la testostérone comme traitement des troubles circulatoires, surtout des jambes (18). Il est maintenant une figure reconnue dans le domaine de l'andropause et de son traitement.

Pendant tout ce temps, des études cliniques sérieuses furent réalisées tant en Europe qu'en Amérique sur l'utilisation de la testostérone pour améliorer les symptômes de l'andropause. Maintenant, l'andropause, ou la ménopause mâle, est une entité clinique reconnue, et de plus en plus de médecins se penchent sur le problème et sur une hormonothérapie de remplacement, avec la testostérone comme solution.

* * *

Évidemment, si l'on veut comprendre ce qui ne fonctionne pas quand survient l'andropause, il est peut-être bon de voir un peu comment fonctionne l'appareil mâle. Et, si l'on veut comprendre les bienfaits d'un remplacement hormonal chez l'homme, il faut d'abord connaître l'anatomie des organes sexuels mâles et la physiologie de l'érection. Connaissant les mécanismes par lesquels un pénis devient en érection, il sera plus facile de déterminer ce qui peut nuire à cette fonction érectile.

Anatomie des organes sexuels mâles (illustration 21)

Le **pénis** est un organe vasculaire constitué de trois tubes cylindriques. Deux d'entre eux, les corps caverneux, sont parallèles et disposés au-dessus du troisième. Ils sont responsables de l'érection. Sous les corps caverneux, un troisième tube donc, le corps spongieux, présente en son centre l'urètre, qui le longe et qui sert à l'émission de l'urine et du sperme.

Organes génitaux mâles

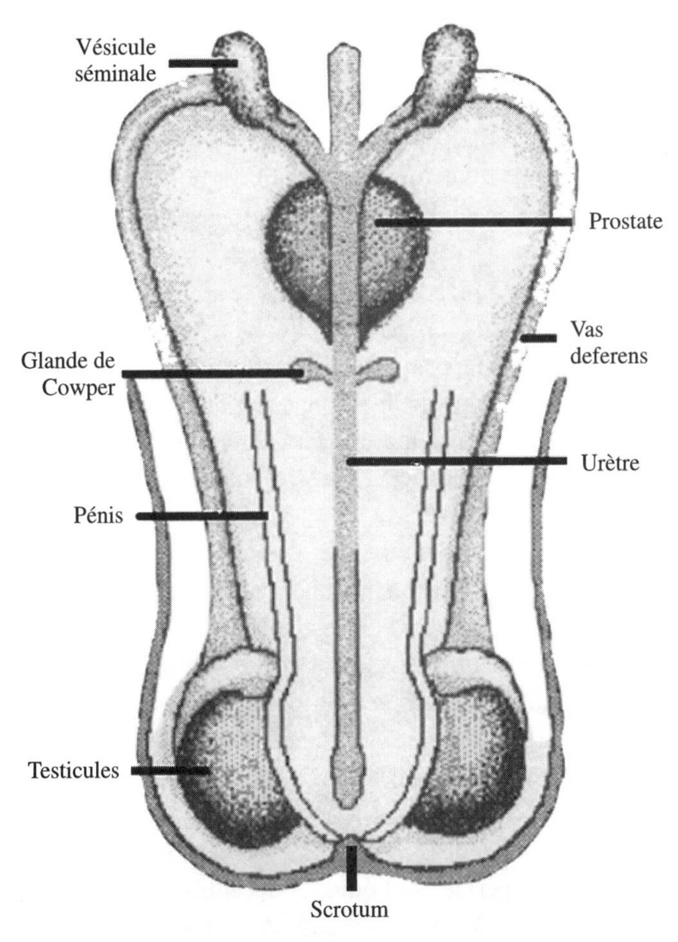

Source : *Prosttate Gland – Max Media : Encarta Online Deluxe*, Microsoft Corporation (tous droits réservés).

Illustration 21

Ce dernier cylindre se termine, à l'extrémité de la verge, par le gland. Autour de ce dernier, les téguments forment le prépuce qui le recouvre, si l'homme n'a pas subi de circoncision. Au repos, le pénis est flasque.

Les **testicules**, dans lesquels sont fabriqués les spermatozoïdes et la testostérone, sont déposés dans les bourses, qui sont recouvertes par le scrotum, le tout étant situé sous le pénis. Dans les testicules, il y a environ 1 000 tubules séminipares qui sont impliqués dans la fabrication et le storage des spermatozoïdes.

Le **scrotum** peut relever les testicules près du corps quand la température ambiante est trop basse ou les en éloigner quand il fait plus chaud, maintenant ainsi ces précieuses glandes à une température optimale et constante qui sera inférieure à la température du corps, cela dans le but de sauvegarder les spermatozoïdes.

Après leur production, les spermatozoïdes sortent des testicules et sont acheminés dans les épididymes, longs tubes accolés aux testicules, où ils pourront parvenir à maturité. Les *vas deferens* transportent les spermatozoïdes à travers la prostate. Ces conduits prennent, au-delà de cette glande, le nom de conduits éjaculatoires. Les liquides de la prostate et des vésicules séminales (petits sacs qui gardent les spermatozoïdes) se mêlent aux spermatozoïdes pour former le sperme, un liquide épais et blanc-jaunâtre. L'éjaculat, qui est le nom de la décharge de sperme, contient environ 300 millions de spermatozoïdes (19).

Certains **muscles périnéaux, bulbo et ischio-caverneux**, situés entre l'anus et les bourses, sont responsables des contractions impliquées dans l'érection (20).

L'orgasme masculin

Comme chez la femme, l'orgasme se définit chez l'homme par quatre phases : l'excitation, le plateau, l'éjaculation et la résolution.

L'excitation

Cette phase se caractérise par une congestion des vaisseaux sanguins, i.e. une augmentation du flux sanguin dans les vaisseaux des organes génitaux impliqués dans l'acte sexuel.

Les tissus du pénis deviennent gorgés de sang, le rendant plus gros, plus long et en érection. La peau du scrotum s'épaissit, la tension augmente dans le sac scrotal, lequel se soulève et rapproche les testicules du corps. On peut également noter une érection des mamelons chez plusieurs hommes.

Le plateau

À ce moment, le pénis devient en complète érection et le gland se gonfle. Un liquide sécrété par les glandes de Cowper (situées près de l'urètre, sous la prostate) [illustration 21] peut apparaître sur le bout du pénis. Ce liquide peut contenir assez de spermatozoïdes pour féconder la partenaire féminine.

L'orgasme (proprement dit) ou l'éjaculation

Chez l'homme, l'éjaculation se produit en deux temps. D'abord, les *vas deferens*, les vésicules séminales et la prostate (illustration 21) se contractent, envoyant le liquide séminal au bulbe, à la base de l'urètre, et l'homme sent alors que l'éjaculation est inévitable, qu'elle est sur le point de survenir et ne peut être arrêtée.

Dans la seconde phase, le bulbe urétral et le pénis se contractent de façon rythmique, expulsant le sperme.

La résolution

L'érection se tarit et le pénis reprend ses dimensions initiales. Le scrotum et les testicules retournent à la position qu'ils avaient avant l'excitation. L'homme rentre alors dans une période réfractaire durant laquelle il est incapable d'érection ou d'orgasme. La durée de cette étape varie d'un individu à l'autre. Elle peut être de quelques minutes à quelques heures et même, chez certains, de plus de 24 heures, selon l'âge de l'individu (21).

L'érection

L'érection est réalisée grâce à une série complexe de modifications chimiques et de réflexes nerveux qui conjointement parviennent à augmenter la quantité de sang arrivant au pénis et à l'empêcher temporairement de se retirer.

Quand les corps caverneux deviennent gorgés de sang, il se produit alors une érection. Cet événement survient sans effort et souvent même trop facilement chez les adolescents et les jeunes adultes. Bien sûr, cette belle mécanique est pour eux toute neuve et les vaisseaux irriguent bien les corps caverneux. Mais, chez les 30 et 40 ans, le phénomène commence à se produire moins spontanément; il peut même être assez variable chez les 50 à 60 ans et quelquefois trop rare ou de trop courte durée chez les 70 ans et plus. Un phénomène facile à comprendre est qu'en vieillissant les artères durcissent et se détériorent. Mais plusieurs autres facteurs entrent en jeu pour expliquer que l'érection n'est plus la même à 60 ans qu'à 20 ans (22).

Poursuivons donc nos explications pour mieux comprendre tout ce fonctionnement. Pour que la quantité de sang qui arrive au pénis soit adéquate pour une érection, il y a trois conditions : il faut qu'il y ait un bon débit sanguin dans l'artère du pénis, que les petits vaisseaux sanguins y soient bien détendus et qu'il y ait une réduction pour un certain temps de la quantité de sang qui va se retirer du pénis (23).

La cause d'une érection insuffisante ou d'une absence d'érection peut donc être que les petites artères amenant le sang au pénis sont partiellement obstruées à cause d'une dégénérescence artérielle nommée athéromatose, i.e. dépôts de placards de cholestérol sur la paroi, ce qui rétrécit nécessairement le diamètre de cette artère. En somme, il se produit là un peu la même chose que lorsque, pour les mêmes conditions, les artères du cœur rétrécissent, causant de l'angine et même un infarctus. Ainsi, le problème d'érection pourra se retrouver plus souvent chez un sujet qui fait trop de cholestérol, chez le diabétique (car ses petites artérioles sont atteintes par sa maladie) et chez le fumeur (car la nicotine rétrécit également les artérioles).

Hélas, la chirurgie ne peut apporter de solution à ces problèmes d'érection dont la cause est le rétrécissement artériel (24).

L'accumulation de sang dans le pénis qui produit la rigidité pendant l'érection est dépendante de trois phénomènes : le déclenchement hormonal (en d'autres mots, le **désir**), des facteurs chimiques locaux et une stimulation nerveuse adéquate.

L'insuffisance hormonale, certains médicaments de même que des problèmes émotionnels (surtout l'anxiété) peuvent être en cause pour perturber la bonne marche des événements et empêcher l'érection (25).

D'autre part, il semble qu'une baisse de testostérone cause une diminution de la sensibilité du pénis et que cette carence affecterait même les performances des muscles pubococcygiens, qui sont également impliqués dans l'orgasme, tout comme ceux de la femme, qui sont, chez elle, situés autour du vagin.

Pour résumer, disons que l'érection peut être en baisse à cause d'un rétrécissement des artères par lesquelles le sang est amené pour faire grossir le pénis, d'une trop grande quantité de sang qui en fuit à cause de veines qui prennent de l'âge, d'un affaiblissement du contrôle nerveux, comme dans certains cas de diabète, ou d'effets secondaires de certains tranquillisants, antidépresseurs ou médicaments utilisés pour traiter l'hypertension. Mais il peut également y avoir en cause la perte de désir par insuffisance de testostérone. En ce sens, les andrologues s'étonnent encore qu'en donnant de la testostérone à leurs patients qui présentent plusieurs symptômes d'andropause, non seulement ils soulagent ces symptômes, mais la fonction d'érection s'améliore rapidement, de même que le désir et la libido.

Les causes de l'andropause

Quelles pourraient être les causes de l'andropause ?

Selon le docteur Malcolm Carruthers, cet andrologue anglais mentionné plus haut et travaillant en andropause, les antécédents de traumatismes ou de maladies touchant les testicules, comme les oreillons, pourraient être en cause pour l'apparition d'une andropause plus ou moins précoce (26).

Mais on comprend que, dans l'ensemble, l'andropause s'inscrit dans un parcours normal de vieillissement. On a démontré que plusieurs facteurs entrent en jeu, entre autres «la diminution de l'hormone lutéinisante (LH) par l'hypophyse, une diminution des cellules de Leydig entraînant une baisse de production de testostérone, une modification de la réponse des récepteurs et une conversion périphérique des androgènes en œstrogènes (27)».

Cependant, il semblerait, selon certains chercheurs en andropause, que l'exposition professionnelle à certains produits utilisés dans les fermes tant pour accélérer la croissance des poulets que pour attendrir la viande de bœuf aurait exercé une action antiandrogénique sur les sujet exposés, provoquant chez certains fermiers des symptômes précoces d'andropause. Certains produits vétérinaires auraient également eu des effets néfastes similaires, de même que certains fongicides, pesticides ou autres agents antimicrobiens employés dans les fermes d'élevage. Cependant, heureusement, la plupart de ces produits ont été retirés du marché quand on en a constaté les effets négatifs sur la santé. Mais nous risquons de rencontrer maintenant dans la population vieillissante des conséquences de ces expositions sur les hommes de 50 ans et plus (28). Il faudra être vigilant.

Les symptômes de l'andropause

Il est important, à ce stade, de faire la différence entre la crise de l'âge et l'andropause, pour éviter la confusion entre ces deux entités. C'est aussi dans ce sens que l'on pourra, dans une clinique d'andropause, faire appel aux services d'un psychologue pour obtenir un bon diagnostic. D'ailleurs, j'ai remarqué, lors de ma visite à la clinique du docteur Gelfand, que toutes les femmes qui consultaient pour carence androgénique étaient d'abord reçues en entrevue par une psychologue de l'équipe. Cette entrevue venait compléter la visite médicale et les examens de laboratoire pour bien définir si les symptômes étaient dus à une carence en testostérone ou à une crise de l'âge. Pour en savoir plus long sur ce sujet, je vous recommande la lecture du célèbre livre de Gail Sheehy, *Les Passages de la vie*.

D'abord, les symptômes de cette crise de l'âge surviennent plus tôt que ceux de l'andropause. Les premiers se manifesteront entre l'âge de 35 à 45 ans, alors que les seconds sont plus caractéristiques de la période située entre 45 et 55 ans.

Certains symptômes se rencontrent dans les deux états, mais avec un caractère différent. Par exemple, dans la crise de l'âge, la libido peut diminuer et même la qualité des performances sexuelles. Mais, en règle générale, ces symptômes ne seront que temporaires, alors que, lorsqu'il s'agit de l'andropause, ils seront souvent durables et associés à une diminution de la testostérone biodisponible et souvent aussi à une augmentation de la LH.

Les symptômes de la carence en testostérone

Voyons maintenant quels sont les symptômes d'une carence en testostérone.

Tels que définis par plusieurs andrologues et endocrinologues qui travaillent dans ce domaine, les symptômes de l'andropause sont très semblables à ceux que l'on rencontre chez la femme en ménopause.

Ils peuvent être groupés en deux grandes catégories : les symptômes psychologiques (qui s'expliquent, comme on l'a vu antérieurement, par la carence hormonale aux sites récepteurs du cerveau) et les symptômes

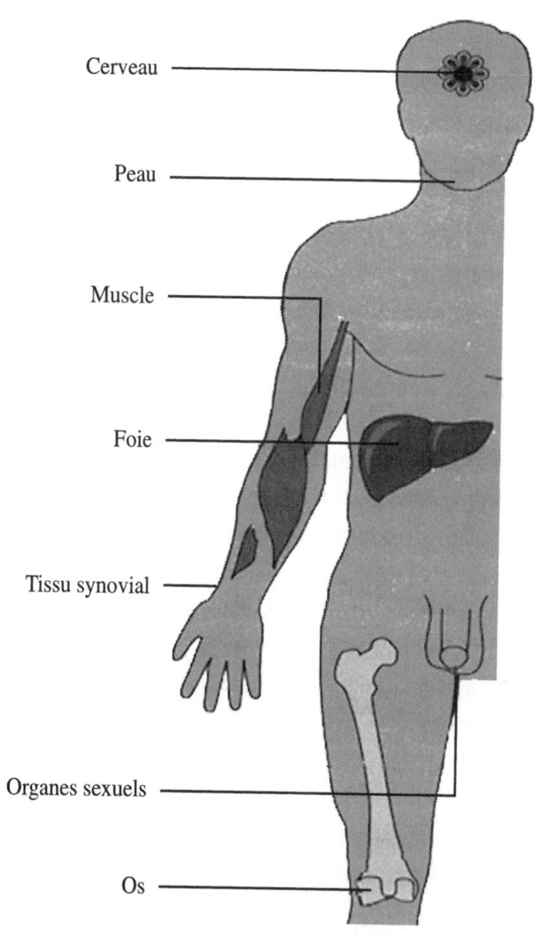

Source : *Actualité médicale*, 3 février 1999, p. 3.

Illustration 22

physiques (par la carence hormonale aux sites récepteurs des autres organes et tissus, ou la perte de sensibilité des sites récepteurs).

Les premiers, d'ordre psychologique, sont les suivants : la fatigue, l'insomnie, des symptômes de dépression, l'irritabilité, la perte d'envie de relever des défis, une baisse d'énergie intellectuelle, une baisse d'intérêt et d'enthousiasme, une diminution de la concentration et de la mémoire, une perte d'estime de soi, une diminution (ou perte) de la libido et du désir.

Les seconds, d'ordre physique, sont les suivants : un vieillissement général de tous les tissus (voir illustration 22), signalant une baisse de la masculinité, une diminution de la masse musculaire, accompagnée ou non d'obésité, une perte de vigueur et une diminution des poils pubiens, mais aussi des bouffées de chaleur tant diurnes que nocturnes, des douleurs et des raideurs articulaires, surtout le matin, des douleurs au dos, une perte de force et d'énergie physique, une détérioration de l'habileté visuelle et spatiale, une peau plus sèche et amincie, et une diminution des performances sexuelles.

Certains de ces symptômes pourraient, selon le docteur Tremblay, s'expliquer de la façon suivante, surtout pour ce qui a trait à l'accumulation de graisse et à la fonte musculaire : par «une augmentation de la conversion périphérique des androgènes en œstrogènes», un phénomène qui existe également chez la femme. «Et ce serait ce niveau de formation d'œstrogènes supérieur à la normale, résultat de la grande quantité d'aromatase dans les cellules graisseuses, qui serait l'explication de la perte du rythme diurne de la testostérone dans le sang mais aussi de l'augmentation de SHBG dans le foie (29).» Donc, en d'autres termes, une trop grande quantité d'œstrogènes fabriqués par les graisses fait perdre le rythme de fabrication de la testostérone, d'une part, mais libère d'autre part une plus grande quantité de SHBG, qui va lier le peu de testostérone libre dans le sang, augmentant la carence en testostérone active. Conséquemment, davantage de symptômes d'andropause !

Si j'interroge l'Internet sur les androgènes et l'andropause, une grande quantité d'articles me parviennent d'un peu partout dans le monde, mais surtout des États-Unis et de la France. Ces articles sont très souvent écrits par des médecins œuvrant dans le domaine et fort bien documentés. Quels sont les symptômes qu'on énumère partout pour définir la carence androgénique chez l'homme? Sensiblement les mêmes que pour la femme : fatigue, insomnie, libido à la baisse, sueurs nocturnes, mais aussi parfois diminution de la fonction d'érection. Comme je l'ai décrit plus haut, s'y ajoutent une irritabilité croissante, et, outre une diminution de la masse musculaire au profit de la masse graisseuse, on remarquera chez certains une diminution de la fréquence de rasage et parfois une certaine gynécomastie (apparition de seins). On a même signalé chez d'autres une diminution du volume des testicules et de l'éjaculat.

Le remplacement hormonal

«Le remplacement hormonal, en cas de carence androgénique, corrigera les symptômes de fatigue, de manque d'énergie, la baisse de libido. Il améliorera la qualité de l'activité sexuelle et même, dans certains cas, corrigera la perte osseuse, la baisse d'hémoglobine et aussi l'impuissance, si elle est présente. Il diminuera la masse graisseuse au niveau de l'abdomen, aidera à amincir la taille, améliorera la masse musculaire et offrira généralement une sensation de bien-être, corrigeant l'insomnie, la nervosité et la dépression (30).»

C'est ce qu'affirme cet article du docteur Vermeulen, publié en 1993. La bibliographie de cet article me prouve que l'on s'interroge depuis longtemps sur l'andropause, puisque certaines références remontent aussi loin que 1958. Mais dans tous les livres que j'ai consultés, écrits par ceux qui traitent l'andropause, il est mentionné que le remplacement hormonal corrigera effectivement tous ces symptômes.

Attention!

Cependant, il est important de souligner que certaines conditions autres que l'andropause peuvent être en cause dans la carence androgénique chez l'homme, comme des maladies du foie, le diabète, l'obésité, l'arthrite rhumatoïde, l'insuffisance rénale, le sida, l'utilisation chronique de cortisone et, bien sûr, la vieillesse.

Concernant l'andropause, on souligne dans certains articles que plus de 5 millions d'Américains souffriraient de cette carence, à des degrés différents, bien sûr, et que seulement 250 000 seraient traités. Pourquoi?

D'abord parce que les hommes parlent peu de leurs problèmes en général et encore moins de celui-là. Ensuite parce que peu de médecins s'intéressent à la question. Je crois que, comme pour la ménopause, dont on a longtemps ignoré tout ce qui s'y rattachait, tant comme signes et symptômes que comme conséquences physiques ou psychologiques, on a longtemps voulu ignorer l'andropause.

Mais, devant une population vieillissante dont la moitié, les femmes, ont trouvé la solution pour vieillir en beauté et en santé, l'autre moitié, les hommes, ne peuvent plus demeurer indifférents, et ceux qui constatent leur carence ont maintenant envie de réagir. Car, comme me disaient certaines de mes patientes qui ont retrouvé, grâce à leur HTR, énergie et joie de vivre, que faire si le mari ne suit plus? Que faire si le mari ne veut même pas reconnaître qu'il a un problème? Il n'y a pas plus de gêne à présenter un problème au niveau des artères du pénis qu'à celles du cœur. Si un homme accepte que son cœur puisse avoir subi du vieillissement, s'il est prêt à prendre des médicaments pour l'hypertension ou à subir un pontage coronarien, pourquoi continue-t-il à nier que sa santé hormonale ou ses testicules puissent subir le poids de l'âge?

«La pudeur et l'orgueil dictent les actes des hommes ou les retiennent de confier leurs problèmes... Les hommes vont parler de leurs performances même si elles n'existent pas, mais tairont leurs défaillances même si elles existent et leur gâchent la vie!» Voilà un propos recueilli auprès d'un homme lors d'une discussion sur l'andropause.

Je crois qu'il y aura pour l'andropause, comme il y a eu (et cela persiste) pour la ménopause, une explosion d'études, d'articles, de recherches et de médicaments qui seront bientôt à la portée des hommes pour leur permettre de vieillir heureux et en santé.

C'est amusant de réaliser combien, sur l'Internet, ce sujet est d'actualité. Car, outre des articles médicaux, on y trouve suggérés toutes sortes de produits à base de plantes exotiques, des produits portant des noms aussi amusants que Rainforce Touchfire His, des gouttes pour augmenter le désir chez l'homme. Certains libéreraient la testostérone de la SHBG, amenant une très grande augmentation du désir. Ces substances sont annoncées autant aux États-Unis qu'au Canada. On parle même, sur le site Medscape, de produits injectables pour restaurer la fonction d'érection. Attention, car il y a un effet secondaire possible : le priapisme[4]. Certains articles font même mention d'abus de tous ces produits de la part de certains, dans le but d'améliorer leur performance. Une nouvelle recherche européenne, tenue en 1995, révélerait que les extraits de racine d'ortie pourraient entrer en compétition jusqu'à dix fois avec la SHBG, libérant ainsi plus de testostérone biodisponible (31).

Et si vous êtes également «branchés», il y a un site de Maclean Hunter Santé, www.mdlink.com, sur l'Internet. La compagnie Organon y propose un bel exposé sur le déficit androgénique (32). Pourquoi ne pas y faire un saut, entre deux parties de golf?

Alors, ne croyez-vous pas qu'il est grand temps que la médecine se penche sérieusement sur ce problème et le traite scientifiquement et en toute sécurité pour les hommes qui en souffrent? Je pense que nous devrions même faire de l'éducation populaire pour que ce sujet cesse d'être tabou comme l'a trop longtemps été la ménopause.

Nous remarquons qu'il y a de plus en plus d'urologues, mais aussi d'endocrinologues, d'andrologues et même de généralistes et de psychologues qui s'intéressent à ce sujet et sont formés pour répondre adéquatement à ceux qui sont aux prises avec ce problème, qui, comme nous l'avons vu plus haut, peut être purement mécanique, ou découler de la prise de certains médicaments. Bientôt, il y aura autant de cliniques d'andropause que de cliniques de ménopause et nous espérons que les hommes deviendront, eux aussi, plus aises de consulter, cessant de considérer la carence hormonale comme une tare personnelle, mais plutôt un phénomène normal de vieillissement. Pourquoi refuseraient-ils de régler un petit déclin hormonal si la qualité de leur vie est en jeu?

Quels produits employer?

J'ai pensé qu'il serait peut-être intéressant de faire un bref survol de ce qui existe actuellement sur le marché pharmaceutique pour corriger cette lacune hormonale.

On trouve d'abord des injections de testostérone, disponibles depuis assez longtemps, et qui se donnent aux deux à quatre semaines. Dans certains pays existent également des doses orales de testostérone. Nous y reviendrons.

Puis, il y a quelques années (sans doute au moment de l'apparition de l'application transdermique d'œstrogènes pour les femmes), des timbres de testostérone furent mis au point. Testoderm, comme son nom l'indique, devait être appliqué sur le scrotum et changé à chaque jour, en rasant au préalable la zone d'application. En général, les hommes n'aiment pas souffrir. Alors, ni les injections ni les timbres scrotaux n'ont eu dans l'ensemble une très grande popularité auprès de la gent masculine. Les injections sont davantage employées chez les jeunes hommes souffrant d'hypogonadisme, car, à long terme, le traitement n'est pas trop dispendieux.

Le docteur Lichten, dont j'ai parlé précédemment et qui avait découvert chez lui une carence en testostérone, fait dans son article une critique de toutes les présentations de testostérone disponibles sur le marché. Il affirme que ceux qui ont fait l'expérience des injections se sentaient plus agressifs dans les heures qui suivaient l'administration du médicament et accusaient des variations importantes de leur humeur, de leur énergie et de leur sexualité. Le docteur Carruthers pense, pour sa part, que tout est fonction de dosage (33). Le docteur Tremblay s'exprime quant à lui en ces termes sur ce point : «Les sujets connaissent de grandes exaltations (niveau maximum de testostérone 10 à 20 jours après l'injection) ainsi que des périodes de mauvaise humeur et de baisse de libido (34).»

Le docteur Lichten mentionne ensuite l'existence de certains gels contenant de la testostérone, applicables deux fois par jour. Il met cependant en garde contre les produits contenant de la méthyltestérone, à cause de sa toxicité pour le foie, comme je l'ai mentionné plus haut. Selon le docteur Carruthers, cette forme de testostérone, contrairement aux autres, ferait augmenter le cholestérol (35). Le méthyltestérone a d'ailleurs été retiré du marché européen il y a plusieurs années à cause de sa toxicité, sous la recommandation d'une sommité du domaine de la testostérone, le professeur Eberhard Nieschlag, qui fit, en 1990, une étude exhaustive des différentes formes de testostérone disponibles comme traitement (36).

Puis le docteur Lichten nous parle des deux moyens les plus acceptables et les plus pratiques : le timbre de testostérone (Androderm), disponible aux États-Unis et dans certains pays d'Europe, applicable n'importe où sur le corps (sauf sur le scrotum), à changer chaque soir; et, ce qui lui semble la meilleure formule, les implants de testostérone, d'une durée de 120 jours, disponibles tant aux États-Unis qu'en Europe et en Asie et qui assurent un niveau hormonal stable pendant tout ce temps. Il pense que c'est là le moyen le plus pratique et le plus acceptable pour l'homme chez qui le remplacement de testostérone est indiqué (37).

Il convient ici de dire un mot d'un produit utilisé depuis plusieurs années en Europe et qui est également disponible au Canada. Ce produit, l'undécanoate de testostérone (Andriol), dont j'ai parlé pour la femme, a été mis sur le marché d'abord pour traiter l'insuffisance gonadique chez l'homme. Bien sûr, la dose sera pour lui beaucoup plus importante que pour la femme.

Le docteur Carruthers se sert de ce produit dans plusieurs de ses cas d'andropause avec beaucoup de succès.

Le docteur Tremblay pense que l'undécanoate de testostérone (Andriol) est très intéressant car «il maintient un taux relativement uniforme de l'hormone biodisponible par le biais du système lymphatique. Il n'a pas d'effets sur la fonction hépatique et n'a montré aucune toxicité... Il contribue à soulager plusieurs symptômes de l'andropause (38)».

Ce produit n'est pas métabolisé dans le foie, sa durée d'action est de huit heures, mais son niveau sérique idéal est atteint après deux à quatre heures. Ce comprimé devra donc être pris deux ou trois fois par jour. Et, d'après l'expérience du docteur Harmathy, avec une dose moyenne de 160 mg par jour (soit quatre comprimés par jour), la plupart des symptômes de déficit en testostérone seront soulagés et les hommes soumis à ce traitement «constateront des améliorations de leurs érections, de leur humeur et de leur capacité de concentration. Ils se sentiront rapidement revigorés. Ces effets apparaissent généralement en trois à six semaines (39)». Et il ajoute : «Les résultats sont gratifiants et sont comparables aux résultats obtenus à la suite d'un traitement par les œstrogènes chez les femmes ménopausées (40).»

D'autres préparations orales de testostérone existent en Europe mais ne sont pas encore disponibles de ce côté-ci de l'Atlantique. Cependant, j'ai bon espoir que l'arrivée des *baby-boomers* mâles à leur andropause précipitera la recherche, la découverte et l'acceptation de plusieurs produits d'ici peu.

Les androgènes sont-ils bénéfiques ?

«A-t-on des preuves que les androgènes sont bénéfiques aux hommes en andropause ?»

Voilà la cinquième question qui était posée au docteur Roland R. Tremblay dans l'article d'*Actualité médicale* de mars 1998. Il y répond de la façon suivante : «Quand le taux de testostérone biodisponible est bas, [...] cette thérapie se traduira par une nette amélioration de la libido, du fonctionnement sexuel et de la durée des érections. [...] mais quand un patient déclare, après trois mois de traitement, qu'il constate une amélioration progressive de son bien-être, qu'il se sent plus énergique mentalement et physiquement et qu'il dort mieux, on peut penser qu'il a réagi positivement car je sais par expérience que l'effet placebo dans ce genre de traitement ne dure que de deux à quatre semaines.» Puis il continue ainsi : «Un faible taux de testostérone biodisponible est à coup sûr associé à un état catabolique du corps humain. C'est alors le cortisol qui commande le taux de dégradation des protéines dans les muscles et les tissus osseux. Une correction appropriée du déficit en testostérone aide à démontrer une récupération d'énergie physique qui ne se limite pas à une impression psychologique. L'effet anabolisant de la testostérone se traduit par une augmentation de la masse maigre, et donc une réduction de la graisse abdominale et par une meilleure force de préhension [ce qui est bon pour le golf !] ou par plus de force dans les bras et dans les jambes. Et comme les androgènes permettent à l'homme en andropause de voir disparaître ses symptômes comme l'asthénie, la dépression ou le manque d'énergie, il est bien évident qu'une succession d'événements et d'attitudes vont contribuer à renforcer l'estime de soi et la confiance en soi au travail, à accroître la dépense d'énergie à la maison et dans les activités sociales et à stabiliser, voire même à accroître progressivement la masse osseuse (41).»

Qu'est-ce que l'on peut ajouter à des propos aussi convaincants? Et si l'on veut connaître l'efficacité et la sécurité de la prise de testostérone à long terme, on n'a qu'à consulter les dossiers d'hommes traités depuis plus de trente ans pour insuffisance gonadique primaire ou secondaire à des traumatismes ou à des oreillons en bas âge. Ces hommes ont eu besoin d'un remplacement hormonal pour pouvoir vivre normalement et vieillir en santé. Voyons donc certains de ces cas, car rien ne vaut un exemple pour démontrer quelque chose!

Un jour, des parents réalisèrent que leur garçon de 12 ans n'avait pas les testicules en place dans le scrotum. Ils le firent voir à un médecin, qui fit un diagnostic d'hypogonadisme primaire. Les testicules, au lieu de descendre dans le scrotum, étaient restés dans l'abdomen. On dut alors les retirer, et comme, bien sûr, aucun signe de puberté ne se manifestait chez lui, il consulta de nouveau, à 17 ans, un endocrinologue qui revenait tout juste d'un stage de formation aux États-Unis, où il avait appris la technique d'insertion des implants de testostérone, qui y étaient utilisés alors dans les cas de carence en testostérone. À partir de 1944, ce jeune homme commença à être traité de cette manière, ce qui lui permit de se développer normalement malgré une puberté tardive. Il se maria à l'âge de 24 ans et put jouir d'une vie sexuelle active. Bien sûr, comme ses testicules n'étaient plus là, il ne put avoir d'enfant. On sait que les spermatozoïdes sont très sensibles à la chaleur et que, la température de l'abdomen étant supérieure à celle des testicules, ils n'auraient pu survivre.

Cet homme recevait donc de nouveaux implants tous les six mois et, quand approchait la période où il devait les faire changer, il se plaignait des mêmes symptômes que l'on rencontre chez l'homme en andropause : fatigue importante, maux de tête, perte de libido, perte d'intérêt au travail. Les jours qui suivaient l'installation de nouveaux implants, il avait l'impression que soudain les filles étaient plus attrayantes, que son énergie décuplait et même que son pénis était plus fringant. Cet homme a maintenant 70 ans, se sent encore en pleine forme, et la retraite lui laisse plus de temps pour continuer de jouir de la vie et d'avoir avec sa femme des relations sexuelles très satisfaisantes (42).

Et que dire de cet homme qui eut, à 21 ans, une orchite (infection des testicules en complication d'oreillons). Voyons un peu son histoire : il se maria quelques années plus tard, mais, comme sa femme n'arrivait pas à devenir enceinte, il consulta en infertilité et on décela chez lui une concentration assez basse de spermatozoïdes. Puis ils parvinrent enfin à avoir deux enfants, et alors ce monsieur se fit vasectomiser. Vers l'âge de 34 ans, il commença à ressentir des crampes dans les mollets lorsqu'il montait les escaliers pour livrer ses pintes de lait. Vous aurez deviné qu'il était laitier.

Comme ses deux jambes le faisaient souffrir, il consulta son médecin, qui l'envoya en chirurgie vasculaire. Le chirurgien lui recommanda de cesser de fumer et de faire de l'exercice pour tenter d'améliorer sa circulation artérielle, laquelle était en cause pour ses douleurs. Quelques mois plus tard, bien qu'il eût suivi les conseils du chirurgien, la situation continuait de se détériorer. Il revit donc ce dernier et dut se soumettre à une série d'interventions pour remplacer certaines artères et faire des pontages. Il y eut un peu d'amélioration pendant quelques mois, puis les crampes reprirent de plus belle, le réveillant la nuit. Le chirurgien commença à parler d'amputer la jambe, qui était en très mauvais état. C'est alors que ce monsieur eut la chance de tomber sur un article du docteur Moller, de Copenhague, dont il a été question plus haut. Il parla de cet article avec son chirurgien, qui lui suggéra alors de consulter un médecin, justement le docteur Carruthers, qui semblait avoir de l'expérience dans le traitement des problèmes artériels des jambes avec la testostérone. Après tout, avant d'accepter de perdre une jambe, il valait peut-être mieux essayer cette nouvelle thérapie. Il reçut donc des injections de testostérone deux fois par semaine et rapidement ses crampes s'atténuèrent. Il avait l'impression que ses jambes vivaient de nouveau. Et, en prime, il réalisa que ses érections, qui étaient devenues paresseuses depuis plusieurs mois, ce qu'il attribuait à son inquiétude concernant ses jambes, retrouvaient la vigueur de ses 20 ans.

Ce monsieur reçoit toujours depuis plusieurs années de la testostérone, a encore ses deux jambes, fait de la culture physique une heure par jour, va à la piscine deux fois par semaine, jouit d'une vie sexuelle active et a abandonné son emploi de laitier pour une occupation moins stressante de professeur de taï chi (43).

Comment la testostérone a-t-elle agi sur les artères? Aurait-elle, comme les œstrogènes, des propriétés antioxydantes sur l'endothélium de ces vaisseaux? Aurait-elle une action vasodilatatrice et relaxante, permettant un meilleur flux sanguin, comme c'est le cas pour l'œstradiol? Aurait-elle restauré la propriété antiathérogénique de l'endothélium, comme l'œstradiol dans les artères de la femme?

Beaucoup de recherches restent à faire pour découvrir les bienfaits de la testostérone. J'ai vainement tenté de mettre la main sur un livre écrit en 1984 par le docteur J. Moller et dont j'ai parlé plus haut, dans l'historique de la testostérone. Ce livre a pour titre : *Testosterone : Treatment of Cardio-vascular Diseases*[5]. J'y aurais peut-être trouvé les réponses à toutes les questions que suscite ce dernier cas.

Le Viagra

Et si l'on faisait une petite parenthèse ici pour parler du Viagra ?

Je crois qu'il faut faire ici le point sur ce nouveau médicament disponible dans certains pays depuis le printemps 1998 et qui se vend même de façon illégale dans les pays où il n'est pas encore approuvé.

Sachez d'abord que le Viagra, **ce n'est pas de la testostérone**. Vous vous souvenez de mes explications sur la physiologie de l'érection. On a récemment découvert de petits nerfs à plusieurs endroits du corps, dont le pénis. Ces petits nerfs ont plusieurs fonctions, dont celle de détendre les muscles lisses qui contrôlent le diamètre des vaisseaux sanguins. On les nomme les nerfs « nitrurgiques » parce que c'est en libérant de l'oxyde nitrique qu'ils facilitent la dilatation des vaisseaux sanguins du pénis, qui peuvent ainsi se gorger de sang, ce qui rend possible l'érection. Donc, tout ce qui permet la production de l'oxyde nitrique ou sa libération et son action favorise l'érection (44).

La compagnie Pfizer a récemment mis au point un comprimé oral qui facilite le travail de l'oxyde nitrique, de sorte que les agents actifs s'accumulent sur les parois des petits vaisseaux sanguins du pénis, les gardent détendus et permettent l'érection. Cette préparation, vous l'aurez deviné, s'appelle **Viagra**. Un comprimé, une heure avant la relation, peut produire, sous stimulation, une érection qui persiste jusqu'à près de trois ou quatre heures dans 90 % des cas (45). La dose variera selon les individus, allant de 25 à 100 mg, la dose moyenne étant de 75 mg. Ce médicament était d'abord à l'étude pour un autre traitement. Cependant, les patients de cette étude très souvent omettaient de retourner les comprimés qu'ils avaient reçus en trop. Évidemment, ils avaient découvert que cette petite pilule bleue avait un autre grand mérite comme effet secondaire : une belle érection !

Les effets secondaires possibles du Viagra sont des maux de tête, de la rougeur au visage, des problèmes à l'œsophage ou à l'estomac et des crampes musculaires, mais ils sont rares (46).

Il va sans dire que le Viagra ne peut remplacer la testostérone car il n'agit que sur la mécanique de l'érection. Selon les médecins spécialistes, seuls 5 % à 10 % des patients pourraient bénéficier de ce médicament, puisqu'il n'est pas indiqué dans la majorité des cas de troubles de l'érection, et encore moins en remplacement hormonal.

Dans les notes fournies par la compagnie Pfizer sur le Viagra, il est écrit que le produit «n'augmente pas la fréquence ou l'intensité du désir sexuel. Si le patient n'est pas d'abord sexuellement excité, même en prenant le produit, il n'aura pas d'érection». Il est important de noter également que «le Viagra n'augmente pas les érections non sexuelles du réveil (47)». Tous ceux qui écrivent sur l'andropause en parlent et sont unanimes : ce signe est important pour faire la différence entre un problème psychologique, hormonal ou mécanique d'érection.

J'ai feuilleté les journaux lors de mon récent voyage en Corse et en Italie. C'est de la folie ! Il y a un marché noir qui s'est installé et l'on vend n'importe quoi sous le nom de Viagra. Cela créera des problèmes et fera une mauvaise réputation à ce nouveau médicament et c'est bien dommage! D'autre part, dans le journal *Elle* de France du mois d'août 1998, dans un article intitulé : «Les hommes font mieux l'amour qu'avant», les femmes interrogées sur ce nouveau produit réagissaient ainsi : «Une érection n'ayant jamais garanti la qualité du rapport sexuel, le Viagra ne permet pas de mieux faire l'amour...» Ou encore : «Le Viagra entretient le narcissisme phallique, la performance au lieu du plaisir partagé...» Un sexologue se prononce même en ces termes : «On ne dit pas un mot sur les femmes et leur humiliation de voir une érection qu'elles n'ont pas provoquée; c'est inacceptable pour elles.» Et enfin : «Le Viagra désérotise la sexualité. Ça parle de compétition, de performance... Où est la sensualité là-dedans (48)?» Ce médicament permet cependant, ne l'oublions pas, à plusieurs hommes de se sentir «hommes» de nouveau. C'est sans doute pour cela que le Viagra est devenu si vite populaire. Et ce n'est pas uniquement pour eux que ces hommes veulent retrouver leur virilité!

Il faut donc reconnaître que la découverte de ce médicament révolutionnera la pratique médicale dans le domaine des dysfonctions érectiles.

Mais l'arrivée de ce produit sur le marché international n'est-elle pas justement le signe d'un malaise qui existe depuis longtemps et sur lequel on garde le silence : le vieillissement de l'appareil génital mâle, l'andropause?

Les problèmes d'érection, **la perte de désir...** et, disons-le enfin, l'andropause, cela existe, et le Viagra et son succès instantané en sont la preuve.

On croit avoir enfin trouvé la réponse à tous ces malaises.

Aussi, avant d'aller dépenser des sommes faramineuses et d'absorber n'importe quoi, l'homme qui a de tels problèmes n'a-t-il pas avantage à consulter son médecin, ou un urologue, ou à aller dans une clinique d'andropause ?

Il est très important de mentionner que ce merveilleux médicament (Viagra) a des contre-indications, entre autres pour les patients cardiaques et qui prennent des dérivés nitrés (nitroglycérine). Il augmente l'effet hypotenseur de ces médicaments et peut donc causer une chute mortelle de la tension artérielle (49). Certaines drogues illicites (comme les «poppers», par exemple) sont également à éviter en association avec le Viagra, car elles peuvent causer les mêmes problèmes que les dérivés nitrés (50).

Il faut également éviter la prise de Viagra avec le Tagamet (pour ulcère d'estomac), le Nizoral (un antifongique) ou l'Erythromycine (un antibiotique). Ces médicaments, qui diminuent le métabolisme du Viagra, peuvent en augmenter la concentration sanguine. La rifampine, un antibiotique servant à traiter la tuberculose, pourrait au contraire diminuer l'effet du Viagra (51).

Comme vous le voyez, tout n'est pas parfait et il faut donc employer ce nouveau médicament sous surveillance médicale.

Comme le Viagra peut causer, comme effet secondaire, une vision bleutée, les pilotes d'avion doivent s'abstenir d'en consommer quelques heures avant de voler, cette vision bleutée pouvant leur faire confondre la couleur des lumières à l'atterrissage ou au décollage (52).

MUSE

Et puisque nous nous sommes permis de nous renseigner un peu sur un traitement éventuellement disponible pour les dysfonctions érectiles qui peuvent exister en dehors de l'andropause ou d'une déficience androgénique, j'ai pensé en profiter pour vous parler d'un autre produit, qui, celui-là, est disponible sur le marché. Il s'agit de **MUSE**. N'est-ce pas là un joli nom? Inspirera-t-il les hommes sans qu'ils aient besoin pour cela d'être écrivains?

Non, il ne s'agit pas là de la muse[6] inspiratrice des créateurs. MUSE signifie ici, et c'est plus terre-à-terre, **M**edicated **U**retral **S**ystem for **E**rection. Ce nouveau traitement des troubles de l'érection est présenté sous forme d'un microsuppositoire d'alprostadil, version synthétique de la prostaglandine qui est utilisée depuis longtemps sous forme injectable pour traiter l'impuissance (Cavergerd). Présenté dans un petit applicateur de 3,2 cm de long sur 0,35 cm de diamètre, prérempli et à usage unique, le médicament peut être introduit directement dans l'urètre. Il suffit d'appuyer sur le bouton pour libérer le produit dans le pénis.

La prostaglandine, par son effet vasodilatateur, entraîne alors une relaxation du muscle lisse, ce qui permet l'apport de sang nécessaire à provoquer l'érection.

L'alprostadil est donc efficace après 5 à 10 minutes, alors que survient l'érection, qui, sous l'effet de ce produit, peut durer de 30 à 60 minutes et même plus, selon l'utilisateur. On se souviendra que dans le cas du Viagra l'effet peut prendre jusqu'à une heure avant de se manifester et ne le fera que par stimulation sexuelle ou érotique. Il est préférable de ne pas utiliser MUSE plus de deux fois par jour. L'avantage de ce produit est qu'il n'y a pas d'interaction médicamenteuse. Sa durée d'action n'est pas longue et il ne s'accumule pas dans le corps. Il est par ailleurs efficace quelle que soit la cause et/ou la gravité du dysfonctionnement. On peut même l'utiliser chez des patients atteints du cancer de la prostate (53).

Sachez que «si la cause primaire de la dysfonction érectile est médicale (diabète, maladies vasculaires, troubles neurologiques, lésion de la moelle épinière, chirurgie), le médecin de famille pourra prescrire les thérapies recommandées par l'AMSQ[7], soit le Viagra (quand il sera disponible) ou MUSE (54)».

Si elles ne sont pas efficaces, il est alors possible d'envisager des traitements comme les injections de prostaglandine dans le pénis (rassurez-vous, il s'agit de petites aiguilles), les implants péniens, les pompes à vide ou la chirurgie. Pour ces dernières interventions, je recommande à ces messieurs de consulter un urologue.

Ce fut là une longue parenthèse, j'en conviens. Mais les occasions de renseigner les hommes sont si rares, surtout sur de tels sujets. Je ne pouvais donc pas manquer à mon rôle de vulgarisatrice dans un domaine aussi important, pour démystifier ce problème de dysfonction érectile et surtout faire connaître ses solutions.

Revenons maintenant aux androgènes.

Craintes et tabous

Évidemment, comme pour l'HTR chez la femme, la prise d'androgènes par les hommes suscite des craintes et se heurte à des tabous.

On a longtemps cru que le danger de prendre des androgènes serait de provoquer un cancer de la prostate ou de le stimuler s'il existe déjà. Mais les cinquante ans d'expérience de traitement de patients souffrant d'hypogonadisme avec des implants de testostérone, de même que les trente ans d'expérience avec des injections d'énanthate de testostérone, n'ont montré aucune augmentation des cancers de la prostate chez ces patients. Et la conclusion d'une recherche menée sur les androgènes et le cancer de la prostate (55) nous dit qu'il n'y a aucune preuve que les androgènes pourraient jouer un rôle dans l'amorce d'un cancer de la prostate.

Selon le docteur Tremblay, chez 50 % des hommes âgés de 70 ans, on peut retrouver de minuscules foyers de cancer, et ces foyers croissent de façon autonome. Ils ne sont pas causés a priori par les hormones, mais, tout comme pour le cancer du sein chez la femme, si on les expose à un milieu favorable, on pourrait les voir progresser du stade préclinique au stade clinique (56).

Quand à l'hypertrophie bénigne de la prostate, selon ce spécialiste, si l'on veut être honnête avec son patient, l'utilisation à long terme d'androgènes associée à d'autres facteurs peut mener à ce phénomène clinique. Cependant, il ajoute ceci : « Si l'on considère que l'hypertrophie bénigne de la prostate survient quand le rapport androgènes/œstrogènes bascule en faveur des œstrogènes, un traitement par la testostérone pourrait très bien représenter l'agent stabilisateur qui rétablit le rapport idéal entre l'épithélium et le stroma de la prostate. Cela pourrait expliquer pourquoi un traitement substitutif de l'hypogonadisme par la testostérone est associé à une très faible augmentation du volume de la glande après un an de traitement (57). »

Dans son article, le docteur Lichten suggère pour sa part d'ajouter à cette thérapie à la testostérone une herbe, la Sawpalmetto avec Pygeum, deux fois par jour. Cette substance bloquerait la conversion de la testostérone en dihydrotestostérone (DHT) [un métabolite plus actif de la testostérone] (voir illustration 7), laquelle serait responsable de l'hypertrophie de la prostate et d'un éventuel cancer. À doses plus élevées, cette herbe porte le nom pharmaceutique de Proscar (ou finastéride, un médicament employé pour traiter l'hypertrophie bénigne de la prostate, comme par hasard!) [58].

Bien sûr, comme on recommande à la femme de 50 ans de faire son examen des seins chaque mois et de se soumettre à une mammographie tous les deux ans, car on sait que l'incidence des cancers du sein augmente avec l'âge, on recommande à tout homme de 50 ans et plus, qu'il présente ou non des symptômes d'andropause, de faire examiner sa prostate chaque année, pour la même raison.

D'ailleurs, n'avons-nous pas entendu pendant des années cette objection du cancer du sein quant au remplacement hormonal chez la femme? Bien sûr, il est plus prudent de s'interroger et l'on ne donnera certes pas plus de la testostérone à un homme qui a un cancer de la prostate que l'on ne donne des œstrogènes à une femme qui a un cancer du sein. À ce sujet, si l'on consulte des revues spécialisées en ménopause, on trouve même des articles où les médecins s'interrogent sur le bien-fondé de priver d'une HTR certaines femmes ayant déjà souffert d'un cancer du sein et qui sont à risque de maladies cardiovasculaires ou d'ostéoporose, car elles présentent tant de symptômes de ménopause qu'elles n'ont aucune qualité de vie.

Comme, d'autre part, le cancer de la prostate et le cancer du sein surviennent, dans la majorité des cas, après l'âge de 50 ans, ne devrions-nous pas nous interroger sur les perturbations hormonales qui pourraient peut-être causer, plus que les hormones elles-mêmes, l'apparition de ces cancers?

On a également craint la toxicité de la testostérone pour le foie. Mais, comme je l'ai mentionné plus haut, cette crainte portait sur une sorte particulière de testostérone, la méthyltestostérone. Pour ce qui est des autres formes actuellement utilisées, il semble qu'elles n'aient aucun effet négatif sur le foie.

Et que dire du cholestérol et des artères? Oui, la méthyltestostérone causait une élévation du taux de cholestérol. Cependant, les études faites sur les autres sortes de testostérone ne montrent aucune élévation des lipides. Quant aux bienfaits de la testostérone sur les artères, les histoires de cas du docteur Moller, de Copenhague, sont là pour les prouver (59).

D'ailleurs, à quel âge surviennent les maladies cardiovasculaires chez l'homme? Justement à l'âge où la testostérone libre, donc active, commence à diminuer dans le sang. Souvenez-vous de la mauvaise presse qu'avait l'HTR chez la femme qui souffrait de maladies cardiovasculaires, il y a quelques années! Elle était contre-indiquée dans ces cas alors que maintenant elle est justement recommandée pour prévenir et même ralentir le processus de ces maladies. Je suis persuadée que d'ici peu nous pourrons lire dans les journaux médicaux les résultats positifs obtenus avec la testostérone dans le ralentissement du vieillissement des artères.

«Il y a douze ans, souligne le docteur Tremblay, on a montré que le cypionate de testostérone, administré pendant quatre à huit semaines à des sujets âgés, normalise l'abaissement du segment S-T[8] à l'électrocardiogramme après une période d'exercice (60).» Vous vous souvenez que, dans le syndrome X[9] chez certaines femmes en ménopause sans HTR, on pouvait noter également un abaissement du segment S-T. Or, l'administration chez elles d'œstrogènes corrigeait la situation. Ainsi, une fois de plus, la même question me revient en tête : la testostérone agirait-elle de la même façon que l'œstradiol sur les artères et sur le cœur?

Le docteur Tremblay enchaîne en écrivant que «l'hormone [ici, la testostérone] a également un effet bénéfique sur l'angine de poitrine; et en 1995, on a démontré que sur l'artère coronaire des lapins, la testostérone est un puissant agent relaxant (61)». Cela encore rappelle l'action vasodilatatrice de l'œstradiol sur l'endothélium des artères chez la gent féminine.

Si, d'une part, les œstrogènes sont bénéfiques pour le cœur et les artères de la femme, comme on l'a démontré plus haut, et si, d'autre part, une partie des androgènes est métabolisée en œstrogènes chez l'homme, ceux-ci devraient agir de façon positive sur le cœur et les artères de l'homme également. «On a d'ailleurs associé l'administration de testostérone à une légère baisse du LDL-cholestérol» (62) ou mauvais cholestérol, comme on l'a qualifié, son élévation amenant souvent des problèmes cardiovasculaires. Et dire que c'est ce cholestérol qui est au sommet de la chaîne de fabrication des stéroïdes (hormones mâles et femelles) autant chez l'homme que chez la femme! Il reste donc beaucoup d'études à faire avant de décider s'il faut à tout prix faire baisser ce «mauvais» cholestérol.

Pour vous rassurer enfin quant à ces tabous, sachez que, selon la littérature médicale, les risques d'une testostérone trop basse seraient une augmentation des maladies cardiovasculaires et des infarctus, de l'ostéoporose, de l'anémie, de la démence sénile (Alzheimer) et des cancers de la prostate (étonnant, n'est-ce pas?) [63].

Les examens et le suivi

Quels examens devrait passer un homme de 50 ans ?

Voyons maintenant quels sont les examens que l'homme doit passer pour déterminer s'il y a andropause et s'il y a lieu de faire du remplacement hormonal.

D'abord, l'histoire de cas devra être faite avec beaucoup d'attention quant aux antécédents de traumatisme aux testicules, de maladies infectieuses et de chirurgie. L'examen physique comprendra un examen attentif des testicules, du pénis, de la prostate, bien sûr, mais aussi des seins, pour déceler la présence d'une gynécomastie. Saviez-vous que le cancer du sein peut survenir aussi chez l'homme ? Mais une augmentation du volume des seins peut également être chez lui un signe de carence en testostérone.

Les examens sanguins comprendront un hémogramme, un bilan des lipides, un test spécifique pour la prostate, i.e. le PSA (*prostate specific antigen*), la testostérone biodisponible (qui peut être basse alors que la testostérone totale serait normale, on a vu pourquoi), la SHBG (si le test est disponible), la LH, qui est parfois augmentée dans une baisse de testostérone, et des tests de la fonction hépatique. Le médecin jugera s'il est bon d'ajouter une radiographie pulmonaire ou un ECG, suivant l'histoire de cas. Puis on demandera de passer les examens nécessaires pour éliminer d'autres maladies qui pourraient être présentes et brouiller le tableau, tels le diabète, l'anémie ou le mauvais fonctionnement de l'hypophyse (TSH, prolactine).

Le suivi

Bien sûr, les hommes qui recevront un remplacement de testostérone seront soumis à un examen périodique de la prostate (qui devrait d'ailleurs se faire annuellement chez tout homme de 50 ans et plus), un test de PSA (qui peut augmenter légèrement après un an de traitement), un test de la formule sanguine pour surveiller l'hémoglobine et l'hématocrite, dont le taux peut augmenter si la dose de testostérone est trop élevée. On surveillera également la fonction hépatique, pour plus de sécurité.

Ainsi, tout comme la femme se fait suivre régulièrement quand elle est sous HTR, l'homme sous remplacement de testostérone doit être vu périodiquement. Il faut également surveiller les signes de surdosage, telles une augmentation du volume de la prostate ou des perturbations possibles au niveau des lipides (cholestérol, HDL, LDL), selon certains cliniciens (64).

Et comme, encore ici, l'exemple est la meilleure démonstration, je suis allée me renseigner auprès de ceux qui traitent l'andropause et j'ai pensé vous citer ici quelques cas.

Un homme de 50 ans, quoique ayant bien réussi sa vie professionnelle et familiale et ayant toujours joui d'une excellente santé si ce n'est une petite urétrite non spécifique traitée sans problème, se mit à se désintéresser de ses affaires et à avoir de plus en plus envie de rester à la maison. Il n'allait plus manger avec ses copains de travail, et même les plus jolies filles le laissaient indifférent. Il commença à présenter des troubles de l'érection, qui survenaient surtout s'il était fatigué ou s'il prenait un peu d'alcool. Même ses érections du matin se faisaient rares. Il se sentait de plus en plus léthargique et plus rien ne l'intéressait. De plus, il lui arrivait très souvent de se réveiller en nage, et parfois ses draps étaient si mouillés qu'il allait finir la nuit sur le canapé du salon. Son sommeil avait d'ailleurs perdu de sa qualité et il souffrait fréquemment d'insomnie. Il se sentait impatient et agressif pour rien et n'avait qu'une envie, s'isoler.

Il remarquait également des changements physiques : des raideurs aux genoux, aux chevilles et aux hanches, et des douleurs au dos, surtout le matin au lever. Il se sentait de plus en plus déprimé et ne savait que faire. Il prenait du poids et du ventre et n'avait plus envie de faire ni jogging ni golf.

Comme sa femme avait connu un peu les mêmes symptômes avant de faire traiter sa ménopause, elle réussit à le convaincre de consulter un spécialiste de l'andropause, car elle avait lu dans un journal que l'existence de la ménopause mâle était maintenant reconnue et traitée avec succès.

Cet homme rapporte enfin que, après seulement quelques semaines sous traitement avec de la testostérone, ses symptômes avaient presque tous disparu, ses performances sexuelles étaient redevenues presque ce qu'elles étaient à… 30 ans, il se sentait de nouveau plein de vigueur et d'énergie, et il avait même de nouveaux projets. Il déplorait de ne pas avoir été mis au courant plus tôt que l'andropause pouvait gâcher à ce point la vie de quelqu'un.

Et que dire de cet autre homme dont le principal symptôme était un sentiment de dépression et qui fut soumis à toutes sortes d'antidépresseurs qui lui causaient beaucoup d'effets secondaires ? Il eut heureusement la chance de trouver enfin un médecin qui pensa à lui faire faire son dosage de SHBG, qui était le double de la normale, réduisant ainsi sa testostérone libre, donc active. Après six mois de remplacement hormonal, cet homme se retrouvait comme avant : énergie, joie de vivre, et plaisir d'avoir retrouvé confiance en lui.

Peut-on éviter ou retarder l'andropause?

Peut-on éviter ou retarder le vieillissement? Je pense que ces deux questions se recoupent. Plusieurs facteurs entrent en ligne de compte. Si on reconnaît que la testostérone ainsi que les œstrogènes sont des substances anabolisantes, i.e. qui retardent le vieillissement des artères et du cœur, de la peau, des os et des articulations, pourquoi ne pas en faire le remplacement dès que leur carence commence à se manifester?

Le stress

Pour éviter que l'andropause se manifeste trop tôt, il faudrait éviter l'abus des hormones catabolisantes ou de ce qui en déclenche la libération. Ces hormones qui peuvent avoir un effet négatif sur la santé sont les hormones de stress, i.e. l'adrénaline, la noradrénaline et le cortisol, fabriquées par les surrénales pour nous permettre de réagir au stress. Vous aurez donc compris qu'il faut apprendre le plus tôt possible à doser le stress que l'on peut supporter. «On sait que le taux de testostérone décline en cas de stress physique (65).» On sait également que trop de stress sur une artère déjà un peu endommagée peut produire de l'angine et même un infarctus. D'autre part, on sait que l'inactivité ralentit la production des hormones anabolisantes (œstrogènes et androgènes) au profit des hormones catabolisantes, ces hormones de stress.

L'exercice

Il a été reconnu qu'une femme en périménopause qui s'inscrit à des activités physiques peut retarder l'installation de sa ménopause. L'activité physique aide au maintien de la santé des os, des muscles et des articulations. Elle sert également de tampon pour mieux vivre les situations stressantes que l'on ne peut éliminer. Messieurs, écourtez donc un peu vos périodes de zapping devant la télévision, de pitonnage sur le clavier de l'ordinateur ou de furetage sur l'Internet, pour aller nager, jouer au golf ou faire du ski. Il semble en effet que deux périodes de vingt minutes par semaine d'exercice vigoureux ou trois périodes d'exercice plus léger sont suffisantes pour le maintien de la vigueur, pour contrôler le poids, augmenter le niveau de testostérone et rester sexuellement actif. Et si l'on parle d'exercice, l'acte sexuel en est justement un excellent. Il faut s'y adonner (je n'ai pas dit s'y astreindre !) régulièrement pour éviter que les organes en cause ne perdent leur vigueur. Il semble qu'une fois la semaine serait un minimum raisonnable pour en empêcher le vieillissement et pour stimuler la production de testostérone.

L'alimentation

L'alimentation devra également être modifiée en fonction de l'âge, et, en ce sens, je vous recommande la lecture d'un excellent ouvrage du docteur Serge Renault, *Le Régime santé*, publié chez Odile Jacob. Ce médecin a fait une étude pour trouver dans quel pays les gens vivaient le plus vieux et s'est penché sur leur alimentation. C'est en Crète que les gens vieillissent le mieux. Et c'est fonction de ce qu'ils mangent.

D'autre part, il semble qu'il existe dans les magasins de produits naturels une préparation d'avoine suisse qui libérerait la testostérone en diminuant la SHBG.

L'alcool

L'alcool, surtout le vin rouge, peut aider la santé, mais trop d'alcool peut lui nuire. Il faut savoir doser. Des études ont en effet démontré que l'alcool ou le vin augmente le niveau de HDL (ou bon cholestérol) [66].

Il semble également que l'abus de bière ait un mauvais effet sur la santé des testicules, à cause de sa teneur en phytoœstrogènes (67). Les œstrogènes, comme nous l'avons déjà mentionné, sont des antiandrogènes.

Les substances antivieillissement

La prise de certains antioxydants comme les vitamines A, C et E est à l'étude quant à leurs effets sur le vieillissement des tissus. Ces substances amélioreraient la vitalité et la puissance sexuelle et diminueraient les maladies cardiaques et les cancers.

Par ailleurs, le zinc, qui est assez concentré dans la prostate, est une substance importante du liquide qui se joint au sperme lors de l'éjaculation (68).

Les médicaments

Certains médicaments, nous l'avons vu, peuvent mimer des symptômes. Il ne faut pas vous gêner pour parler des effets secondaires possibles des nouveaux médicaments que vous donne votre médecin. On doit prêter une attention particulière aux médicaments pour l'hypertension (la pression), pour la congestion nasale, ainsi qu'aux anticonvulsivants, aux antidépresseurs et à certains tranquillisants. Ces médicaments peuvent causer des dysfonctions sexuelles.

La tenue vestimentaire

Il semble même, selon une étude publiée dans *The International Journal of Andrology* en 1995 (69), que les hommes auraient intérêt à surveiller leur tenue vestimentaire s'ils ne veulent pas nuire à la santé de leurs testicules. Il semblerait, en effet, que l'infertilité serait deux fois plus grande chez les hommes qui portent des sous-vêtements très serrés (ou des jeans très serrés) que chez ceux qui portent des boxers. Et chez ceux qui portent et des sous-vêtements serrés et des jeans serrés, l'infertilité serait deux fois et demie plus élevée. Nous avons mentionné plus haut que les spermatozoïdes tolèrent mal la chaleur et que le scrotum s'affaire justement à varier la hauteur des «bijoux de famille[10]» pour les garder en santé. Si les testicules se retrouvent dans des vêtements très serrés (et donc plus au chaud) pendant près d'un quart de siècle, cela peut expliquer le fait que la testostérone d'un homme de 50 ans soit maintenant inférieure à celle d'un homme du même âge des années 40, tel que l'a rapporté le docteur Lichten dans son article. Je pense effectivement qu'il faudra continuer de prêter une grande attention à ce genre d'études dans l'avenir.

* * *

Pour conclure ce chapitre, le meilleur conseil que je puisse vous donner, messieurs, est celui-ci : n'attendez pas comme nous les femmes l'avons fait trop longtemps avant de consulter, si vous avez quelque signe de carence en testostérone. Car, puisque l'espérance de vie s'allonge pour vous comme pour nous et puisque, contrairement à l'époque de nos pères et grands-pères, les guerres n'ont pas décimé la moitié des hommes de votre âge, pourquoi ne pas faire en sorte de vous assurer un avenir où **vigueur et plaisir** seront présents?

Ayez donc la simplicité d'accepter que, pas plus que nous, les femmes, vous n'êtes éternels. La maladie peut également vous atteindre... de même qu'une baisse hormonale et tous les symptômes qui en découlent.

Cessez de jouer les surhommes. Nous ne vous en demandons pas tant. Soyez simplement nos compagnons de vie, et ce le plus longtemps possible, et avec tout ce qui peut exister pour améliorer votre qualité de vie et votre désir de vivre.

Il y a peu de temps, je dînais au restaurant avec une amie qui me raconta un événement qui me troubla. Un homme dans la cinquantaine avancée, qui avait très bien réussi sa vie, était encore amoureux de sa femme, était retraité depuis quelques années, à l'aise, et dont les enfants vivaient tous très bien, un homme qui passait six mois par année à jouer au golf dans le Sud, avait soudain eu une dépression très brève, sans motif apparent, et s'était jeté sous un camion. Mort instantanée! Le médecin qui l'avait vu quelques semaines avant l'événement tragique en avait conclu : de la mélancolie, du mal de vivre! Et si l'on avait mesuré son niveau de testostérone biodisponible, qui sait si l'on n'aurait pas eu la vraie réponse?

Cela m'a rappelé une conférence à laquelle j'ai assisté l'an dernier. L'invité était le docteur Jerome Yeasavage, psychiatre de Californie œuvrant auprès des hommes de 50 ans et plus. Ce médecin a tenu à nous mettre en garde justement au sujet des cas de carence en testostérone chez les hommes de cet âge et de l'augmentation du taux de suicide en relation avec la dépression, symptôme connu de cette carence hormonale. Ce qui m'a le plus surprise alors, c'était l'image-miroir de cette symptomatologie des hommes en andropause par rapport à celle des femmes en ménopause! Mêmes symptômes : immense fatigue, sommeil agité et non réparateur, dépression sans cause, perte d'estime de soi, insomnie, bouffées de chaleur, perte d'intérêt à tout.

Il y a quelque temps, alors que j'étais invitée à un brunch pour l'anniversaire d'une amie, un homme dans la cinquantaine avancée vint s'asseoir à mes côtés avec son assiette et nous nous sommes mis à parler de ce que nous faisions dans la vie. Quand je lui mentionnai que je travaillais sur le livre que vous lisez maintenant, il se mit à m'écouter avec encore plus d'intérêt. Quand je lui dis que l'andropause se manifestait chez l'homme avec sensiblement les mêmes symptômes que la ménopause chez la femme et que je lui en décrivis les signes, il me dit qu'il avait bien hâte de lire mon livre. Il me félicita de m'intéresser à ce sujet, d'y faire enfin la lumière, et me confia que lui-même avait traversé une période comme celle-là plusieurs mois auparavant et qu'il aurait bien voulu comprendre alors ce qui lui arrivait. Était-ce une crise de l'âge… ou des symptômes annonciateurs de son andropause ? Il était très déprimé, insomniaque, et avait perdu toute estime de lui-même, mais il n'avait vraiment aucune raison de se sentir ainsi et cela l'avait beaucoup troublé, alors que s'il avait su qu'il pouvait s'agir d'un début de carence hormonale, il aurait sûrement consulté son médecin, qu'il se promit d'ailleurs d'aller voir pour lui parler de tout cela.

Plus récemment, quand j'annonçai à une amie que j'écrivais un livre sur l'hormone du désir et qu'elle apprit que ce livre était d'abord destiné aux femmes, elle me témoigna de la colère dont je ne compris pas tout de suite la raison. Ce n'est que plus tard qu'elle me confia que son mari avait depuis belle lurette perdu tout intérêt au sexe et qu'elle ne comprenait pas pourquoi les médecins continuaient de s'intéresser à l'amélioration de la qualité de la vie des femmes mais que jamais personne n'écrivait rien pour aider la vie des hommes. Car que peut faire une femme quand son mari n'a plus envie de faire l'amour mais qu'elle aime cet homme et le désire encore? Se trouver un amant pour satisfaire ses besoins ou prendre des tranquillisants pour endormir ses pulsions! Alors, à quoi bon écrire un livre sur l'hormone du désir et en corriger le manque chez une femme qui ne pourra assouvir ce désir?

Ainsi, quand on soulève le voile, le problème est bien réel...

Quelqu'un a suggéré qu'on substitue au mot «andropause» le mot «androcourbe», puisqu'il n'y a pas chez l'homme, comme chez la femme, un arrêt brusque de fabrication des hormones, mais simplement un ralentissement de la fonction testiculaire. Pourquoi pas?

Quel que soit le nom que l'on donne à cette période de la vie, ce qui est certain, c'est qu'il faut en parler, et c'est tant mieux si plus de médecins s'y intéressent et si plus de cliniques se créent. J'ai heureusement dans mon carnet d'adresses les coordonnées de plusieurs d'entre elles, car il est très fréquent qu'une femme venue en consultation pour sa ménopause et voyant sa qualité de vie améliorée avec une HTR veuille que son conjoint puisse profiter des mêmes bienfaits.

Il y a même parfois des maris qui, accompagnant leur épouse à mon bureau, me demandent le nom de médecins qui pourraient offrir une solution à leur problème d'andropause. Il y a donc des hommes qui sont au courant que ce phénomène est une réalité.

Le docteur S. Mimoun, chef de l'unité d'études de la sexualité humaine du service de gynécologie-obstétrique de l'hôpital Robert-Debré, à Paris, et auteur de *L'Univers masculin* (Seuil, Paris, 1995), a relevé des faits très intéressants dans l'article que j'ai mentionné plus haut.

J'en cite ici un passage intitulé «Les hommes et les femmes face au temps» :

«Soulignons que la femme et l'homme réagissent différemment face au temps qui passe. La puberté, les règles, l'accouchement, la ménopause inscrivent le temps dans le corps de la femme.

«Les hommes, au contraire, n'ont pas de signes physiques aussi nets... Leurs références temporelles essentielles sont extérieures à leur corps. C'est par le temps social que les hommes sont le plus souvent déterminés. Qu'il s'agisse des dates de leurs différentes activités, du service militaire, de la retraite, etc., ils sont également déterminés, bien sûr, par le temps des autres... C'est souvent d'ailleurs quand leur femme a sa ménopause qu'ils prennent conscience de leur propre vieillissement. Un seul élément les touche intérieurement et extérieurement : leurs troubles sexuels éventuels. Face à une “crise”, la différence d'attitude est encore plus nette... Quand une femme a des difficultés, elle a tendance à s'introspecter et à rattacher ce qu'elle ressent physiquement et psychologiquement à son vécu interne. Elle est prête, par exemple, à rechercher de l'aide auprès du corps médical ou paramédical.

«Les hommes, par contre, ont plutôt tendance à réagir aux situations de crise en agissant sur l'extérieur : trouver un nouvel emploi, déménager, s'engager dans un mouvement, changer de femme (70)...»

Je voudrais m'attarder un peu sur ces derniers mots : «changer de femme»...

Certes, la vue d'un beau jeune corps de 20 ans ne peut faire autrement que de réveiller pendant quelque temps une érection qui s'avère paresseuse chez un homme de 50 ans, lequel en fera trop souvent porter le blâme à la compagne de son âge avec qui il a partagé sa vie. Et, devant cette érection qui le sort d'une certaine léthargie, dans l'emportement de cette nouvelle relation, trop souvent l'homme se laissera prendre et, commettant l'erreur de cette solution facile, quittera sa compagne de toujours pour commencer une relation avec une «jeune poulette» qui le revigore. Hélas, trop souvent il devra assumer les conséquences et la responsabilité d'un triple échec.

D'abord, à cause de la différence d'âge, la jeune femme, qui a envie de bouger, se lassera des activités d'un groupe de l'âge d'or et quittera cet homme aux tempes grises qui l'avait d'abord fascinée. Ou encore elle décidera, au contraire, qu'elle pourrait en faire le père de ses enfants.

Et voilà que notre quinquagénaire se voit reparti à bercer bébé quand il a mal aux dents ou à changer les couches pendant que sa jeune femme libérée, nouvelle génération, est partie suivre des cours d'ordinateur, lui qui aurait pu mériter, à son âge, d'aller tranquillement jouer au golf avec des copains.

D'autre part, la femme de 50 ans, qui avait rêvé de jouir de sa retraite prochaine avec celui qui avait jusqu'alors partagé sa vie et avec qui elle avait fondé une famille, se retrouve seule, portant le fardeau du doute de celle qu'on a quittée. Non seulement elle aura à se remettre psychologiquement de cet échec que constitue pour elle le fait de n'avoir pas su garder son compagnon de vie, mais elle devra également s'assumer financièrement, ce qui est loin d'être facile surtout pour cette génération de femmes qui ont quitté leur métier ou leur profession pour élever des enfants et s'occuper du mari et du foyer. J'ai hélas rencontré trop souvent de ces femmes dans ma pratique.

Enfin, le troisième échec sera celui de l'homme, qui, ne voyant pas la cause réelle de son inappétence sexuelle et/ou de son impuissance, aura tout détruit sans pour autant avoir trouvé de solution à son problème, qui lui reviendra de façon encore plus cuisante à la lumière de ce gâchis. Car la performance ne persistant pas ou s'atténuant à la consommation régulière, même d'une «jeune poulette», il ira de l'une à l'autre sans jamais trouver de solution. Or, on le sait maintenant, la vraie cause de ce malaise est une carence progressive en testostérone, et la vraie solution est d'identifier le problème et d'éliminer cette carence. Mais que peut-on faire quand on ne sait pas?

Ainsi, je crois que si, dans les couples, l'homme et la femme sont également au courant des changements métaboliques que leur corps peut subir, ils pourront mieux s'entraider et continuer de grandir ensemble comme couple.

Il est fréquent que, à mes conférences sur la ménopause, des hommes accompagnent leur épouse pour mieux comprendre comment cette femme qu'ils ont tenté de rendre heureuse depuis tant d'années peut se retrouver si déprimée, défaite, épuisée d'un seul coup. Ces hommes viennent souvent me remercier, à la fin de la soirée, de les avoir éclairés. D'autres, qui accompagnent leur épouse à mon bureau pour la ménopause, me remercient de leur avoir rendu la femme qu'ils connaissaient avant!

D'un autre côté, comme je m'aventure de plus en plus à parler de l'hormone du désir dans mes conférences, les femmes m'interrogent non seulement pour elles-mêmes, mais souvent pour leur mari, qui ne veut pas consulter.

Pourtant, souvent la cause d'une érection non soutenue peut n'être que l'effet secondaire d'un médicament qu'un homme prend pour l'hypertension. Quand cet homme consulte, il découvre à la fois la cause et la solution de son problème. S'il n'avait pas consulté, il aurait vécu avec l'impression que sa femme n'arrivait plus à l'exciter ou que sa vie sexuelle était finie, et le couple aurait sans doute également connu sa fin. Car il n'est pas rare que tel ou tel médicament puisse causer des problèmes au niveau de la testostérone, comme nous l'avons vu précédemment. Par ailleurs, si le déclin progressif de la testostérone est la cause, il est rassurant de savoir qu'il y a également une solution.

Pour terminer, je citerai une phrase du docteur Adrian Dobbs, professeur de médecine et directeur des études cliniques d'endocrinologie et de métabolisme à l'université Johns Hopkins :

« Avec ses bienfaits potentiels pour les os, les muscles, la force, le bien-être et la qualité de la vie, une supplémentation de testostérone pour un vieil homme normal et en bonne santé pourra un jour rivaliser avec celle des œstrogènes pour les femmes (71). »

Ainsi donc, on peut constater que l'homme et la femme possèdent un réseau hormonal bien organisé et que **désir et plaisir** sont chez chacun d'eux dépendants de la testostérone, cette troisième hormone stéroïdienne qui agit au niveau des récepteurs de différents organes. C'est grâce à cette hormone que l'homme, tout comme la femme, connaîtra la joie de vivre, le goût d'entreprendre des projets, de se réaliser. C'est grâce à la testostérone qu'il aura de l'énergie, de la vitalité, de l'estime de soi. Physiquement, il se sentira bien car sa masse musculaire sera maintenue favorablement au détriment de sa masse graisseuse, toujours grâce à l'action de la testostérone sur plusieurs sites récepteurs.

Et, bien sûr, l'apothéose du bien-être et du bonheur

sera réalisée par le travail de la testostérone au niveau sexuel, qui assurera fantasmes, libido et capacité d'atteindre des orgasmes de qualité.

C'est donc en cela que l'homme et la femme se rejoignent : la testostérone n'a pas de sexe, je vous l'avais dit ! Elle unit l'homme et la femme, leur procurant à tous deux d'abord du **désir**, non seulement le désir sexuel, mais aussi le désir dans son sens le plus large, i.e. le désir de vivre, et, en conséquence, du **plaisir**, général et sexuel, et donc du **bonheur** !

Conclusion

Améliorer la qualité de la vie puisque l'espérance de vie s'allonge de plus en plus!

Nous voici arrivés au terme de cette «croisière» dans le monde des hormones stéroïdiennes, et, par ricochet, de notre recherche des effets bénéfiques de ces dernières sur **le désir et le plaisir**.

Quelle belle aventure j'ai vécue en écrivant ce livre! Car les différentes hormones, comme autant de personnages de roman, m'ont, à travers les méandres de leurs multiples fonctions, permis de découvrir toutes les voies menant au désir et au plaisir, donc au **bonheur**!

J'ai eu également beaucoup de **plaisir** et de satisfaction à trouver des solutions à plusieurs problèmes de cette période de la vie qu'est la ménopause/andropause, en scrutant le monde subtil des hormones, des récepteurs et des protéines de liaison (dont la SHBG).

J'espère surtout que j'ai su, par ce livre, rendre les réponses disponibles à un très grand public. C'était mon **désir** le plus cher!

Je persiste à croire que c'est en démystifiant les maladies, les malaises et les symptômes de tout genre, donc en faisant, en quelque sorte, de l'éducation populaire en médecine, que l'on parviendra, à l'aube du prochain millénaire, à maîtriser les maladies.

Il faudrait qu'en ce siècle qui débute bientôt les gens soient capables, par la connaissance, de puiser en eux les possibilités que le corps leur offre pour rester en santé.

C'est en maintenant l'équilibre entre le système nerveux, le système endocrinien et toutes les hormones qu'il gère, et le système immunitaire, qui aide à nous défendre contre tout ce qui peut nous agresser, tant du point de vue physique que psychologique, que nous pourrons apprendre à nous maintenir en santé.

Je ne crois pas cette phrase célèbre de Jules Romains qui dit que «les gens bien portants sont des malades qui s'ignorent».

Je crois précisément le contraire.

Les recherches en médecine nous ont amenés à découvrir la pénicilline et à maîtriser ainsi les infections. La découverte de l'insuline a permis aux diabétiques de survivre et de mieux vivre.

Arrivant à l'an 2000, nous découvrons maintenant que, en remplaçant tout simplement ce que le corps cesse de produire en vieillissant, nous diminuons l'apparition de nombreuses maladies, comme nous venons de le constater avec le remplacement des hormones stéroïdiennes.

En réalité, n'est-il pas plus logique de remplacer les hormones qui manquent que de traiter les conséquences de leur carence, qui sont le diabète, l'hypertension, les maladies cardiovasculaires, le vieillissement des os et des tissus, certaines dysfonctions érectiles, la baisse de libido et peut-être même les cancers?

Nous savons ce que coûtent les maladies, tant en qualité de vie qu'en charges sociales et en frais de soins pour les gouvernements. Imaginez les économies qui seraient réalisées si on retardait le vieillissement et ses affres ! Imaginez ce que risque de coûter la population vieillissante si l'on ne fait rien pour préserver la santé !

Pour ma part, je suis toujours fascinée quand je vois des personnes comme M. Pierre Dansereau, ce botaniste qui, à 80 ans, fait encore de l'enseignement, ou ce médecin américain de 90 ans qui opère encore à cœur ouvert et enseigne également.

Comment des artistes comme le peintre Pablo Picasso ou les pianistes Vladimir Horowitz et Claudio Arrau ont-ils pu continuer de grandir dans leur art à un âge aussi avancé que 80 ans et plus ?

Et que dire de cet autre vieux pianiste, Mieczyslaw Horszowski, qui donna son dernier concert à 102 ans, juste avant de s'éteindre ? Ces personnes connaissaient-elles la fontaine de Jouvence ? Est-ce que leur équilibre de vie leur a permis de gérer le stress sans abuser de leurs endorphines, leur permettant d'atteindre cet âge avancé avec sérénité ?

Les recherches abondent actuellement dans le monde entier, tant sur le DHEA que sur la mélatonine, l'androstènedione, la somatotrophine (GH), les antioxydants, la leptine, la résistance à l'insuline et les façons de la prévenir. Tout cela dans un seul but : **tenter d'arrêter le temps !**

Oui, nous sommes tous d'accord pour prolonger la vie... à condition de pouvoir en jouir et de la vivre avec la pleine capacité de tous nos moyens.

Pour cela, à mon avis, il faut d'abord avoir le **désir** de vivre et de bien vivre. Il faut ensuite rechercher l'équilibre qui permettra au système nerveux, au système endocrinien et au système immunitaire de nous garder en santé.

C'est donc en usant sans abus de nos hormones de stress et de nos neurotransmetteurs, dont l'endorphine et la sérotonine, que nous protégerons nos organes et tissus.

D'autre part, c'est en recherchant une saine alimentation comportant suffisamment d'acides gras oméga-3, sans abus des oméga-6, et aussi en ajoutant les antioxydants qui empêchent l'usure des tissus, telles les vitamines E et C, que nous conserverons notre résistance contre les maladies.

Enfin, c'est en remplaçant les hormones à mesure qu'elles arrivent à leur déclin naturel que nous pourrons parvenir à vieillir tout en préservant notre santé.

Si nous faisons le choix d'un remplacement hormonal à la ménopause comme à l'andropause, c'est avant tout dans le but qui a été résumé en ces quelques mots, «Bien vieillir : un droit et un désir (1)», lors de la clôture d'un congrès à Fort-de-France en 1994, lesquels m'ont inspiré le texte suivant :

«BIEN VIEILLIR : UN DROIT ET UN DEVOIR!»

C'est donc ici que cesse la guerre des sexes et souhaitons que nos différences, hommes et femmes, deviennent complémentaires, pour réaliser un troisième âge serein!

Ce que nous pouvons espérer de mieux c'est justement

De vivre très vieux et en santé comme les Crétois,

De vivre épanouis et sereins comme les Grecs,

En ne cherchant pas à devenir millionnaires à tout prix, comme en rêvent plusieurs Américains, au risque d'un infarctus avant la cinquantaine,

Ou hyperproductifs, pouvant amener un hara-kiri psychologique, comme trop de Japonais avant la quarantaine.

Souhaitons de n'être qu'un humain de la planète Terre,

Heureux et épanoui, serein et en harmonie avec notre conjoint,

Et qui a envie de tout, sauf de devenir une «grande personne»!

Restons donc à l'écoute de notre corps dans la recherche du mieux-être,

Ouvrons-nous à la créativité, source d'équilibre et de bonheur,

Pour plus d'échange et de partage,

Maintenant que nous avons la connaissance de ces moyens

Pour maintenir à l'œuvre **nos hormones de DÉSIR et de PLAISIR!**

* * *

25 septembre 1998

L'été s'achevait... Notre voilier reposait sur un ber, hors de l'eau, en face de la jolie petite ville de Préveza, en Épire, cette région de la Grèce qui baigne dans la mer Ionienne, un peu au sud de l'île de Corfou.

Il pleuvait tout doucement et le chant des gouttes de pluie qui tambourinaient sur l'abri du bateau venait se mêler à la musique de Bach, les *Suites pour violoncelle seul*, que nous aimons tant, mon conjoint et moi. L'horloge marine venait de me signaler qu'il était 6 heures du matin. Il faisait encore noir et nous avions dépassé l'équinoxe d'automne. J'étais persuadée que j'avais enfin mis le point final à ce livre sur lequel je travaillais depuis trois ans et que j'avais remis sur le métier tout l'été, ajoutant ici et là une nouvelle étude ou quelques petites réflexions personnelles. Ce manuscrit avait été le compagnon de mes insomnies et, dans la tranquillité de cette aube, j'appréciais la solitude qui me gardait une dernière fois près de lui.

Nous allions bientôt rentrer au Québec et j'étais heureuse de rapporter ce livre que je venais de terminer et qui allait être un nouveau cadeau, espérais-je, un cadeau qui avait été d'abord destiné aux femmes de mon âge, mais qui était devenu, en cours d'écriture, un cadeau pour le couple ainsi que pour tous ceux et celles qui veulent bien profiter de la vie.

L'écriture est non seulement un merveilleux moyen de communiquer et de partager la connaissance, tout en offrant la possibilité de s'exprimer en tant qu'individu, mais aussi une occasion d'élargir ses connaissances et de faire plusieurs belles découvertes.

Je réalisais, à ce moment de ma carrière, que ce qui m'avait finalement attirée en médecine, c'était, plus que de soigner les gens, de tenter de comprendre le pourquoi des maladies, afin de pouvoir apprendre aux gens à les éviter. C'est peut-être ce qui m'a attiré aussi vers ce nouveau domaine de la médecine qu'est la recherche de l'antivieillissement. Mais n'était-ce pas là un peu ma façon de vouloir prolonger ma propre vie et celle de tous ceux qui m'entourent de près ou de loin? Ma façon d'éloigner la mort?

Voilà qu'il me fallait mettre un point final à cette belle aventure qu'est l'écriture d'un livre. Mettre un point final à un livre, c'est un peu mettre un terme à une belle amitié... ou à une grossesse... Après trois ans de contact étroit avec ce que l'on crée, à ramasser des livres, des articles et des extraits de documents sur l'Internet et à consulter des dictionnaires, c'est un peu quitter un vaste champ de connaissances...

* * *

3 janvier 1999

Il neige… Le sol est immaculé et je viens de m'offrir quelques semaines à la maison. J'ai arrêté le temps pour me permettre, dans le calme d'un bel hiver de chez nous, d'apporter les dernières corrections à mon manuscrit. Car, dès que je fus rentrée de Grèce, la vie m'a happée de nouveau et je n'arrivais pas, même en rognant sur les week-ends, à m'accorder le temps nécessaire pour terminer ce projet.

Il y a pourtant encore tant de choses à écrire. Tant d'autres articles s'offrent à moi pour continuer de compléter, de paufiner cet ouvrage.

Mais le temps me presse car il faudra, dans quelques mois, reprendre le large. Aussi, il me faut «larguer» ce manuscrit à l'éditeur, de peur de passer un quatrième été à le remettre à jour! Car, dans ce domaine, il n'y a jamais de fin.

Mon mari m'a même suggéré de me mettre plutôt à travailler à sa réédition, si je ne veux pas couper le cordon!

Eh bien! me croirez-vous? De peur de connaître la «dépression post-partum», j'ai déjà commencé la rédaction d'un prochain livre. Car des sujets aussi passionnants que le système neuro-endocrino-immunitaire, les hormones naturelles comme médicaments de l'avenir, la DHEA comme traitement efficace, la somatotrophine contre le vieillissement, vous font sans doute deviner, par ce qu'ils résument, quel sera le nouveau bébé que je viens de mettre en route : «Arrêter le temps!»

D'autres écrits dorment cependant dans mon ordinateur : le récit de six ans de navigation sur le tiers de l'hémisphère Nord, un roman, un essai… Il faudra bien les rendre à terme eux aussi. Ils constitueront peut-être un petit entracte avant le prochain livre de vulgarisation médicale.

Ainsi, comme vous pouvez le constater, **désir et plaisir** ne sont-ils pas les deux mamelles de la sérénité et de la créativité ?

Saint-Gabriel-de-Brandon, le 7 janvier 1999.

Bibliographie

Ouvrages

Beck, Deva et James, *The Pleasure Connection*, Synthesis Press, San Marcos, CA, 1987.

Berkow, Dr Robert *et al.*, directeur, Merck, *Manuel de diagnostic et thérapeutique*, Éditions d'Après, Paris, 1994.

Botez, Dr Mihai, Ioan (directeur), *Neuropsychologie clinique et Neurologie du comportement*, Masson, Paris, 1987; Presses de l'université de Montréal, 1996.

Campbell, Don, *L'Effet Mozart*, Éditions du Jour, Montréal, 1998.

Carruthers, Dr Malcolm, *Maximising Manhood*, Harper Collins, London, England, 1996.

Champagne, Dr Marie-Andrée, *La Ménopause et le Remplacement hormonal*, Libre Expression, Montréal, 1995.

Collins, P. & Beale, C.M., *The Cardioprotective Role of HRT*, Parthenon Publishing Group, New York, London (UK), 1996.

CPS, *Compendium des produits et spécialités pharmaceutiques*, Association pharmaceutique canadienne, CK Productions, Toronto, 1999.

Crenshaw, Dr Theresa L., *The Alchemy of Love and Lust*, Putnam's Sons, New York, 1996; Pocket Books, 1997.

Crenshaw, Dr Theresa L. & Goldberg, James, Ph. D., *Sexual Pharmacology*, W.W. Norton and Co., New York, 1996.

Diamond, Jed, *Male Menopause*, Source Books Inc., Naperville, Illinois, 1997.

Genovese-Stone, D[r] Elisabeth & Cutler, Winifred B., Ph. D. (DM, septembre 98, vol. 44, n[o] 9), *Wellness in Women after 40 Years of Age : The Role of Sex Hormones and Pheromones*, Mosby, St. Louis, MO, 1998.

Hill, Dr Aubrey M., *Viropause/Andropause*, New Horizon Press, Far Hill, N.J., 1997.

Klatz, Dr Ronald & Goldman, Dr Robert, *Stopping the Clock*, Bantam Books, New York, 1997.

Lagacé, Louise-Lambert, *Ménopause, nutrition et santé*, Éditions de l'Homme, Montréal, 1998.

Lee, Dr John R., *What Your Doctor May Not Tell You About Menopause*, Warner Books, New York, 1996.

Lee, Dr John R., *Natural Progesterone*, Bll Publishing, Sebastopol, CA, 1993;1997.

Lorrain, Dr J., Plouffe, Dr L. *et al.*, *La Ménopause*, Edisem, Maloine, Paris-Montréal, 1995.

Mauvais-Jarvis, Dr P., Schaison, Dr G., Touraine, Dr Ph., *Médecine de la reproduction*, Flammarion, 3e édition, Paris, 1997.

Moir, Anne, Ph. D. & Jessel, David, *Brain Sex*, Dell Publishing, Delta Books, New York, 1992.

Pierpaoli, Dr Walter & Regelson, Dr William, *Le Miracle de la mélatonine*, Robert Lafont, Paris, 1995.

Rako, Dr Susan, *Hormone of Desire*, Harmony Books, Crown's Publishers, New York, 1996.

Reinberg, Alain, *Les Rythmes biologiques, mode d'emploi*, Flammarion, Paris, 1997.

Renaud, Dr Serge, *Le Régime santé*, Odile Jacob, Paris, 1995.

Shapiro, C.M., *ABC des troubles du sommeil*, Maloine, Paris, 1996.

Swartz, Dr Donald P., *Hormone Replacement Therapy*, Williams &Wilkins, Baltimore, MD. 1992.

Taurelle, Dr R. et Tamborini, Dr A., *La Ménopause*, Masson, Paris, 1997.

Yen, Dr Samuel & Jaffe, Dr Robert B., *Reproductive Endocrinology*, 3e édition, W.B. Saunders Co., Philadelphia, P.A., 1991.

Journaux et revues

Alarie, Dr Pierre, «Des lignes directrices pour le traitement des dysfonctions érectiles», *L'Omnipraticien*, 3 décembre 1998, MacLean Hunter, Montréal.

Basson, Rosemary, «*Sexuality and the Menopause*», supplément du journal de la SOGC, 1995, Ribosome Communications Inc., Toronto, 1995.

Bishop MacDonald, Helen, «N'oublions pas les HDL – Le médecin et la nutrition», *Actualité médicale*, 16 septembre 1998, MacLean Hunter, Montréal, 1998.

Blake, Dr Jennifer, «*Phytoestrogens : The Food of the Menopause*», *Journal of SOGC*, mai 1998, vol. 20, n° 5, Ribosome Communications Inc., Toronto, 1998.

Burgess, Dr Helen, «L'Hypertension chez la femme post-ménopausée», *La Santé au féminin*, vol. 2, n° 2, Advanced Health Care Strategies Inc., Pointe-Claire, Québec, 1998.

Canadian Consensus : «*Conference on Menopause and Osteoporose*», *Journal of SOGC*, novembre 1998, vol. 20, n° 13, Ribosome Communications Inc., Toronto, 1998.

Case, Dr Allison M. & Reid, Dr Robert L., «*Diagnosis of Menopause in Perimenopausol Women Taking Oral Contraceptives*», *Journal of SOGC*, octobre 1998, Ribosome Communications Inc., Toronto, 1998.

Corbeil, Dr Diane, «Définition et types d'ostéoporose. Facteurs de risque et investigation», symposium «Traiter l'ostéoporose : pour qui, par quoi, comment?», 17 novembre 1995, Montréal.

Couillard, Charles et Després, J. Pierre, «La leptine, un peu, beaucoup, passionnément», *Les Sélections de médecine/sciences*, Prescom, Louisbourg, Québec, n° 11, septembre-octobre 1998.

Crilly, Dr Richard D. & Camilleri, A., «*Ostéoporosis : Summary of Current Knowledge, Part 11 Andropause : Pathophysiology*», *Mature Medecin Canada*, septembre-octobre 1998, vol. 1, F.D. Communications Inc., Toronto, 1998.

Cullins, Dr Vanessa E., «*Non Contraceptive Benefits and Therapeutic Uses of Depo-MPA*», *The Journal of Reproductive Medecine*, vol. 41, n° 5, Copyright Clearance Center, Salem, MA, 1996.

Cutler, Dr Winnefred et Genovese-Stone, Dr Elisabeth, «*Wellness in Women after 40 Years of Age : The Rôle of Sex Hormones and Pheromones*», Disease-a-month, vol. 44, n° 9, Mosby, St. Louis, MO, septembre 1998.

De Lignières, Dr Bruno, «HTR, CA et diète + Vit. A + exercice», symposium «Traiter l'ostéoporose : pour qui, par quoi, comment?», Montréal, 17 novembre 1995.

Duchesne, Dr Line, «Ostéoporose, mise à jour», 20 novembre 1998, Montréal.

Fiore, Francine, «Nouveaux médicaments de l'impuissance», *Actualité médicale*, Maclean Hunter, 7 octobre 1998, Montréal.

Fredericksen, Dr Marilynn, «*Depot. MPA Contraception in Women With Medical Problems*», *The Journal of Reproductive Medecine*, vol. 41, nº 5, Copyright Clearance Center, Salem, MA, 1996.

Frock, James & Money, John, «*Sexuality and Menopause*», *Psychotherapy Psychosom*, 1992; 57, p. 29-33, Baltimore, MD, USA.

Garceau, Dr Claude, «*Corticosteroïd-Induced Osteoporosis*», *The Canadian Journal of Diagnosis*, STA Communications, Pointe-Claire, octobre 1998.

Gelfand, Dr Morrie, «Ménopause et vieillissement», *Reproduction humaine et Hormones*, vol. IX, nº 3, Éditions Eska, 1996.

Gray, Caroline, «La dépression, facteur de risque de l'ostéoporose», dans *Chassez la dépression*, supplément de *L'Omnipraticien*, Wyeth-Ayerst Canada, novembre 1995.

Greenblatt, Dr Robert B., «*The Use of Androgens in Menopause and Other Gynecic Disorders*», *The Menopause*, Obst & Gynecologic Clinics of North America, vol. 14, nº 1, mars 1987, 0889-8547/87.

Haseltine, Dr F. *et al.*, «*Introduction*», *The American Journal of Medicine, Symposium : an NICHD Conference; Androgens and Women's health, 1995.*

Hutchinson, Dr Daren A., «*Androgens and Sexuality*», *The American Journal of Medicine*, 16 janvier 1995, vol. 98, supp. 1A.

Hutchison, Dr Stuart & Leong-Poi, Dr Howard, «Après l'étude HERS : quel est le rôle de l'HTS dans la prévention de la coronaropathie chez la femme?», *Cardiologie*,

Conférences scientifiques, vol. 111, n° 2, St. Michael's Hospital, université de Toronto, Snell Communication médicale Inc, 1998 (08-09).

Jeffrey, Susan, «*HRT Helps Parkinson's Women*», *Medical Post*, MacLean Hunter Publishing, Toronto, 12 mai 1998.

Kaplan, Dr Helen Signer *et al.*, «*The Female Androgen Deficiency Syndrome*», *Journal of Sex & Marital Therapy*, vol. 19, n° 1, printemps 1993, Brunner/Mazel Inc.

Lam, Dr Raymond & Young, Dr Simon, «Emploi du L. tryptophane dans la dépression, les troubles du sommeil et le TOC», réunion en bref, *Actualité médicale*, MacLean Hunter, Montréal, 19 février 1997.

Lavoie, Dr Marc-André, «L'Hypercholestérolemie chez la femme ménopausée», *La Santé au féminin*, vol. 2, n° 2, Advanced Health Care Strategies Inc., Pointe-Claire, Québec, 1998.

Lettre médicale, vol. 22, n° 4, «Sildanéfil : un traitement par voie orale contre l'impuissance sexuelle», 5 juin 1998, New Rochelle, N.Y.

«*L.R. When HRT Doesn't Stop Bone Lost*», Parkhurst Exchange, mars 1998, Parkhurst Publishing Ltd., Montréal, 1998.

Mac Lusky, Neil J., Ph. D., «*Mechanisms of Gonadal Steroïd Action*», *SERM'S*, supplément du journal de la SOGC, novembre 1997, Ribosome Inc., Toronto, 1997.

Malgrange, Dr D., «L'impuissance sexuelle masculine et le diabète», supplément «Diabète et sexualité», n° 198 de la revue *Équilibre*, de l'Association française des diabétiques, octobre 1998.

McNinch, Elaine, «*Overweight Menopausal Patients at Greater Risk*», *Family Practice*, 19 octobre 1998, MacLean Hunter, Toronto.

Moreau, Dr Michèle, «*Les Phytoœstrogènes, voie d'avenir*», *Ostéoporose Québec*, automne 1998, vol. 4, n° 1, Eli Lilly Canada Inc., Montréal, 1998.

Mortola, Dr Joseph F., «*Estrogens and Mood, Estrogens and Brain*», supplément du journal de la SOGC, octobre 1997, Ribosome Communications Inc., Toronto, 1997.

Nelson, Dr Anita L., «*Counseling Issues and Management of Side Effects for Women Using Depot. Mpa Contraception*», *The Journal of Reproductive Medecine*, vol. 41, nº 5, Copyright Clearance Center, Salem, MA, 1996.

Notelovitz, Dr Morris, «Ménopause et ostéoporose», symposium «Mise à jour sur la ménopause», Hôpital général juif, Montréal, novembre 1996.

Oddens, Dr Björn *et al.*, «*Physiological and Behavioural Effects of Androgens in Women*», International Health Foundation, atelier «Androgens in Ageing Male», Genève, 13-15 décembre 1995.

Olatunbosun, Dr Olufemi A., «*Androgen Replacement Therapy and Women's Health*», *Journal of SOGC*, août 1998, vol. 20, nº 9, Ribosome Communications Inc., Toronto, 1998.

Page Three, «*Visual Disturbance... Means Pilots Should Avoid Viagra Before Flying*», 16 octobre 1998, Washington, DC, MacLean Hunter, Toronto.

Pérusse, Daniel, Ph. D., «Faire la lumière sur la dépression saisonnière», *Actualité médicale*, MacLean Hunter, Montréal, 18 novembre 1998.

Prior, Dr Jerilynn C., «*Ovulatory Disturbances : They Do Matter*», *Canadian Journal of Diagnosis*, STA Communications, Pointe-Claire, Québec, février 1997.

Raijz, Dr Laurence *et al.*, «*Comparaison of the Effects of Estrogen Alone and Estrogen Plus Androgen... on Bone Formation in Post Menopausal Women*», *Journal of Clinical Endocrinology and Reproduction*, vol. 81, nº 1, USA, 1996.

Roland, Dr Pierre B., «Viagra, lettre aux médecins», Pfizer Canada Inc., 3 juillet 1998, Pointe-Claire, Québec.

Rowe, Timothy C., «L'HTS et ses bienfaits sur la fonction cérébrale», *La Santé au féminin*, Advanced Health Care Strategies Inc., Pointe-Claire, Québec, 1996.

Sherwin, Barbara B., Ph. D., «*Estrogen and Memory in Women*», *Annals of New York Academy of Sciences/ Journal of SOGC*, supplément *Estrogen and the Brain*, octobre 1997, Ribosome Communications Inc., Toronto, 1997.

Siminoski, Dr Kerry, «*A Consolidation Approach to Osteoporosis*», *Journal canadien CME*, octobre 1998, STA Communications, Pointe-Claire, Québec.

Simpkins, James W., Green, Pattie S. *et al.*, «*Estrogens and Memory Protection*», supplément du *Journal de la SOGC, Estrogen and the Brain*, octobre 1997, Ribosome Communications Inc., Toronto, 1997.

Thompson, Dr Sydney & Boroditsky, Dr Richard, «*Androgen Therapy-Prescription for Passion*», présentation lors d'un symposium tenu à Puerto Vallarta, Mexique, en mars 1997.

Tremblay, Dr Roland R., «L'Andropause», *Le Clinicien*, septembre 1998, p. 94-105, Pointe-Claire, Québec, 1998.

Tremblay, Dr Roland R., Harmathy, Dr Tibor, «L'Andropause», *Actualité médicale*, 11 mars 1998, MacLean Hunter, Montréal, 1998.

Tremblay, Dr Roland R., «L'Andropause», feuillet d'*Actualité médicale* du 11 mars 1998, MacLean Hunter, Montréal, 1998.

Vanin, Dr Carla & Mac Lusky, Dr Neil J., «*Effects of Estrogens and SERMS on Bone*», supplément de novembre 1997, journal de la SOGC, Ribosome Communications Inc., Toronto, 1997.

Vermeulen, Dr A., «*The Male Climacterium*», *Annals of Medicine*, 25 : 531-534, Belgique, 1993.

Watts, Dr N. *et al.*, «*Estrogens-Androgens in Menopause*», vol. 85, no 4, The American College of Obstetricians and Gynecologists, 1995.

Werner, Dorothée, «Les hommes font-ils mieux l'amour qu'avant?», *Elle*, spécial érotisme, 3 août 1998, M1648.

Articles recueillis sur l'Internet

Agosta, William C., *Chemical Communication : Pheromones : Sex Attractants*, université Queen's, Kingston, Ont.,

New York, Scientific American Library, 1992.
http://qlink.queensu.ca

Angier, Nathalie, «*Study Finds Signs of Elusive Pheromones in Humans*», 12 mars 1998, national/metro.
http://samloan.com

Baker, Dr Valérie & Jaffe, Dr Robert, «*Raloxifene Shows Promise as Ideal Hormone Therapy for Some Women*», *Journal of Clinical Endocrinology and Metabolism*, 28 janvier 1998, Consulting Group Inc.
Webmaster@pslgroup.com

Belaisch, Dr Jean, «*Viagra*», XVIe Journées de gynécologie de Nice et de la Côte d'Azur, 1998.
http://gyneweb.fr

Boubli, Dr L. *et al.*, «Hormonothérapie substitutive de la ménopause», JTA 1997, web médical/francophone, Marseille, 1997.
http://www.gyneweb.fr

Bringer, Dr J. & Lefebvre, Dr P., «Influence de l'excès pondéral sur l'indication, les risques et la surveillance de L'HTS de la ménopause», 1998, document de 11 pages.
http://sunaimed.univ.rennes.fr

Buhler, Dr M, «Les Traitements de la ménopause», ch. Vll, IXe JTA, Fort-de-France, janvier 1994.
http://www.gyneweb.fr

Buhler, Dr M., JTP, «Journées de travaux pratiques 1997 : *La ménopause, L'HTS en pratique, pathologie veineuse*».
http://www.gyneweb.fr/Webfrancophone

Dobbs, Dr Adrian, «*Why Shoud You Supplement DHEA*», medline, Johns Hopkins University.
webmaster@rejuvenate2000.com

ECO meeting : «*Fosamax Added To on Going HRT Increases Bone Mass*», *Doctor's Guide*, Berlin, Allemagne, 14 septembre 1998, P/S/L. Consulting Group Inc.
Webmaster@pslgroup.com

Elia, Dr David, «Notions nouvelles en ménopause», XVe Journées de gynécologie de Nice et de la Côte d'Azur, 12-14 juin 1997.

http://www.gyneweb.fr
«Excès pondéral en gynécologie-obstétrique», Bongain, Dr A. *et al.*, Web médical francophone, Nice, Cedex.
http://www.gyneweb.fr
Frogel, Philippe, communiqué de presse, «Une équipe française fait une nouvelle découverte dans le domaine de l'obésité», *Science de la vie*, Paris, 28 mars 1998.
http://www.infobiogen.fr/sdv/froguel.html
Hamilton, Bradford S., Ph. D., «La leptine : la solution au problème de l'obésité?», Vivre avec le diabète, info@cdanat.org, Toronto, Ont., 1998.
http://www.diabete.ca/franc/vivre/lale.htm
Jamin, Dr Ch., «La ménopause et l'ovaire. L'ovaire endocrine en péri et post-ménopause», Paris, 1998.
http://www.Gyneweb.fr webmedical/francophone
«Le Cycle menstruel : rappel physiologique», Paris, 1998.
http://www.gyneweb/francophone,
Lehman, Market, «Viagra», UK 92480, Adis International Ltd., 1996-98, 4 février 1998.
http://www.webpage.com
Lelaidier, Dr Christophe, «La voie vaginale pour les hormones : une voie paradoxale», XVe Journées de gynécologie de Nice et de la Côte d'Azur, 12-14 juin 1997, Paris, 1998.
http://www.gyneweb.fr/webmedical/francophone
Les hormones en thérapeutique, «L'effet hormonal», Paris, 1998.
http://www.gyneweb.fr/web medical/francophone,
Lichten, Dr Edward M., «Testosterone : The Hormone of Life», US Doctor logo, Michigan 48034, (248) 358-3433.
www.usdoctor.com/testost.htm.
Lindhard, A. & Nilas, L., «*The Post Menopausal Ovary : Should It Be Preserved?*», PubMed, medline, related articles, ugeskr Laeger, 156 : 7018-7023,1994.
Mimoun, Dr S., «L'Univers masculin», Seuil, Paris, 1995.
http://www. gyneweb.fr/web medical/francophone

Mouchel, Dr J. *et al.*, «L'acte sexuel féminin, son intégration dans la conception anatomo-physiologique du plancher pelvien», Paris, 1998.
http://www.gyneweb.fr/Web francophone

Nahmanovici, Dr Charles *et al.*, «Notions nouvelles sur les fibromes», XVe Journées de gynécologie de Nice et de la Côte d'Azur, 12-14 juin 1997, Paris, 1998.
http://www.gyneweb.fr

P/S/L Consulting Group, «*Progestins May Substract Some of the Heart Protection of Estrogen Therapy*», *Doctor's Guide*, Dallas, Texas, 7 avril 1998, P/S/L Consulting Group Inc.
Webmaster@pslgroup.com.

P/S/L Consulting Group, «*Estrogen May Reduce Colorectal Cancer Risk in Post-Menopausal Women*», Toronto, 24 septembre 1998, P/S/L Consulting Group Inc.
webmaster@pslgroup.com.

P/S/L Consulting Group, «*Rolaxifene Not As Effective As HRT in Improving Heart Disease Risk Factors*», Chicago, Illinois, 12 mai 1998, P/S/L Consulting Group Inc.
Webmaster@pslgroup.com.

Pfizer, «*Viagra, The FDA Approved Drug for Impotence*», 69-5485-00-1, mai 1998, USA par Medline.
www.pfizer,com/hml/pi's/viagra/pi.hml.

Rainforce Touchfire His, «*Enhance Sexual Desire Libido, Increase Testosterone*», Darrin & Sandi Quisles, Archangel Health Store, USA, 1997, Medline.
www.aomega.com/ahs/tho3a.htm.

Reaven, Dr Gerald M., «Le syndrome X. Rôle de l'insuline dans la maladie humaine», fmc.
http://www.esculape.com/fmc/xsyndrome.html.

Rozenbaum, Dr H., «Premier passage hépatique des œstrogènes : mythe ou réalité ?», ch. 1., document de 5 pages.
http://www.gyneweb.fr/Web francophone

The Edell Health Letter 09/1992, «*Sex and Multiple Orgasm*», Archives of sexual behavior 20 (1992) : 527-40; copyright 1992 Hippocrates partner.

The Nobel Foundation, «*Nobel Prize in Chemistry 1939*», The Nobel Foundation, 20 juillet 1998.
webmaster@www.nobel.se

Thompson, Dr M.A. : Adelson Md, «*Aging and Development of Ovarian Epithelial Carcinoma : The Relevance of Changes in Ovarin Stromal Androgen Production*», Adv. Esp. Med. Biol, 330 : 115-65, 1993, Medline Database, National Center for Biotechnology Information, Bethsada, Md, USA, 27 juin 1996.

«*What Are Pheromones ?*», *Candles With Seducing Pheromones.*
http://finalstop.com

Références et citations

Première partie

Chapitre 1

1. Merck, *Manuel de diagnostic et thérapeutique*, p. 994.
2. Crenshaw, Dr Theresa L., md, & Goldberg, James P., Ph. D., *Sexual Pharmacology*, p. 46
3. Crenshaw, Dr Theresa L., md, *The Alchemy of Love and Lust*, p. 46; p. 99.
4. Yen, Dr Samuel S.C., md & Jaffe, Dr Robert B., *Reproductive Endocrinology*, 3e édition, p. 149-151.
5. Crenshaw, Dr Theresa L., *op. cit.*, p. 99.
6. Crenshaw, Dr Theresa L. & Goldberg, J., *op. cit.*, p. 48.
7. Yen, Dr S. & Jaffe, Dr R., *op. cit.*, p. 95.
8. *Ibid.*, p. 93.
9. Crenshaw, Dr Theresa L., *op. cit.*, p. 104.
10. Crenshaw, Dr Theresa L. & Goldberg, J., *op. cit.*, p. 48.
11. Crenshaw, Dr Theresa L., *op. cit.*, p. 104.
12. *Ibid.*, p. 105.
13. Yen, Dr S., *op. cit.*, p. 96.
14. *Ibid.*, p. 93-94.
15. Crenshaw, Dr Theresa L., *op. cit.*, p. 96.
16. Yen, Dr S., *op. cit.*, p. 93-94.
17. Crenshaw, Dr Theresa L., *op. cit.*, p. 96.
18. Yen, Dr S., *op. cit.*, p. 94.
19. Crenshaw, Dr Theresa L., *op. cit.*, p. 96.
20. Crenshaw, Dr Theresa L., *op. cit.*, p. 97.
21. Yen, Dr S., *op. cit.*, p. 96.
22. Mauvais-Jarvis, Dr Pierre, Schaison, Dr Gilbert, Touraine, Dr Philippe, *Médecine de la reproduction*, 3e édition, p. 99.
23. Yen, Dr S., *op. cit.*, p. 18.
24. *Ibid.*, p. 653.
25. Pierpaoli, Dr Walter et Regelson, Dr William, *Le Miracle de la mélatonine*, p. 213.
26. *Ibid.*, p. 215.

27. *Ibid.*, p. 76.
28. *Ibid.*, p. 213.
29. Shapiro, Colin M., *ABC des troubles du sommeil*, p. 85.
30. *Ibid.*, p. 78.
31. Yen, Dr S., *op. cit.*, p. 654.
32. *Ibid.*, p. 653.
33. Crenshaw, Dr Theresa L. & Goldberg, J., *op. cit.*, p. 409.
34. Pierpaoli, Dr W. & Regelson, Dr W., *op. cit.*, p. 233.
35. *Ibid.*, p. 234.
36. Iskandar, Dr Hani, feuillet explicatif, Technologies Northern Light, 1-800-263-0066.
37. Pérusse, Daniel, Ph. D., «Faire la lumière sur la dépression saisonnière», *Actualité médicale*, novembre 1998, p. 24.
38. *Ibid.*, p. 24.
39. Iskandar, Dr Hani, *op. cit.*
40. Pierpaoli, Dr W. & Regelson, Dr W., *op. cit.*, p. 232.
41. *Ibid.*, p. 231.
42. Yen, Dr S., *op. cit.*, p. 655.
43. Pierpaoli, Dr W. & Regelson, Dr W., *op. cit.*, p. 80.
44. *Ibid.*, p. 122.
45. MacLusky, Neil J., Ph. D., «*Mechanisms of Gonadal Steroïd Action*», *Journal of SOGC*, supplément de novembre 1997, les SERMS, p. 6.
46. Reinberg, Alain, *Les Rythmes biologiques, mode d'emploi*, 2e édition, p. 102.
47. Yen, Dr S. & Jaffe, Dr R., *op. cit.*, p. 169.
48. Yen, Dr S. & Jaffe, Dr R., *op. cit.*, p. 178.
49. Baker, Dr Valerie & Jaffe, Dr R., «*Raloxifene Shows Promise as Ideal Hormone Therapy for Some Women*», *Doctor's Guide*, 28 janvier 1998, p. 1, 2 de 3, webmaste@pslgroup.com.
50. Yen, Dr S. & Jaffe, Dr R., *op. cit.*, p. 165.
51. *Ibid.*
52. Mauvais-Jarvis, Dr P., *op. cit.*, p. 210.
53. *Ibid.*
54. Yen, Dr S. & Jaffe, Dr R., *op. cit.*, p. 165.
55. *Ibid.*

56. Mauvais-Jarvis, Dr P., *op. cit.*, p. 98.
57. Yen, Dr S. & Jaffe, Dr R., *op. cit.*, p. 166.
58. Web médical francophone, «Les hormones en thérapeutique. L'effet hormonal», p. 13 de 18, http://www.gyneweb.fr.

Chapitre 2

1. Lachowsky, Dr Michèle, «Les humeurs des hormones», XVe Journées de gynécologie de Nice et de la Côte d'Azur, 12-14 juin 1997, http://www.gyneweb.fr, p. 1.
2. Mortola, Dr F., *Estrogens and Mood, p. 1.*
3. *Ibid.*, p. 1; 4.
4. *Ibid.*, p. 5.
5. Sherwin, Barbara B., «Les effets des stéroïdes sexuels sur les mécanismes se rapportant à l'humeur», *La Ménopause*, chapitre 29, p. 313.
6. *Ibid.*
7. *Ibid.*
8. *Ibid.*
9. *Ibid.*
10. *Ibid.*
11. Yen, Dr Samuel & Jaffe, Dr Robert, *op. cit.*, p. 21.
12. Sherwin, Barbara B., *op. cit*, p. 314.
13. *Ibid.*
14. *Ibid.*
15. *Ibid.*
16. Lalonde, Dr Robert, «La neurochimie du comportement», dans *Neuropsychologie clinique et Neurologie du comportement*, p. 153.
17. *Ibid.*
18. *Ibid.*
19. The Medicine Group (Canada) Ltée, compte rendu (Réunions en bref) 46e réunion annuelle de l'Association des psychiatres du Canada, Dr Raymond Lam, Vancouver, «Emploi du L-Tryptophane dans la dépression, les troubles du sommeil et le Toc», *Actualité médicale*, 19 février 1997, p. 19.
20. Sherwin, Barbara B., *op. cit*, p. 314.
21. Young, Dr Simon N., Réunions en bref, *op. cit.*, p. 18.

22. Gray, Caroline, «La dépression, facteur de risque de l'ostéoporose», *Chassez la dépression*, supplément de *L'Omnipraticien*, 1995, p. 12.
23. *Ibid.*
24. Mauvais-Jarvis, Dr P. *et al.*, *op. cit.*, p. 495.
25. Crenshaw, Dr Theresa L. & Golberg, J.P., *op. cit.*, p. 90.
26. Jamin, Dr Ch., *La Ménopause et l'Ovaire* (ch. VI), «L'ovaire en endocrine en péri et post-ménopause», définition de l'OMS, 1 de 7. http://www.gyneweb.rf
27. *Ibid.*
28. *Ibid.*, p. 2.
29. *Ibid.*, p. 4.
30. Case, Dr Allison M. & Reid, Dr Robert L., «*Diagnosis of Menopause in Perimenopausal Women Taking Oral Contraceptives*», *Journal of SOGC*, p. 1161.
31. Boubli, Dr L. *et al.*, «Hormonothérapie substitutive de la ménopause : les doses modérées d'œstrogènes», *J.T.A.*, 1997, p. 1 de 4, Gyneweb.
32. Case, Dr A. & Reid, Dr R., *op. cit.*, p. 1161.
33. Simpkins, James W. *et al.*, «*Estrogens and Memory Protection*», supplément du journal de la SOGS, *Estrogen and the Brain*, octobre 1997, p. 18.
34. *Ibid.*
35. *Ibid.*, p. 16.
36. Sherwin, Barbara B., «*Estrogenic Effects on Memory in Woman*», *Annals of New York Academy of Sciences*, supplément du journal de la SOGC, p. 12, p. 225–227.
37. Rowe, Timothy C., «L'HTS et ses bienfaits sur la fonction cérébrale», *La Santé au féminin*, p. 4.
38. «Nouvelles : œstrogènes et maladie d'Alzheimer», *Les Sélections de médecine/sciences*, n° 7, septembre-octobre 1997, p. 39.
39. Simpkins, James W. *et al.*, *op. cit.*, p. 18.
40. Jeffrey, Susan, «*HRT Helps Parkinson's Women*», *Medical Post*, 12 mai 1998, p. 1 et 71.
41. «*ICPDMD : Estrogen Beneficial as Parkinson's Treatment*», P/S/L Communication Group, p. 1.

42. *Ibid.*, p. 2.
43. *Ibid.*, p. 3.
44. *Ibid.*, p. 2.

Chapitre 3

1. Rungta, Dr Kamal, «*Sleep and Menopause*», *Journal of SOGC*, supplément de septembre 1995, vol. 17, n° 9, p. 21.
2. *Ibid.*, p. 21.
3. *Ibid.*, p. 23.
4. Elia, Dr David, «Notions nouvelles en ménopause», XVe Journées de gynécologie de Nice et de la Côte d'Azur, juin 1997, p. 1-2, http://www gyneweb.fr
5. Bringer, Dr J. & Lefebvre, Dr P., «Influence de l'excès pondéral sur l'indication, les risques et la surveillance de l'HTS de la ménopause», p. 4, http://www.gyneweb.fr.
6. Pasquali, R., Cantobelli *et al.*, «*The Hypothalamic-Pituitary-Adrenal Axis in Obese Women With Different Patterns of Body Fat Distribution*», *J.C. Endocrinology and Metabolism*, de Bringer, Dr J., p. 4.
7. Tremblay, Dr Roland, «L'andropause», *Actualité médicale*, 11 mars 1998, p. 4.
8. Web médical francophone, Bongrain, Dr A. : Isnard, V., Daoulik, Gillet, J.Y., «Excès pondéral en gynécologie-obstétrique», Gyn. Web, p. 2 de 28, http://www.gyneweb.fr.
9. Couillard, Charles, Ph. D., Després, Jean-Pierre, Ph. D., «La leptine, un peu, beaucoup, passionnément», *Les Sélections de médecine/sciences*, n° 11, septembre-octobre 1998, p. 6.
10. Communiqué/Frogel/obésité, Frogel, Philippe, *Science de la vie*, communiqué de presse : «Une équipe française fait une nouvelle découverte dans le domaine de l'obésité», 28 mars 1998, 1 de 2, http://www.Gyneweb.fr.
11. Hamilton, Bradford S., Ph. D., «La leptine : la solution au problème de l'obésité», p. 2 de 5, Info@cda-nat.org.
12. Couillard, C. & Després, J.P., *op. cit.*, p. 7.
13. *Ibid.*, p. 8.
14. *Ibid.*

15. Frogel, Philippe, communiqué du 28 mars 1998, *op. cit.*, p. 1.
16. Tarik, Issad, Strobel, A. *et al.*, «La leptine : un signal pour le déclenchement de la puberté dans l'espèce humaine», *Les Sélections de médecine/sciences*, n° 11, septembre-octobre 1998, p. 19.
17. *Ibid.*, p. 17.
18. Crilly, Dr Richard D. et Camilleri, Adrienne, «*Osteoporosis : Summary of Current Knowledge, part II*», *Mature Medicine J*, septembre-octobre 1998, p. 16.
19. Bringer, Dr J. et Lefebvre, Dr P., *op. cit.*, p. 1.
20. *Ibid.*, p. 5.
21. Bongrain, Dr A. *et al.*, *op. cit.*, p. 4.
22. Bringer, Dr J., Lefebvre, Dr P., *op. cit.*, p. 5.
23. Bongrain, Dr A. *et al.*, *op. cit.*, p. 12.
24. McNinch, Elaine, «*Overweight Menopausal Patients At Greater Risk*», *Family Practice*, 19 octobre 1998, p. 27.
25. Derzko, Dr Christine M., «*Indications for HRT in Older Women*», dans *CJD*, octobre 1995, p. 50.
26. *Ibid.*, p. 50.
27. *Ibid.*
28. *Ibid.*
29. *Ibid.*
30. Chang, Dr J. *et al.*, *La Ménopause*, ch. I, p. 10.
31. *Ibid.*
32. *Ibid.*
33. *Ibid.*
34. «Le cycle menstruel : rappel physiologique», http://www.gyneweb.fr., p. 17 de 17.
35. Mauvais-Jarvis, Dr Pierre *et al.*, *op. cit.*, p. 409.
36. Taurelle, Dr R. et Tamborini, A., *La Ménopause*, p. 109-110.
37. De Lignières, Dr Bruno, «HTR, Ca + diète + vit. D. + exercice», symposium «Traiter l'ostéoporose : pour qui, par qui, comment?», p. 2.
38. *Ibid.*

39. Notelovitz, Dr Morris, *Ménopause et Ostéoporose*, mise à jour, p. 7.
40. Duchesne, Dr Line, *L'Ostéoporose : mise à jour*, 21 novembre 1998.
41. Garceau, Dr Claude, «*Corticosteroïd-Induced Osteoporosis*», *CJD*, octobre 1998, p. 96.
42. Corbeil, Dr Diane, «Définition et types d'ostéoporose», symposium «Traiter l'ostéoporose», 17 novembre 1995, p. 8.
43. Prior, Dr Jerilynn C., «*Ovulatory Disturbances : They Do Matter*», *CJD*, février 1997, p. 66.
44. Siminoski, Dr Kerry, «*A Consolidated Approach to Osteoporosis*», *Journal CME*, octobre 1998, p. 157.
45. *Ibid.*
46. Lambert-Lagacé, Louise, *Ménopause, nutrition et santé*, Éditions de l'Homme, Montréal, 1998.
47. R., «*When HRT Doesn't Stop Bone Loss*», *Parkhurst Exchange*, mars 1998, p. 16.
48. ECO meeting : «*Fosamax Added to Ongoing HRT Increases Bone Mass*», *Doctor's Guide*, Allemagne, 14 septembre 1998, p. 1, 2.
49. Garceau, Dr Claude, *op. cit.*, p. 101, algorythme.
50. Hutchison, Dr Stuart et Leong-Poi, Dr Howard, «Après l'étude HERS : quel est le rôle de l'HTS dans la prévention de la coronopathie chez la femme», p. 2.
51. *Ibid.*
52. *Ibid.*, p. 3.
53. Reaven, Dr Gerald M., «Le syndrome X. Rôle de l'insuline dans la maladie humaine», fmc, http://wwwgyneweb, p. 2.
54. Rozenbaum, Dr H., «Premier passage hépatique des œstrogènes : mythe ou réalité?», ch. 1, p. 5.
55. Bishop MacDonald, Helen, «N'oublions pas les HDL. Le médecin et la nutrition», *Actualité médicale*, 16 septembre 1998, p. 33.
56. *Ibid.*
57. Rozenbaum, Dr H., *op. cit.*, p. 3.
58. Hutchison, Dr Stuart et Leong-Poi, Dr H., *op. cit*, p. 4.

59. Consulting Group, «*Progestins May Substract Some of the Heart Protection of Estrogen Therapy*», *Doctor's Guide*, Dallas, Texas, 7 avril 1998, p. 2 de 3.
60. Consulting Group, «*Raloxifene Not As Effective As HRT in Improving Heart Disease Risk Factors*», *Doctor's Guide*, p. 2.
61. Lavoie, Dr Marc-André, «L'Hypercholestérolemie chez la femme ménopausée», *La Santé au féminin*, vol. 2, no 1, p. 6.
62. Collins, Dr P. et Beale, Dr C.M., ch. 6, «*Syndrome X, the Cardioprotective Role of HRT, a Clinical Update*», p. 39.
63. *Ibid.*, p. 41.
64. *Ibid.*, p. 42.
65. Raven, Dr Gerald M., *op. cit.*, p. 1.
66. Burgess, Dr Ellen, «L'hypertension chez la femme postménopausée», *La Santé au féminin*, vol. 2, no 1, p. 4.

Chapitre 4

1. Sanders, Stephanie Ann, B.A. Ph. D., *Human Sexuality*, Article : encarta online Deluxe, Microsoft Corporation, p. 1, 2, 3.
2. Taurelle, Dr R. et Tamborini, Dr A., *op. cit.*, p. 84-85.
3. Chang, Dr J. *et al.*, *op. cit.*, p. 11.
4. Derzko, Dr C., *op. cit.*, p. 46.
5. Sanders, Stephanie Ann, *op. cit.*, p. 8, 9, 10, 11.
6. Edell Health Letter, «*Sex and Multiple Orgasm*», septembre 1992, p. 1.
7. Mouchel, Dr J. *et al.*, «L'acte sexuel féminin; son intégration dans la conception anatomo-physiologique du plancher pelvien», gyneweb.fr., p. 1.
8. Taurelle, Dr R. et Tamborini, Dr A., *op. cit.*, p. 87-88.
9. Derzko, Dr C., *op. cit.*, p. 46.
10. *Ibid.*, p. 45.
11. Cutler, Dr W. et Genovese-Stone, Dr E., «*Wellness in Women After 40 Years of Age, The Rôle of Sex Hormones and Pheromones*», p. 515.

12. Roberts Pharmaceutical Canada Inc., Columbia Laboratories.
13. Taurelle, Dr R. et Tamborini, Dr A., *op. cit.*, p. 86.
14. *Ibid.*
15. *Ibid.*
16. *Ibid.*
17. *Ibid.*
18. P/S/L Consulting Group, «*Estrogen May Reduce Colorectal Cancer Risk in Post-Menopausal Women*», Toronto, 24 septembre 1998, p. 1.
19. *Ibid.*, p. 2.
20. Barkin, J.S. et Ross, B.S : «*Hormone Therapy for Occult Gastrointestinal Bleeding, from Medical Therapy for Chronic Gastrointestinal Bleeding of Obscure Origin*», mise à jour, p. 25, *American Journal of Gastro-enterology*, 1998, 93 : 1250-4.
21. Fiore, Francine, «Hormonothérapie de la ménopause», les recommandations de la SOGC, *Actualité médicale*, 9 septembre 1998, p. 20.
22. *Ibid.*
23. *Ibid.*
24. Bongrain, Dr J. *et al.*, *op. cit.*, p. 19.
25. Rioux, Dr Jacques E., notes sur les phytoœstrogènes.
26. *Ibid.*
27. Moreau, Dr Michèle, «Les phytœstrogènes, voie d'avenir», *Ostéoporose Québec*, vol. 4, nº 1, p. 2.
28. Rioux, Dr Jacques E., *op. cit.*
29. Blake, Dr Jennifer, «*Phyostrogens : The Food of the Menopause*», *Journal of SOGC*, mai 1998, p. 459.

Deuxième partie

Chapitre 1

1. Mauvais-Jarvis, Dr P. *et al.*, *op. cit.*, p. 483.
2. Yen, Dr Samuel et Jaffe, Dr R., *op. cit.*, p. 204.
3. Lee, Dr John R., *Natural Progesterone*, p. 12, fig. 2.

4. *Ibid.*, p. 23, fig. 4.
5. Yen, Dr Samuel et Jaffe, Dr R., *op. cit.*, p. 423.
6. *Ibid.*, p. 157.
7. *Ibid.* p. 422.
8. Lee, Dr John R., *What Your Doctor May Not Tell You About Menopause*, p. 40-41.
9. Buhler, Dr M., ch IV. JTA 1997, *Ménopause : le traitement hormonal substitutif de la ménopause, Pathologie veineuse et HTS*, p. 4.
10. Notelovitz, Dr Morris, *op. cit.*, p. 4.
11. Mauvais-Jarvis, Dr P. *et al.*, *op. cit.*, p. 485.
12. *Ibid.*, p. 287.
13. *Ibid.*, p. 486.
14. *Ibid.*, p. 485.
15. Vanin, Dr Carla et Machusky, Dr Neil J., *Effects of Estrogens and SERM on Bone*, p. 40-41.
16. Prior, Dr Jerilynn, *op. cit.*, p. 66-67.
17. Prior, Dr Jerilynn, Vigna, Dr Yvette *et al.*, « Aménorrhée et anovulation : facteurs de risque d'ostéoporose précédant la ménopause », *La Ménopause*, chapitre 8, p. 77.
18. Cutler, Dr W.B. et Genovese-Stone, Dr E., *Wellness in Women After 40 Years of Age : The Role of Sex Hormones and Pheromones, DM*, p. 498.
19. Mauvais-Jarvis, Dr P. *et al.*, *op. cit.*, p. 485.
20. *Ibid.*
21. *Ibid.*
22. *Ibid.*
23. Crenshaw, Dr T. et Goldberg, Dr J., *op. cit.*, p. 181.
24. Mauvais-Jarvis, Dr P. *et al.*, p. 148.
25. Crenshaw, Dr T. et Goldberg, Dr J., *op. cit.*, p. 181.
26. Crenshaw, Dr T. et Goldberg, Dr J., *op. cit.*, p. 306.
27. Crenshaw, Dr T. et Goldberg, Dr J., *op. cit.*, p. 91.
28. Campbell, Don, *L'Effet Mozart*, p. 88-89.
29. Beck, Deva et James, *The Pleasure Connection : How Endorphins Affect Our Health and Happiness*, p. 36.
30. Crenshaw, Dr T. et Goldberg, Dr J., *op. cit.*, p. 88.
31. *Ibid.*

32. Mauvais-Jarvis, Dr P. *et al.*, *op. cit.*, p. 484.
33. *Ibid.*, p. 354.
34. Crenshaw, Dr T. et Goldberg, Dr J., *op. cit.*, p. 91.
35. Yen, Dr Samuel et Jaffe, Dr R., *op. cit.*, p. 560.
36. *Ibid.*
37. *Ibid.*
38. Lee, Dr John R., *Natural Progesterone*, p. 82.
39. Mauvais-Jarvis, Dr P. *et al.*, *op. cit.*, p. 500.
40. *Ibid.*, p. 425.
41. *Ibid.*, p. 429.
42. *Ibid.*
43. *Ibid.*
44. *Ibid.*, p. 122.
45. *Ibid.*
46. *Ibid.*, p. 120.
47. *Ibid.*, p. 429.
48. *Ibid.*
49. *Ibid.*, p. 430.
50. *Ibid.*, p. 437.
51. *Ibid.*
52. *Ibid.*, p. 428.
53. *Ibid.*, p. 428.
54. *Ibid.*, p. 429.
55. *Ibid.*, p. 429.
56. *Ibid.*, p. 484.
57. *Ibid.*, p. 440.
58. *Ibid.*, p. 426.
59. *Ibid.*, p. 429.
60. *Ibid.*, p. 424.
61. *Ibid.*, p. 499.
62. *Ibid.*, p. 486.
63. *Ibid.*, p. 484.
64. Nahmanovici, Dr C., Marcy, Dr Py, Bruneton, Dr J.N., «Notions nouvelles sur les fibromes», XVe Journées de gynécologie de Nice et de la Côte d'Azur, 12-14 juin 1997, p. 1, www.gyneweb.fr
65. Mauvais-Jarvis, Dr P. *et al.*, *op. cit.*, p. 497.

66. *Ibid.*, p. 498.
67. Crenshaw, Dr T. et Goldberg, Dr R., *op. cit.*, p. 89.
68. Henri, M. Sylvain, *Commentaires de travail*, tirés d'expériences cliniques de médecins visités se servant de ce produit (Prometrium).

Chapitre 2

1. Mauvais-Jarvis, Dr P. *et al.*, *op. cit.*, p. 481.
2. The Nobel Foundation, *Nobel Prize in Chemistry 1939*, p. 1-2.
3. Mauvais-Jarvis, Dr P. *et al.*, *op. cit.*, p. 481.
4. *Ibid.*
5. *Ibid.*
6. Mauvais-Jarvis, Dr P. *et al.*, *op. cit.*, p. 367.
7. CPS, *Provera, effets secondaires*, p. 1687-1688.
8. Mauvais-Jarvis, D[r] P. *et al.*, *op. cit.*, p. 505.
9. Kaplan, D[r] Helen, *The Female Androgen Deficiency Syndrome*, p. 15.
10. Mauvais-Jarvis, D[r] P. *et al.*, *op. cit.*, p. 484.

Chapitre 3

1. Mauvais-Jarvis, D[r] P. *et al.*, *op. cit.*, p. 484.
2. *Ibid.*, p. 496.
3. *Ibid.*
4. *Ibid.*, p. 497.
5. *Ibid.*
6. *Ibid.*, p. 500.
7. *Ibid.*, p. 440.
8. *Ibid.*
9. *Ibid.*
10. *Ibid.*, p. 500.
11. Lee, D[r] John R., *op. cit.*, p. 122.
12. Mauvais-Jarvis, D[r] P. *et al.*, *op. cit.*, P 504.
13. Mishell, D[r] Daniel R., *Pharmacokinetics of Depo-MPA Contraception*, p. 382.
14. *Ibid.*

15. Cullins, D[r] Vanessa E., *Non Contraceptive Benefits and Therapeutic Uses of Depo-MPA*, p. 429.
16. Fredericksen, D[r] Marilynn, *Depo-MPA Contraception in Women With Medical Problems*, p. 415.
17. *Ibid.*, p. 416.
18. *Ibid.*, p. 416, 417.
19. Cullins, Dr Vanessa E., *op. cit.*, p. 430.
20. *Ibid.*, p. 431.
21. *Ibid.*
22. Crenshaw, Dr T. & Goldberg, Dr R., *op. cit.*, p. 91.
23. Nelson, Dr Anita L., «*Counseling Issues and Management of Side Effets for Woman Using Depo-MPA Contraception*», *Journal JRM*, mai 1996, p. 397.
24. Résumé des effets bénéfiques de Depo-MPA, tirés du *Journal JRM*, vol. 41, n° 5, mai 1996, des études du Dr D. Mishell et du Dr Vannessa E. Cullins : fait par moi-même.
25. Yen, Dr Samuel et Jaffe, Dr R., *op. cit.*, p. 422.
26. Lelaidier, Dr Christophe, «La voie vaginale pour les hormones : une voie paradoxale», XVe Journées de gynécologie de Nice et de la Côte d'Azur, 12-14 juin 1994, p. 1.

Troisième partie

Introduction

1. Lichten, Dr Edward M., *Testosterone :The Hormone of Life*, p. 1.
2. *Ibid.*, p. 2.
3. Thomson, Dr Sydney, *Androgen Therapy : Prescription for Passion*, p. 1.
4. Mimoun, Dr S., *Ménopause et sexualité à l'heure du HTR : une épreuve pour l'homme ?*, p. 1, 4.
5. *Ibid.*, p. 2.

Chapitre 1

1. Basson, Rosemary, «*Sexuality and the Menopause*», *Journal of SOGC*, supplément 1995, p. 11.

2. Oddens, Dr Björn *et al.*, *Physiological and Behavioral Effects of Androgens in Women*, p. 2.
3. Tremblay, Dr Roland R., «L'andropause», *Le Clinicien*, p. 103.
4. Carruthers, Dr Malcolm, *Maximising Manhood*, p. 164.
5. *Ibid.*, p. 164.
6. http://qlink.queensu.ca, *Chemical Communication : Pheromones, Sex Attractants*, p. 1.
7. *Ibid.*, p. 1.
8. http://finalstop.com, *What Are Pheromones ?*, p. 1 de 4.
9. Crenshaw, Dr Theresa L., *op. cit.*, p. 66.
10. Cutler, Winnifred B., Ph. D., Genoves-Stone, Dr Elizabeth, «*Wellness in Women After 40 Years of Age*», *DM*, p. 459; 461.
11. http://qlink. queensu. ca, «*What Is A Pheromone ?*», p. 1 (*DM*).
12. http://samloan.com, Angier, Nathalie, «*Study Finds Signs of Elusive Pheromones in Humans*», p. 2, 12 mars 1998, *National/Metro*.
13. Cutler, Winnifred B., Ph. D., Genoves-Stone, Dr Elizabeth, *op. cit.*, p. 461.
14. *Ibid.*, p. 461.
15. *Ibid.*, p. 461.
16. Hutchinson, Dr Daren A., «*Androgens and Sexuality*», *The American Journal of Medicine*, vol. 98, p. 113-114 (5), fig. 3.
17. Oddens, Dr Björn *et al.*, *op. cit.*, p. 5
18. Moir, Anne et Jessel, David, *Brain Sex*, p. 21- 22.
19. Rako, Dr Susan, *The Hormone of Desire*, p. 41.
20. Kaplan, Dr Helen Singer *et al.*, *The Female Androgen Deficiency Syndrome*, p. 5.
21. Oddens, Dr Björn, *et al.*, *op. cit.*, p. 2-3.
22. *Ibid.*, p. 3.
23. *Ibid.*, p. 4.
24. Kaplan, Dr Helen S., *op. cit.*, p. 5.
25. *Ibid.*, p. 5.
26. *Ibid.*, p. 5, 6.

27. Champagne, Dr Marie-Andrée, *Expériences cliniques.*
28. Greenblatt, Dr Robert B., *The Use of Androgens in Menopause... Disorders*, p. 265-266.

Chapitre 2

1. Basson, Rosemary, *Sexuality and the Menopause*, p. 11.
2. Mauvais-Jarvis, Dr P. *et al.*, *op. cit.*, p. 407.
3. Basson, Rosemary, *op. cit.*, p. 11.
4. Kaplan, Dr Helen S., *op. cit.*, p. 15
5. *Ibid.*, p. 16.
6. Crenshaw, Dr T. et Goldberg, Dr J., *op. cit.*, p. 265, 266.
7. Kaplan, Dr Helen S., *op. cit.*, p. 16.
8. Crenshaw, Dr T. et Goldberg, Dr J., *op. cit.*, p. 292-297.
9. Basson, Rosemary, *op. cit.*, p. 11.
10. *Ibid.*, p. 12.
11. *Ibid.*, p. 12.
12. Basson, Rosemary, *op. cit.*, p. 13.
13. *Ibid.*
14. *Ibid.*
15. Lindhard, Dr A. et Nilas, L., *The Post-Menopausal Ovary : Should It Be Preserved ?*, p. 1
16. Thompson, Dr M.A., Adelson, Dr M.D., *Aging and Development of Ovarian Epithelial Carcinoma : The Relevance of Changes in Ovarian Stromal Androgen Production*, p. 1.
17. Rako, Dr Suzan, *op. cit.*, p. 22.

Chapitre 3

1. Rako, Dr Susan, *op. cit.*, p. 34.
2. Frock, James et Money, John, *Sexuality and Menopause*, p. 33.
3. Haseltine, F.P. *et al.*, *Symposium : Androgens and Women's Health*, p. 98.
4. Gelfand, Dr Morrie, *Ménopause et Vieillissement*, p. 246.
5. Rako, Dr S., *op. cit.*, p. 73.
6. *Ibid.*, p. 72.

7. Raisz, Dr Laurence G. *et al.*, *Comparison of the Effects of Estrogen Alone and Estrogen Plus Androgen on Bone Formation and Resorption in Post-Menopausal Women*, p. 37.
8. Watts, Dr Nelson *et al.*, *Comparison of Oral Estrogens and Estrogens Plus Androgens on Bone Density…*, p. 535.
9. Olatunbosun, D[r] Olufemi, A., «*Androgen Replacement Therapy and Women's Health*», *Journal of SOGC*, p. 838.
10. Rako, D[r] Susan, *op. cit.*, p. 60, 61.

Chapitre 4

1. Gelfand, D[r] Morrie, «*Estrogen – Androgen Hormone Replacement Therapy*», ch. X (*Hormone Replacement Therapy*), p. 230, 231.
2. Sherwin, B.B. et Gelfand, D[r] M. *et al.*, «*Post-Menopausal Estrogen-Androgen Replacement…*», *American Journal of Obstetrics and Gynecology*, 1987, p. 415.
3. *Canadian Consensus Conference on Menopause and Osteoporose, Psycho-Sexual Aspect*, p. 1252.
4. Kaplan, D[r] Helen S., *op. cit.*, p. 3.
5. Basson, Rosemary, *op. cit.*, p. 13.
6. *Ibid.*, p. 12.
7. *Ibid.*
8. *Ibid.*, p. 13.
9. *Ibid.*, p. 12.
10. *Ibid.*

Chapitre 5

1. Vermeulen, Dr A., «*The Male Climacterium*», *Annals of Medicine*, p. 531.
2. *Ibid.*
3. Tremblay, Dr Roland R. et Harmathy, Dr Tibor, «*L'andropause*», *Actualité médicale*, mars 1998, p. 5.
4. *Ibid.*, p. 2.
5. *Ibid.*
6. *Ibid.*, p. 4.
7. Vermeulen, Dr A., *op. cit.*, p. 532.

8. *Ibid.*
9. Carruthers, Dr Malcolm, *Maximising Manhood*, p. 84.
10. *Ibid.*, p. 84.
11. Carruthers, Dr M., *op. cit.*, p. 20.
12. *Ibid.*, p. 21.
13. *Ibid.*
14. *Ibid.*, p. 23.
15. *Ibid.*, p. 27.
16. *Ibid.*, p. 30.
17. *Ibid.*, p. 34.
18. *Ibid.*, p. 36.
19. Sanders, Stéphanie, *op. cit.*, p. 3.
20. Malgrange, Dr D., *L'Impuissance sexuelle masculine et le Diabète*, p. 2.
21. Sanders, Stéphanie, *op. cit.*, p. 9, 10, 11.
22. Carruthers, Dr M., *op. cit.*, p. 171.
23. *Ibid.*
24. Malgrange, Dr D., *op. cit.*, p. 11.
25. Carruthers, Dr M., *op. cit.*, p. 172.
26. *Ibid.*, p. 96-98 ; 115-118.
27. Tremblay, Dr Roland R. et Harmathy, Dr T., *op. cit.*, p. 4.
28. Carruthers, Dr M., p. 93-96.
29. Tremblay, Dr Roland R. et Harmathy, Dr T., *op. cit.*, p 4.
30. Vermeulen, Dr A., *op. cit.*, p. 533.
31. Rainforce Touchfire His TM, *Enhance Sexual Desire, Libido…*, p. 2.
32. *Actualité médicale*, 11 mars 1998, supplément, p. 8.
33. Carruthers, Dr M., p. 136.
34. Tremblay, Dr Roland R. et Harmathy, Dr T., *op. cit.*, p. 8.
35. Carruthers, Dr M., *op. cit.*, p. 137.
36. *Ibid.*, p. 138.
37. Lichten, Dr E.M., *op. cit.*, p. 4.
38. Tremblay, Dr Roland R. et Harmathy, Dr T., *op. cit.*, p. 8
39. *Ibid.*
40. *Ibid.*
41. *Ibid.*
42. Carruthers, Dr M., *op. cit.*, p. 143-144.

43. *Ibid.*, p. 120-122.
44. Pfizer, *Viagra, The FDA Approved Impotence Pill*, p. 2.
45. Carruthers, Dr M., *op. cit.*, p. 181.
46. Belaisch, Dr Jean, *Viagra*, p. 1, 2.
47. Lehman, Market, Sildenafil citrate (Viagra), uk, 92480, p. 3.
48. Werner, Dorothée, «Les hommes font-ils mieux l'amour qu'avant?», *Elle*, France, août 1998, p. 47.
49. «Sildanéfil : un traitement par voie orale contre l'impuissance», *Lettre médicale*, vol. 22, no 4, 5 juin 1998, p. 2.
50. Roland, Dr Pierre B., *Viagra, lettre aux médecins, Pfizer Canada*, p. 5.
51. *Lettre médicale*, *op. cit.*, p. 2.
52. *Clinical Roundup, Page Three (Medical Journal)*, «*Visual Disturbances Mean Pilots Should Avoid Viagra Before Flying*», p. 4.
53. Fiore, Francine, «Nouveaux médicaments de l'impuissance, informations médicales», *Actualité médicale*, 7 octobre 1998, p. 6.
54. Alarie, Dr Pierre, «Des lignes directrices pour le traitement de la dysfonction érectile», *L'Omnipraticien*, 3 décembre 1998, p. 40.
55. Carruthers, Dr Malcolm, réf : Schroder F.H., *Androgens and Carcinoma of the Prostate*; Nieschlag, E. Behre, *Testosterone : Action, Deficiency, Substitution*, Heidelberg, 1990, p. 245-60.
56. Tremblay, Dr Roland R. et Harmathy, Dr T., *op. cit.*, p. 6.
57. *Ibid.*
58. Lichten, Dr E.M., *op. cit.*, p. 4.
59. Carruthers, Dr M., *op. cit.*, p. 118-120.
60. Tremblay, Dr Roland R. et Harmathy, Dr T., *op. cit.*, p. 7.
61. *Ibid.*
62. *Ibid.*
63. Lichten, Dr E.M., *op. cit.*, p. 5.
64. Carruthers, Dr M., *op. cit.*, p. 151
65. Tremblay, Dr Roland R. et Harmathy Dr T., *op. cit.*, p. 8.
66. Renaud, Serge, *Le Régime santé*, p. 120.

67. Carruthers, Dr M., *op. cit.*, p. 102.
68. *Ibid.*, p. 216.
69. *Ibid.*, p. 104.
70. Mimoun, Dr S., *L'Univers masculin*, Seuil, Paris, 1995, extrait pris dans *Ménopause et Sexualité*, JTA, 1997, ch. IV, p. 6.
71. Dobbs, Dr Adrian, *Why Should You Supplement DHEA*, p. 1.

Conclusion

1. Buhler, Dr M., «Bien vieillir», *Les Traitements de la ménopause*, ch. VII, p. 7.

Notes

Première partie

Introduction

1. *La Ménopause et le Remplacement hormonal,* Libre Expression, 1995.

2. Androgénisante : ayant un effet androgénique, i.e. semblable à celui des hormones androgènes, telle la testostérone.

3. *The Hormone of Desire*, Dr Susan Rako.

Chapitre 1

1. Pulsatile : sous pulsions rythmées.

2. *Follicule stimulating hormone :* hormone folliculinisante.

3. *Luteinizing hormone :* hormone lutéinisante.

4. *Adreno-corticotropic hormone :* hormone qui stimule la surrénale.

5. *Thyroid-stimulating hormone :* hormone qui stimule la thyroïde.

6. *Growth hormone :* hormone de croissance.

7. Sites récepteurs : lieux où vont agir les hormones. Souvenez-vous des «petites assiettes» expliquées dans mon premier livre sur la ménopause. Nous en reparlerons à la fin du présent chapitre.

8. Chez qui les testicules connaissent une baisse de fonctionnement due au vieillissement ou à une maladie.

9. En l'occurrence, le noyau préoptique médian.

10. Sommeil paradoxal : pendant lequel on rêve; aussi appelé sommeil REM, pour *rapid eyes movement*, car durant ce sommeil, si l'on soulève la paupière du dormeur, on réalise que son œil bouge, comme s'il regardait un film.

11. Phéromones : substances d'attrait, excrétées chez toute espèce vivante et servant à attirer le sexe opposé, en vue d'assurer la reproduction.

12. Le système limbique : la partie la plus ancienne du cerveau.

13. Les opiacés : médicaments mimant l'action de l'opium.
14. Qu'on appelle aromatisation.
15. Métabolite : produit de transformation.
16. Corps jaune : glande endocrine temporaire et cyclique, développée après l'ovulation, à partir du follicule mature; son nom est dû au fait que ses cellules sont jaunes; elle sécrète la progestérone.
17. Cycle circadien : rythme de variation au cours d'une période de 24 heures. Certaines hormones ont une sécrétion plus importante à certaines heures du jour ou de la nuit.
18. Dysfonctions érectiles : troubles de l'érection.
19. Lux : mesure de lumière employée en photographie et correspondant sensiblement à la lumière d'une bougie.
20. Immunité : fonction du système immunitaire, lequel nous défend contre les virus, les bactéries et les corps étrangers.
21. Stéroïdiennes : les hormones sexuelles.
22. *Sex-hormone-binding-globulin :* globuline liant les hormones sexuelles.
23. *Cortico-binding-globulin :* globuline liant les hormones corticoïdes.
24. *Thyroïd-binding-globulin :* globuline liant les hormones thyroïdiennes.

Chapitre 2

1. Hippocrate : médecin grec de l'Antiquité.
2. HTR : hormonothérapie de remplacement. On dit aussi HTS, pour «hormonothérapie substitutive».
3. Dépression post-partum : état dépressif rencontré chez plusieurs femmes après un accouchement et qui s'explique par la brusque chute des œstrogènes et de la progestérone, qui avaient été élevés pendant plusieurs mois, permettant ainsi le maintien de la grossesse.
4. ARN : acide ribonucléique, messager impliqué dans la transmission du message génétique.
5. Synapse : aire de jonction entre deux neurones, ou entre le neurone et la cellule musculaire.

6. Autoradiographie : radiographie obtenue en plaçant un film photographique au contact d'un objet contenant des substances radioactives. Leur rayonnement permet ainsi de connaître la répartition de ces substances au sein de l'objet.

7. Hyperœstrogénie : présence de beaucoup trop d'œstrogènes dans le sang.

8. Endomètre : couche interne de l'utérus, dont l'épaisseur varie suivant l'action des hormones sexuelles.

9. Supraphysiologique : au-dessus de ce dont le corps a besoin.

10. Opioïdes : où agissent certaines substances comme les endorphines, qui, un peu comme la morphine, calment et donnent une sensation de bien-être.

11. Dyskinésie : mouvements désordonnés, exagérés et involontaires, rencontrés dans quelques maladies du système nerveux, entre autres la maladie de Parkinson.

Chapitre 3

1. Glossite : inflammation de la langue par amincissement des tissus et diminution des mécanismes de défense naturelle.

2. Lipolyse : action aboutissant à une fonte du tissu adipeux.

3. Tissu adipeux : graisse.

4. Phase lutéale : deuxième partie du cycle féminin, correspondant à la sécrétion de progestérone par le corps jaune.

5. Fibromyalgie : syndrome caractérisé par des douleurs musculaires et souvent articulaires à plusieurs endroits du corps.

6. *Polymyalgia rheumatica :* une sorte de maladie rhumatismale particulière.

7. AURA : terme surtout employé pour décrire un état particulier ressenti par les épileptiques juste avant une crise. Utilisé ici, il tente de définir, par analogie, une sensation particulière qui précède une bouffée de chaleur.

8. Ostéopénie : perte osseuse à un degré moindre que l'ostéoporose.

9. Aménorrhée : absence de menstruation.

10. Cycle anovulatoire : cycle sans ovulation.
11. Étude PEPI : *Post-Menopausal Estrogen/Progestin Intervention* ou étude à double insu examinant les effets de différents schémas d'HTR sur les facteurs de risque de maladies cardiovasculaires, soit le cholestérol, la tension artérielle, le fibrinogène et l'insuline dans le sang.
12. Action antioxydante : empêchant l'oxydation des tissus, laquelle a pour effet, un peu comme la rouille sur les métaux, de faire vieillir tissus et organes.
13. Abaissement du segment ST : à l'ECG, signe électrique d'angine induite à l'effort.
14. Étude à double insu : se dit d'une étude impliquant deux groupes dont l'un reçoit la substance à l'étude et le groupe témoin, un placebo, sans que les chercheurs ni les participants connaissent a priori qui reçoit la substance à l'étude ou le placebo.

Chapitre 4

1. Glycogène : forme de réserve importante de sucre (glucose), qui se mobilise facilement en cas de besoin des tissus.
2. Synéchie : accolement des parois du vagin ou des lèvres.
3. Glandes de Bartholin : glandes situées de part et d'autre de la moitié postérieure de l'orifice vaginal, incluses dans le muscle constricteur de la vulve.
4. Prolapsus : glissement d'un organe vers le bas.
5. HTR systémique : hormonothérapie générale, soit par comprimés ou par voie transdermique, par opposition à l'hormonothérapie locale, où les hormones ne sont appliquées qu'à la vulve ou au vagin.
6. RR : risque relatif.
7. SOGC : Société d'obstétriciens-gynécologues du Canada.

Deuxième partie

Introduction

1. «Ce que votre médecin ne vous dit peut-être pas au sujet de la ménopause» (traduction libre).
2. «Le livre révolutionnaire sur la progestérone naturelle» (traduction libre).
3. «La progestérone naturelle : les multiples rôles de cette remarquable hormone» (traduction libre).

Chapitre 1

1. Corps jaune : glande endocrine temporaire et cyclique, développée après l'ovulation, à partir du follicule mature, dans l'ovaire; son nom est dû au fait que ses cellules sont jaunes. Cette glande sécrète la progestérone.
2. Mitochondrie : organite constant dans toute cellule et qui joue en quelque sorte le rôle de «poumon» de la cellule.
3. Fibrinolyse : ensemble du processus conduisant à la destruction physiologique du caillot de fibrine, laquelle est une protéine insoluble, élément principal du caillot sanguin.
4. SPM : syndrome prémenstruel.
5. Foyer épileptogène : susceptible de provoquer des crises d'épilepsie.
6. Substances opioïdes : qui miment l'action de l'opium.
7. Ocytocine : l'une des hormones de l'hypophyse dont nous avons parlé dans le premier chapitre de la première partie de ce livre.
8. Nullipare : qui n'a jamais accouché.
9. Glande mammaire susceptible : i.e. immature et donc fragile aux agents cancérigènes.
10. Hormono-dépendants : pouvant augmenter ou diminuer de volume suivant la concentration d'œstradiol ou de progestérone dans les tissus impliqués.

Chapitre 2

1. C17 ou C19, ou toute autre formule faite d'un chiffre accolé à une lettre, en chimie : la molécule de stéroïde est

constituée d'anneaux représentés par des lettres et les atomes de carbone qui entrent dans sa composition sont représentés par des chiffres.

2. Androgénique : masculinisant, comme la testostérone, par exemple.

3. *La Ménopause et le Remplacement hormonal*, Libre Expression, 1995.

Chapitre 3

1. Natriurétique : qui permet d'éliminer le sel (chlorure de Na).

2. Candida albicans : champignon existant normalement dans la flore vaginale et qui peut causer une vaginite s'il se trouve en trop grande concentration.

Troisième partie

Chapitre 1

1. Apocrine : mode de sécrétion dans lequel le pôle apical des cellules glandulaires se détache en emportant le produit de sécrétion.

2. Phénotype : ensemble des caractères apparents d'un individu.

Chapitre 2

1. Entérobacilles : famille de bacilles (microbes) qui vivent chez l'homme et chez plusieurs espèces animales. La plupart du temps, ces bacilles ne causent pas de problèmes à l'organisme qu'ils habitent.

Chapitre 4

1. Hyperlipidémie : maladie où les gras (cholestérol, triglycérides) sont élevés dans le sang, ce qui peut amener des maladies cardiovasculaires, dont l'angine et l'infarctus.

2. Ce livre est : *Hormone of Desire*, publié chez Harmony Books, New York.

Chapitre 5

1. Génome : ce terme est souvent utilisé pour désigner l'ensemble du matériel génétique.

2. Nyctémérale : se dit de l'espace de temps comprenant un jour et une nuit et correspondant à un cycle biologique. Synonyme de «circadien».

3. Tachycardie : rythme cardiaque très rapide.

4. Priapisme : syndrome caractérisé par une érection d'une durée anormale (au-delà de 3-4 heures), douloureuse, indépendante de toute libido et n'aboutissant pas à l'éjaculation. Ce mot provient du nom de Priape, le dieu grec de la fécondité.

5. «La testostérone comme traitement de maladies cardiovasculaires» (traduction libre).

6. Muse : chacune des neuf déesses qui, dans la mythologie antique, présidaient aux arts libéraux. En littérature : l'inspiration poétique souvent évoquée sous les traits d'une femme.

7. AMSQ : Association de médecine sexuelle du Québec.

8. Segment S-T : à l'électrocardiogramme, image qui témoigne d'une mauvaise vascularisation du cœur, i.e. de l'angine induite à l'effort.

9. Syndrome X : voir le chapitre 3 de la première partie de ce livre.

10. «Bijoux de famille» : synonyme humoristique de «testicules».

transcontinental
IMPRESSION
IMPRIMERIE GAGNÉ

IMPRIMÉ AU CANADA